《名医别录》辑校

〔南朝·梁〕陶弘景 撰

尚志钧 辑校

尚元胜 尚元藕 黄自冲 整理

U0239810

尚志钧本草文献全集

本草古籍辑注丛书·第二辑

尚志钧／辑注

尚元胜 尚云飞 尚元藕 任 何／整理

2020年度国家古籍整理出版专项经费资助项目

尚志钧百年诞辰典藏

北京科学技术出版社

图书在版编目（CIP）数据

本草古籍辑注丛书. 第二辑.《名医别录》辑校 / （南朝梁）陶弘景撰；尚志钧辑校；尚元胜，尚元藕，黄自冲整理. —北京：北京科学技术出版社，2021. 10

ISBN 978-7-5714-1289-0

Ⅰ. ①本… Ⅱ. ①陶… ②尚… ③尚… ④尚… ⑤黄… Ⅲ. ①本草-中医典籍-注释 Ⅳ. ①R281. 3

中国版本图书馆 CIP 数据核字(2020)第263479号

策划编辑： 侍　伟　段　瑶
责任编辑： 杨朝晖　董桂红
文字编辑： 刘　雪
责任校对： 贾　荣
图文制作： 北京艺海正印广告有限公司
责任印制： 李　茗
出 版 人： 曾庆宇
出版发行： 北京科学技术出版社
社　　址： 北京西直门南大街16号
邮政编码： 100035
电　　话： 0086-10-66135495（总编室）　0086-10-66113227（发行部）
网　　址： www. bkydw. cn
印　　刷： 北京捷迅佳彩印刷有限公司
开　　本： 787 mm×1092 mm　1/16
字　　数： 420 千字
印　　张： 23. 5
版　　次： 2021 年 10 月第 1 版
印　　次： 2021 年 10 月第 1 次印刷
ISBN 978-7-5714-1289-0

定　　价：490. 00 元

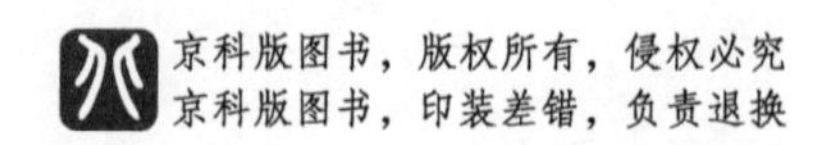
京科版图书，版权所有，侵权必究
京科版图书，印装差错，负责退换

总前言

把工作放在日后做，是空的。一日不死，工作不止。

——尚志钧

千年中医，巨变振兴。真正的学者是将学术与生命紧密地联系在一起的，尚公直面人生的艰辛，以理性的思维、冷性的文字、激越的情怀著书立说，将一生奉献给了中医药学。站在中医药学发展的角度，纵观纷繁的沧桑医事，也许更可以使人获得理性的通明，使今天的中医药学术更加繁荣。

一

辑佚，在北宋已成为一门独立的学科。南宋·郑樵说：“书有亡者，有虽亡而不亡者。”近代余嘉锡也说：“东部藏书者书虽亡，而天下之书不必与之俱亡。”对于亡书，或原书已亡佚，但部分内容保存在史书、类书、方志、金石、古书注解、杂纂散抄之中的书，可以通过搜集诸书所征引的章句，窥其原貌，甚至可以通过类书总集，恢复原书旧貌。

孟子说：“不专心致志，则不得也。”尚公下苦功数十年，终成本草大家，他辑复的《新修本草》填补了本草文献整复工作的空白。范行准先生早年指出：“我们知道从事重辑《新修本草》者，中外不止一家，而俱未能问世。今尚先生竟能着其失鞭，使1300年前世界上第一部国家药典的原貌，灿然复见于世，是值得我们庆幸的一件事。”

对《吴氏本草经》《名医别录》《雷公炮炙论》《新修本草》《食疗本草》《日华子本草》《开宝本草》《本草图经》等主要的19部本草名著的辑复，是尚公最重要的学术成果。其中，《新修本草》是中国最早也是世界上最早的国家药典，文献价值极高，原书在国内久佚。清末，日本人发现其传抄卷子本10卷，尚缺10卷。清人李梦莹、近人范行准，及日本的小岛宝素、中尾万三、冈西为人等都曾试图对其进行辑复，但均未成功。尚公自1948年开始辑复《新修本草》，于1958年完成初稿，后又重辑，以油印本发行；后尚公再修改、补充之，并于1981年正式出版该书。尚公辑复《新修本草》，历时33年，援引各种参考书91种，做详细校记6319条。他先选定底本、主校本、旁校本和其他资料，再把各种古书中所载《新修本草》药物条文全部录出，加以比较互勘。他以最早的敦煌出土的《新修本草》残卷，及武田本《新修本草》、傅氏影刻本《新修本草》和罗振玉收藏的抄本《新修本草》为底本；《新修本草》所缺，即以《千金翼方》为底本；《千金翼方》亦缺，再以人民卫生出版社影印的《重修政和经史证类备用本草》为底本；最后以其他后出本为核校本核校之。尚公不仅校误字，还校书中有关错引、脱漏、增衍以及《神农本草经》文与《名医别录》文的混淆等。此外，他还对避讳字、通假字进行了解释，对全书进行了断句标点。他所辑复的《新修本草》还原了该书本来面貌，对找回后世本草脱漏佚失的资料有重要价值，如蒲公英治乳痈、蚤休解蛇毒、乌贼骨疗目翳等药物功效，在《新修本草》中即已有记述。此外，对《新修本草》进行辑复还有助于鉴别后世本草中资料的真伪，有助于校正后世本草的舛错，如《本草纲目》卷一“历代诸家本草”项“《名医别录》”条和“陶隐居《名医别录》合药分剂法则”项下所节录的注文，实为《本草经集注》的内容，并非《名医别录》的内容。

二

在驾驭大量本草文献史料上，尚公表现出极强的能力。他自觉地摆脱历史上不同时期本草文献资料谬误对遗佚本草辑复的干扰，力求通过目录学、版本学、校勘学、辑佚学、避讳学等多种学科的知识，结合具体对象和内容，手抄笔录，全面、系统地核实诸多文献记载，建立本草书籍、本草人物及单味药物3个系统的卡片档案，由源及流，追根问底，查清药物运用的概貌。在此基础上，他旁征博引，上下贯通，建成了一张辑佚医药方书的联合网图，进入了左右逢源、得心应手的学术研究佳境。32部本草文献的辑复本、校点本、注释集纂编写本，见证了其学术功底的深厚广博。

《神农本草经》原书已佚，尚公在校注该书时，首先理顺了其文献源流。尚公认为《汉书·艺文志》没有记载《神农本草经》，故可以推测《神农本草经》成书于东汉。《隋书·经籍志》记载《神农本草经》有6种，《本草经》有9种。其中有的《本草经》既含有最早的《神农本草经》文，亦含有名医增补的《名医名录》文。陶弘景将诸经中《神农本草经》文加以总结，收入《本草经集注》中，以朱笔书写，定为《神农本草经》文。尚公以《本草经集注》为分界点，把在《本草经集注》以前的多种《本草经》称为“陶弘景以前的《本草经》”，其存于宋以前类书和文、史、哲古文献的注文中；把收载于《本草经集注》中的《本草经》称为“陶弘景总结的《本草经》”，其存于历代主流本草专著中。经过勘比考订可知，“陶弘景以前的《本草经》”在内容上有产地、生境、药物性状、形态、生态、采收时月、剂型、七情畏恶等，并且含有名医增补的内容。“陶弘景总结的《本草经》”有产地但无药物性状、形态、生态和七情畏恶等内容。所以，尚公得出结论：现存的《证类本草》中的白字内容，向上推溯，是由陶弘景综合当时流行的多种《本草经》的本子而成的。明清时期国内外学者，又从《证类本草》白字内容辑成多种单行本《神农本草经》，这些文字实际上是陶弘景整理的，并不是原始古本《神农本草经》。尚公校点的《神农本草经》将文献源流系统、条理地展现出来，对不同时代、不同版本的《本草经》药物条文、内容、取材论断均甚得法，资料搜集甚广，并务求其本源。

三

就尚公具体的学术成就与贡献而言，《〈唐·新修本草〉(辑复本)》和《神农本草经校点》这2部传世之作，打通了一道长期令人望而生畏的难关。但仅靠对本草辑复的贡献和成就，还难以窥见尚公学问之全貌。下面就尚公学术思想之一端，进一步证实其学问之博大精深。

“药性趋向分类”是尚公提出的一种新的药性分类方法。尚公根据药物作用趋势将药物分为行、守两大类。行类又分为上行、下行、通行、化行4类。上行类药物功用以升散为主，如升举下陷、发散外邪；下行类药物功用以降下为主，如平喘止咳、泻下利水；通行类药物功用以通畅为主，如使气血通畅以止痛；化行类药物功用以转化为主，如将食积、痰饮通过转化，成为无害物质。守即固守，不固守即出现虚损，凡虚损宜补。守类又分为补益和收敛2类。各类再分若干小类，每小类先述概要、举药名，次述共同作用、用途，再次述各药其他作用。尚公积50多年研究本草之经验，使药物分类更科学，药性更清晰。他对300多种常用中药的药性作用直说引述，正说反证，浅说深论，描述得淋漓尽致，十分切合临床，这是尚公对本草学研究的一项创新。

尚公不仅在本草学领域有颇多建树，在临床领域也有所创新。如尚公在《脏腑病因条辨》一书中，以中医五脏、六腑和病因（风、寒、暑、湿、燥、火、气、血、痰、饮）为单元，对临床症状进行归类。例如，患者胃脘隐隐作痛，喜暖喜按，泛吐清水，四肢不温，舌质淡白，脉虚软。从症状分析，胃脘痛和吐清水说明病在胃；四肢不温是脾寒；脉软表示虚；舌质淡白为虚寒。辨证应是脾胃虚寒证。此证是由3个单元——脾、胃、寒组成，脾属脏，胃属腑，寒属病因。从上个例子可以看出，五脏、六腑和病因3个单元是组成多种证的基础。

综上可以看出尚公之博学多思，勤于实践、总结。

四

尚公集毕生精力和情感于本草文献，在古本草史料的世界寻寻觅觅，始终如一地刻苦钻研而终于成为本草文献的知音。《尚志钧本草文献研究集》“论文题录”部分收录了尚公268篇学术论文。这些论文的内容广博而深入，不仅有对古本草史料的广搜精求，也有对纸上遗文的爬梳考订和辨证精释，还有对新发掘的地下实物的阐释（如对马王堆出土《五十二病方》、敦煌出土残卷等的整理和运用）。在268篇学术论文中，关于李时珍和《本草纲目》的论文有《〈本草纲目〉版本简介》《〈本草纲目〉断句误例二则》《〈本草纲目·序例〉辨误两则》《〈本草纲目〉标注〈本经〉药物总数的讨论》《金陵版〈本草纲目〉引〈日华子本草〉误注例》等。

在学术思想方面，《本草文献研究的意义及作用》《本草文献研究的目的》等是“熔铸古今，学以致用”的实践，亦相当引人入胜。一方面，尚公自觉脱除旧染与时弊，融目录、版本、校勘、考据、章句、修辞之法于本草学之中；另一方面，其继承并发展中国学术传统中的优秀方法，并赋予它们新的时代内涵，使之超胜前人。这既彰显出尚公的本草学思想和风格，亦彰显出其著述之功力。

五

客观地讲，除分散在各综合本草著作的矿物药外，自唐以来，矿物药专著寥若晨星。唐·梅彪撰写的《石药尔雅》疏注了唐以前道家炼丹书所用的药物。王嘉荫编著的《本草纲目的矿物史料》仅收录了《本草纲目》正文及集解中所列有关矿物、岩石等137种；李焕编写的《矿物药浅谈》、谢崇源等主编的《药用矿物》分别介绍了70种和50种矿物药的性味功用等；郭兰忠主编的《矿物本草》收载了108种矿物药。尚公的《中国矿物药集纂》一书独树一帜，对矿物药进行了详尽而深入的论述。该书分上、下两篇，上篇为总论，分述历代主要矿物药发展概况、矿物药的分类、矿物药化学成分概述、矿物药化学成分与药效关系、矿物药的物理性状、矿物药有关中药的药性、有毒矿物药毒性、矿物药配伍宜忌、矿物药炮制加工和煎煮。下篇收载单味矿物药1200余种，几乎将矿物药搜罗殆尽。书末附珍贵的矿物药研究资料10篇。从尚公对历代本草专著矿物药文献的排检和整理，可见其编纂工作之认真及对矿物药资料学术别择之广博与细致。《中国矿物药集纂》一书不仅在文献整理方面有很大价值，而且在集纂方面亦有很大价值，其体大思精的特点，反映了尚公学术的创新，更能为中医药学术发展指出一条道路。

《中国矿物药集纂》展现的是尚公精彩而寂寞的本草人生。自1977年以来，尚公闭户不交人事，甘坐冷板凳，独得东坡“万人如海一身藏”的状态。诚如熊十力所云“不孤冷到极度，不堪与世谐和”。尚公堂堂巍巍做人，独立不苟为学，一生出版著作近3000万言，这些冷性文字蕴含着他激越的情怀及集毕生精力和情感于本草文献的决心。尚公在古本草史料的世界里寻寻觅觅，搜剔爬梳，终于成为本草文献的拓荒者和耕耘者。

六

写到这里，我需要交代一下关于本丛书的一些情况。立意编纂本丛书始于2008年冬日追悼尚公的余绪；形成具体计划，确定出版，是在2017年春月，其间经历了8个春秋。尚元藕学妹、尚元胜学弟全力支持和参与这项工作，谨在此，深致谢忱。北京科学技术出版社与我们不约而同地意识到“文章千古事”，出版尚公本草文献，利在当代，功在千秋。在合作过程中，北京科学技术出版社的工作人员精勤慎细，审校书稿，为本丛书的编校质量提供了有力保障。

一个时代有一个时代的学术观念，一个时代的学者有其处身时代的思想烙印。愿本丛书能在追求本草学术的途中与你相遇。

任　何

于合肥倚云居，戊戌春日

辑校说明

一、作者的确定

本书所辑录的资料，主要来源于《大观》《政和》等本草书中的墨字部分。该墨字源出于陶弘景《本草经集注》中的墨字，该墨字，是陶弘景苞综魏晋诸名医“附经为说”的文字，经过整理而成。所以本书题陶弘景撰。

二、底本的确定

本书以现存最早引用《名医别录》原文的各书为底本。首先用吐鲁番出土的《本草经集注》残卷为底本，当《本草经集注》所缺（按，《本草经集注》残卷仅存豚卵、鸍屎、天鼠屎、鼹鼹鼠4味药，其余皆缺），即以敦煌卷子本《新修本草》残卷为底本；如《新修本草》残卷所缺（按，《新修本草》残卷仅存草部下品之上，即自“甘遂”至“白蔹”等30味药是存在的，其余皆缺），即以武田本《新修》为底本；武田本所缺（按，武田本《新修》仅存卷4、卷5、卷12、卷15、卷17、卷19，其余皆缺），即以傅氏影印《新修本草》为底本；傅氏影印本所缺（按，傅氏影印本缺草类和虫鱼类），即以孙思邈《千金翼》为底本；《千金翼》所缺（按，《千金翼》缺“彼子”和《新修本草》的注文），即以唐慎微《大观》为底本。

三、核校本的选用

核校本主要用来区分《神农本草经》文和《名医别录》文。因本书多数是用《新修》《千金翼》作底本，但该二书中无《神农本草经》《名医别录》标记，必须借助于各种版本《大观》《政和》中白字标记来区分《神农本草经》《名医别录》的文字。

由于不同版本的《大观》《政和》其白字标记不尽相同，如成化本《政和》及商务印书馆版《政和》中菖蒲、龙胆、白英、麝香、鹿茸、姑活条文无白字标记，人民卫生出版社版《政和》“曾青”条亦无白字标记，不仅这几味药标记有差异，而且很多药物条文白字、墨字标记亦有出入，因此，必须根据其他版本的《大观》《政和》旁证之，才能确定菖蒲、曾青等条是否属于《名医别录》的文字。有时还须参考明清诸家所辑《本草经》来做旁证。

核校本以宋代以前的本草为主，宋以后的本草，其中散见的《名医别录》资料，多数已被后人所改动，非庐山真面目，不能作为本书辑校的依据。

四、《神农本草经》文与《名医别录》文的区分

在核校时，如遇核校本《神农本草经》文和《名医别录》文标记不同于底本时，但又不能确定底本是否有误，仍以底本为正。例如“鷀屎”条的《名医别录》文，原以吐鲁番出土《本草经集注》残卷为底本，该残卷“鷀屎”条中，有“生高谷山平谷”6字作朱字《神农本草经》文标记，但核校本《大观》、玄《大观》、《大全》、《证类》、《政和》、成化本《政和》、《品汇》、《纲目》等皆注作《名医别录》文，又孙本、黄本、顾本、森本、狩本均不取此6字为《神农本草经》文，按核校本应订为《名医别录》文，但又不能确定底本属误，所以本书仍从底本为正，不取此6字为《名医别录》文。

在核校时，如能确认底本对《神农本草经》文和《名医别录》文标记有误，即依核校本订正。例如“白蔹”条，原以敦煌卷子本《新修本草》残卷为底本，底本“白蔹”条有“无毒”2字作2种标记，“无”字作朱字《神农本草经》文标记，“毒”字作墨字《名医别录》文标记。通检《大观》、玄《大观》、《大全》、

《证类》、《政和》、成化本《政和》皆作《名医别录》文，森本、狩本、孙本、黄本、顾本亦不取此2字为《神农本草经》文，按此2字应为《名医别录》文，本书即订正“无毒”2字作《名医别录》文。

五、校勘

在确定《名医别录》文后，辑校者对文中歧异、增衍、脱漏的字句均作了校勘。如遇底本与核校本有不同时，但又不能确定底本有误，仍以底本为正。例如“乌头”条全文，原以敦煌卷子本《新修本草》残卷为底本，底本“乌头”条中有“力视”2字，此2字在《千金翼》、《大观》、玄《大观》、《政和》、成化本《政和》、《大全》、《证类》、《品汇》、《纲目》、《图考长编》、《疏证》等核校本中均作“久视”，从完整句意来看，核校本作“目中痛不可久视”，而底本作“目中痛不可力视”并无错误，所以本书仍以底本为正。如能确定底本有误，即据核校本订正。例如“羖羊角”条，原以武田本《新修》为底本，底本“羖羊角”条中有“咳味”“补寒”等词，各核校本如《千金翼》、《大观》、玄《大观》、《大全》、《证类》、《政和》、成化本《政和》、《品汇》、《纲目》等均作“咳嗽”“补中”，本书即从核校本订正为“咳嗽”“补中”。

在校勘时，如能确定底本有脱漏，即据核校本补。例如“蔓荆实”条，原以武田本《新修》为底本，底本“蔓荆实”条中有“去长”2字，其他各本如《千金翼》、《大观》、玄《大观》、《大全》、《证类》、《政和》、成化本《政和》、《品汇》、《经疏》、《纲目》、《图考长编》等均作“去长虫”，本书即根据核校本补“虫”字。

在校勘时，如能确定底本有增衍，即据核校本删。例如“苍石”条，原以武田本《新修》为底本，底本“苍石”条中有“无毒有毒”4字，其他核校本如《千金翼》、《大观》、玄《大观》、《大全》、《证类》、《政和》、成化本《政和》、《品汇》、《图经衍义》、《纲目》等皆作“有毒”2字，并没有“无毒”2字，本书即据核校本删“无毒”2字。

在校勘时，如底本与核校本有字句歧异者，即作理校，根据药物作用来推断底本正误。例如“茯苓”条，原以武田本《新修》为底本，底本“茯苓”条中，有“好唾”2字在玄《大观》作“好垂”，在《千金翼》《大观》《品汇》作“好唾”，在《政和》、成化本《政和》、《大全》、《证类》、《纲目》、《图考长编》、《疏证》

等作“好睡”。按，“唾”与“睡”字形很相近，系传抄舛误，但从药物作用推论，“好唾”较可信，因茯苓利水，利水能治“好唾”，当以“好唾”为正。

在核校时，如遇某些字的古今写法不同，即改用现行的写法。例如“闭”“脑”“桑”“叶”“枣”“因”“热”“蛇”“血”等字，在武田本《新修》、傅氏影印本《新修本草》、敦煌卷子本《新修本草》残卷皆作“閇”“腦”“桒”“葉”“棗”“囙”“熱”“虵”“衁”等，本书不按武田本《新修》写法，而是采用一般通行字的写法。

在校勘时，对某些义同形异的字，如“能”与“耐”“创”与“疮”“痰”与“淡”等都是古今通假，本书辑录时，原则上是以原底本为正，未作统一的规定。

在校勘时，对某些避讳字，现在改正过来。例如“世”“治”因避唐太宗李世民、唐高宗李治的讳，而被改为“俗”“疗”。苏敬的“敬”字，因避宋代赵匡胤的祖父赵敬的讳，被改为“恭”字。玄参的“玄”字，因避清代康熙皇帝玄烨的讳，被改为“元”字等。

在核校时，如有义可两存者，即在校记中说明。例如“铜镜鼻”条，有“生桂阳”3字。各种版本《大观》《政和》皆作墨字《名医别录》文，各种辑本《本草经》亦不取此3字为《神农本草经》文。据此，则“生桂阳”3字应为《名医别录》文。但是陶弘景注此文时，却说“《本经》云，生桂阳”。按陶氏所注，“生桂阳”3字应为《神农本草经》文。二说不同，即在校勘记中，并存其说。

六、药物正名及畏恶的说明

本书所辑的药物正名，一般以《新修》《千金翼》《大观》等书所用的药名为正名。

药物条文，悉依底本文字为正。但有些《名医别录》文，由于在陶弘景《本草经集注》中是分析插入《神农本草经》条文有关内容之下，如性味及有毒无毒，即插入《神农本草经》性味之下，主治症即插入《神农本草经》主治症之下，因此性味的“味”字，主治的“主”字，以及“久服”2字等，一般都是借用朱字《神农本草经》，本书辑录时，亦将此类借用的“味”“主”“久服”等朱字一并辑入《名医别录》文中。

查吐鲁番出土的《本草经集注》文有“主治××”或“治××”，但敦煌卷子本《新修本草》残卷仅作“主××”或“疗××”。此因避唐高宗李治的“治”

字讳，把“主治”的“治”字删掉，剩下一个“主”字，或把“治”改成“疗”。因此，自唐以后本草皆沿袭《新修本草》旧例，药物条文中只有“主××”或“疗××”。本书在辑校时，仿吐鲁番出土《本草经集注》体例，在药物条文中用“主治××”或“治××”。

每条正文末，附以七情畏恶资料，用小字书写，以区别于正文。关于七情资料，《纲目》注出典为徐之才文，其实《纲目》所引七情资料，早在陶弘景《本草经集注》中已有著录。《证类》“前胡”条，陶弘景注云：“《本经》上品有茈胡而无此，晚来医乃用之，亦有畏恶，明畏恶非尽出《本经》。”按，前胡是《名医别录》药，其畏恶为“半夏为之使，恶皂荚，畏藜芦”。陶弘景认为《名医别录》药有畏恶资料。据此，本书将敦煌出土《本草经集注·序录》所列畏恶资料分别附在各药条文末。但这些资料，《纲目》均注出典为徐之才，本书在校记中均加以说明（按，陶弘景比徐之才早几十年）。

七、本书辑复后的药味数量及编排

《大观》《政和》收载《名医别录》药物730种，后因《新修》中新增的药，如珂、鲛鱼皮、龙脑、芸薹等，皆引用《名医别录》资料，据此可知《名医别录》原书应有此类药，所以本书即把此4味药收入书中。又《千金翼》有北荇华、领灰，《御览》有卢精，这3味药可能是《名医别录》资料，故本书亦收载之。又《嘉祐本草》和《本草衍义》在“女菀”中注云《新修本草》删去白菀，则白菀亦当属《名医别录》药，所以本书亦收录之。又如五石脂在《本草经集注》作1条计算的，但陶弘景注云：“五石脂……《别录》各条。”据此可知五石脂在《名医别录》原书中是分作5条的。对于增收药物，皆加方括号为标记，作为本书附录药物。

本书编排时将收载的730种药，按上、中、下三品，分为3卷。卷1为上品，载药193种；卷2为中品，载药243种；卷3为下品，载药294种。每1卷的药物又按玉石、草木、兽、禽、虫、鱼、果、菜、米谷等次序排列，这种排列是依据敦煌出土《本草经集注·序录》中药物七情药目次编排的。

八、辑校底本与核校本

在每味药物后所附参考文献首注中，开头所列的书是药物条文的底本，余下的书为核校本。除首注外，余下的注文是校勘说明。在这些校勘说明中，除校订《名医别录》条文外，对那些转引的《名医别录》资料，出现谬误时，亦作了校正说明。参考文献首注和校勘注中所用的书名，都是简称，为方便读者查阅，说明如下。

吐鲁番出土的《本草经集注》残卷 梁·陶弘景撰，1952年罗福颐影抄并收入《西陲古方技书残卷汇编》。

《本草经》断片 1947年万斯年译收入《唐代文献丛考》中，1957年商务印书馆版。

《本草经集注》 梁·陶弘景撰，敦煌石室出土的《本草经集注·序录》，1955年上海群联出版社据《吉石盦丛书》影印本。

武田本《新修》 日本武田长兵卫商店制药部内的大阪本草图书刊行会，据唐写卷子本《新修本草》卷4、卷5、卷12、卷15、卷17、卷19，在昭和十一年（1936）用珂罗版复印本。

敦煌卷子本《新修本草》残卷 敦煌出土的《新修本草》残卷，1952年罗福颐影抄并收入《西陲古方技书残卷汇编》。

《新修》 日本天平三年（731）田边史抄唐·苏敬《新修本草》，1955年上海群联出版社据《籑喜庐丛书》影印本。

《千金方》 唐·孙思邈撰《备急千金要方》，1955年人民卫生出版社据江户医学本影印。

《千金翼》 唐·孙思邈撰《千金翼方》，1955年人民卫生出版社据江户医学本影印。

《和名》 日本·深江辅仁撰《本草和名》，大正十五年（1926）日本古典全集刊行会据日本宽政八年（1796）刊本影印。

《和名类聚钞》 日本·源顺撰，清光绪三十二年（1906）龙璧勤刊印杨守敬所得抄本。

《医心方》 日本·丹波康赖撰，1955年人民卫生出版社影印原影卷子刊本。

《大观》 宋·唐慎微撰《经史证类大观本草》，清光绪三十年（1904）武昌柯逢时影宋并重校刊本。

玄《大观》 宋·唐慎微撰《经史证类大观本草》，日本安永四年（1775）望草玄据元大德宗文书院刊本翻刻。

《大全》 《重刊经史证类大全本草》，明万历三十八年（1610）彭端吾据籍山书院重刊王大献本翻刻。

《证类》 《重修政和经史证类备用本草》，1957年人民卫生出版社影印元翻刻扬州季范董氏藏金泰和张存惠晦明轩本。

《政和》 《重修政和经史证类备用本草》，1921—1929年商务印书馆影印金泰和甲子下已酉晦明刊本，《四部丛刊初编·子部》刊本。

成化本《政和》 明代成化四年（1468）山东巡抚原杰等据晦明轩本《重修政和经史证类备用本草》翻刻。

《图经衍义》 宋·寇宗奭撰《图经衍义本草》，1924年上海涵芬楼影印正统道藏本。

《品汇》 明·刘文泰等撰《本草品汇精要》，1936年商务印书馆据故宫抄本铅印。是书由《证类本草》主要内容汇集而成，对历代文献出典以文字注之，但对《名医别录》资料注作“名医所录”，对历代医方的内容注作“别录云”，这是极易被人误解的。

《经疏》 明·缪希雍撰《神农本草经疏》，明天启五年（1625）绿君亭刊本。该书名为《神农本草经》，实际上是一部综合性的本草著作。该书对《神农本草经》和《名医别录》的资料，皆无区别。

《疏证》 清·邹澍撰《本经疏证》，1959年上海科学技术出版社出版。该书虽名《本经》，实乃一部综合性的本草著作。书中《神农本草经》文，用黑体字表示。

《续疏》 清·邹澍撰《本经续疏》，1959年上海科学技术出版社出版。是书附在《本经疏证》内，也是一部综合性的本草著作，书中《神农本草经》文，用黑体字表示。

《纲目》 明·李时珍著《本草纲目》，1957年人民卫生出版社据清光绪十一年（1885）合肥张绍棠味古斋重校刊本影印。

《乘雅》 明·卢之颐撰《本草乘雅半偈》，南京图书馆藏本。

《草木典》 清康熙时敕修《古今图书集成·博物汇编·草木典》，中华书局影印本。

《禽虫典》 清康熙时敕修《古今图书集成·博物汇编·禽虫典》，中华书局影印本。

《食货典》 清康熙时敕修《古今图书集成·经济汇编·食货典》，中华书局影印本。

森本　日本嘉永七年（1854）森立之辑《神农本草经》，1955年上海群联出版社据日本森氏温知药室本影印。

狩本　日本文政七年（1824）汤岛狩谷望之志辑《神农本草经》，南京图书馆藏手抄本。是书取《证类本草》中的白字《神农本草经》文，按《新修本草》药物目录次序编排的，并以元刊本《大观本草》校注之。

孙本　清嘉庆四年（1799）孙星衍、孙冯翼合辑《神农本草经》，1955年商务印书馆版铅印本。

黄本　清·黄奭辑《神农本草经》，清光绪十九年（1893）仪征刘富增刻的《汉学堂丛书》本。是书全抄孙本，仅在书末补录几条《本草经》逸文而已。

顾本　清道光二十四年（1844）顾观光辑《神农本草经》，1955年人民卫生出版社据武陵山人遗书本影印。

《通志略》　宋·郑樵撰《通志略·昆虫草木略》，中华书局聚珍仿宋版印。

《群芳谱》　清·刘灏等编撰《佩文斋广群芳谱》，清康熙四十七年（1708）刻本，该书是在明·王象晋《群芳谱》的基础上增修而成。书中把杂录的资料冠以“别录”作白字标题，其含义绝不同于《名医别录》。

《御览》　宋·李昉等修纂《太平御览》，上海涵芬楼影印本。

《图考长编》　清·吴其濬撰《植物名实图考长编》，1959年商务印书馆版。

《尔雅》　《尔雅注疏》，商务印书馆版四部丛刊本。是书郭璞注时所引的本草资料，皆与现存古本草中所载内容不同。

《尔雅疏》　宋·邢昺注《尔雅注疏》，中华书局聚珍仿宋版印《四部备要》本。

《广雅疏证》　清·王念孙注，中华书局聚珍仿宋版印《四部备要》本。

《急就篇》　汉·史游撰，唐·颜师古注，宋·王应麟补注，光绪五年（1879）福山王氏刻本（天壤阁丛书本）。

《齐民要术》　后魏·贾思勰著，商务印书馆版《丛书集成初编》本。

《梦溪笔谈》　宋·沈括著，胡道静校注《梦溪笔谈校证》。1957年上海古典文学出版社出版。是书卷26《药议》引有本草资料。

《梦溪补笔谈》　宋·沈括著，胡道静校注《梦溪补笔谈》。1957年上海古典文学出版社出版。是书附刊在《梦溪笔谈校证》一书中。

《艺文类聚》　唐·欧阳询等奉敕修《艺文类聚》，1959年中华书局据宋绍兴本影印。是书卷81至卷97引有本草资料。

《北堂书钞》 唐·虞世南撰，光绪十四年（1888）南海孔广陶三十有三万卷堂刊本。

《初学记》 唐·徐坚等撰，古香斋袖珍本。是书卷27至卷30有本草资料。

《一切经音义》 唐·西明寺翻经沙门（释）慧琳撰，日本元文三年（1738）搏桑雒东狮谷白莲社刻本。

《事类赋》 宋·吴淑撰，清嘉庆十八年（1813）聚秀堂翻刻剑光阁本。

《事类备要》 宋·谢维新撰《古今合璧事类备要》，明嘉靖三十五年（1556）夏氏据宋本复刻本。是书分前集、后集、续集、别集、外集五部分，其中别集有本草资料。

《事文类聚》 宋·祝穆撰《新编古今事文类聚》，明翻刻元刊本。

《翰墨全书》 宋·刘省轩撰《新编事文类聚翰墨全书》，元刊本。是书分前集、后集两大部，前集和后集各按甲、乙、丙……分为10集，合共为20集，每一集又分若干卷，其中后戊集卷1至卷4有本草资料。

《锦绣万花谷》 明嘉靖十四年（1535）徽藩刊本。是书分前集、后集、续集三大部，其前集卷30至卷39有本草资料。《四库全书简明目录》云：不著撰人名氏，其原本成于淳熙中（1174—1189）。

《海录碎事》 宋·叶廷珪撰，明万历二十六年（1598）刊本。是书卷14至卷22有本草资料。

《记纂渊海》 宋·潘自牧撰，明万历七年（1579）胡维新刻本。是书卷90至卷99有本草资料。

《渊鉴类函》 清·张英等奉敕纂，民国六年（1917）同文图书馆复印本。

《毛诗疏》 唐·孔颖达注疏《毛诗注疏》，中华书局聚珍仿宋版印《四部备要》本。

《文选注》 梁·昭明太子撰，唐·李善注，中华书局聚珍仿宋版印《四部备要》本。

《编珠》 隋·杜瞻纂修，清康熙三十七年（1698）高士奇刻巾箱本。据《伪书通考》页944云是伪书。

《白孔六帖》 唐·白居易原撰，宋·孔传续撰，明刊本。

《博物志》 晋·张华撰，清·黄丕烈据汲古阁影宋本翻刻，收入《士礼居黄氏丛书》。

《续博物志》 宋·李石撰，清康熙七年（1668）新安汪士汉刊本。

《**香谱**》 宋·洪刍撰，民国二十年（1931）上海博古斋影印《百川学海》丛书本。

《**刘氏菊谱**》 宋·刘蒙撰，民国二十年（1931）上海博古斋影印《百川学海》丛书本。

《**史氏菊谱**》 宋·史老圃撰，民国二十年（1931）上海博古斋影印《百川学海》丛书本。

《**笋谱**》 宋·释赞宁撰，民国二十年（1931）上海博古斋影印《百川学海》丛书本。

《**蟹谱**》 宋·傅肱撰，民国二十年（1931）上海博古斋影印《百川学海》丛书本。

《**橘录**》 宋·韩彦直撰，民国二十年（1931）上海博古斋影印《百川学海》丛书本。

《**茶经**》 唐·陆羽撰，民国二十年（1931）上海博古斋影印《百川学海》丛书本。

《**本草衍义**》 宋·寇宗奭撰，1957年商务印书馆版。

《**外台秘要**》 唐·王焘著，1957年人民卫生出版社影印本。

《**史讳举例**》 陈垣著，1958年科学出版社出版。

《**小儿卫生总微论方**》 宋·佚名撰，1958年上海卫生出版社出版。

尚志钧

1964年3月

编校说明

（一）本书为尚志钧先生辑注的本草古籍。本次整理以尚志钧先生已出版的《〈名医别录〉辑校本》（2013 年版）原书（以下简称“原书”）为基础书稿。

（二）原书有简化字，也有繁体字，本书统一使用简化字。本书在编辑加工时，主要依据国家语言文字工作委员会文字规范文件（《简化字总表》《异体字整理表》等）的规定，以及《汉语大字典》的相关释义，在不影响原义的情况下，将原书中的繁体字、异体字、通假字等改为现行规范字，但在以下情况中做变通或特别处理。

1. 将原书文字进行简化时，若简化后字义容易淆错或不明晰，则慎重进行简化。如中医病名“癥瘕”之“癥”不简化为“症”。

2. 古书中的特有、习惯表达，以原书为准，原书已改为现代用字的，则改为现代用字，原书未改动，则不予改动。如“华”与“花”。

3. 原书已将尚志钧先生摘录的部分古籍药名用现行规范名称表述，但改动中存在少量不统一，如药物“斑蝥”，既有“斑蝥”又有“斑苗”，本次编校均改成“斑蝥”。仍保持古籍文字原貌，药名与现代规范药名不同者，不做改动，如“栝楼根”等。但在非古籍引文部分，仍用现行规范名称表述。

4. 原书是对尚志钧先生 1986 年由人民卫生出版社出版的《名医别录》（辑校本）的再版，原书与 1986 年版部分内容有不一致之处的，经尚元藕老师以及相关资料求证，原书存在错误的，按 1986 版修改，如“荨”改为“莼”；无法考证的，则保留原书，不予改动，如“茆”与“苑”。

5. 摘录古籍原文的字词，在不影响阅读的情况下，为尊重古籍原貌，未做统一。如“曝干”与“暴干”。

（三）对于书稿中明显的错别字以及常识性错误，编校时直接予以改正，不予出注。

（四）为方便读者阅读，在描述古籍卷页时，均用阿拉伯数字表示。如“卷8页23”等。

（五）本书涉及诸多古籍，为方便阅读，对文中部分本草古籍使用简称，具体简称格式见前文“辑校说明”部分。《神农本草经》与《名医别录》在前附文与后附文部分采用全称，在正文部分采用简称“《本经》”“《别录》”。

（六）为方便查找及统计，对古籍药物条文添加编号。药物条文实际编号与尚志钧先生整理统计的730种不一致，可能是分条所致，谨此说明。

在本书的编辑整理过程中，有幸得到了尚志钧先生弟子郑金生研究员以及国内多位中医文献学者、古籍出版专家的悉心指教。由于本书专业性强、体量较大，且出版时间紧促，编辑水平有限，疏漏谬误，恐所难免，欢迎广大读者批评指正，以期再版更正。

目　录

上品卷第一 …………………………………………………………………… 1

1　玉屑 …………………………………………………………………… 3

2　玉泉 …………………………………………………………………… 3

3　丹沙 …………………………………………………………………… 4

4　水银 …………………………………………………………………… 4

5　空青 …………………………………………………………………… 4

6　曾青 …………………………………………………………………… 5

7　白青 …………………………………………………………………… 5

8　扁青 …………………………………………………………………… 6

9　石胆 …………………………………………………………………… 6

10　云母 …………………………………………………………………… 7

11　朴消 …………………………………………………………………… 7

12　消石 …………………………………………………………………… 8

13　矾石 …………………………………………………………………… 9

14　芒消 …………………………………………………………………… 9

15　滑石 …………………………………………………………………… 9

16　紫石英 ………………………………………………………………… 10

17 白石英 …… 10
18 青石脂 …… 11
19 赤石脂 …… 11
20 黄石脂 …… 11
21 白石脂 …… 11
22 黑石脂 …… 12
23 太一禹馀粮 …… 12
24 禹馀粮 …… 13
25 青玉 …… 13
26 白玉髓 …… 13
27 璧玉 …… 14
28 合玉石 …… 14
29 陵石 …… 14
30 碧石青 …… 14
31 五羽石 …… 14
32 石流青 …… 15
33 石流赤 …… 15
34 六芝 …… 15
35 赤箭 …… 16
36 龙眼 …… 16
37 猪苓 …… 17
38 茯苓 …… 17
39 茯神 …… 18
40 虎魄 …… 18
41 松脂 …… 18
42 松实 …… 19
43 松叶 …… 19
44 松节 …… 19
45 松根白皮 …… 19
46 柏实 …… 20
47 柏叶 …… 20

48 柏白皮 …… 20
49 天门冬 …… 21
50 麦门冬 …… 21
51 术 …… 22
52 萎蕤 …… 23
53 黄精 …… 23
54 干地黄 …… 23
55 生地黄 …… 23
56 菖蒲 …… 24
57 远志 …… 25
58 泽泻 …… 25
59 署预 …… 26
60 菊花 …… 27
61 甘草 …… 27
62 人参 …… 28
63 石斛 …… 28
64 石龙芮 …… 29
65 石龙蒭 …… 29
66 络石 …… 30
67 千岁虆汁 …… 31
68 木香 …… 31
69 龙胆 …… 32
70 牛膝 …… 32
71 卷柏 …… 33
72 菌桂 …… 33
73 牡桂 …… 34
74 桂 …… 34
75 杜仲 …… 35
76 干漆 …… 35
77 细辛 …… 36
78 独活 …… 36

79　升麻 …… 37
80　柴胡 …… 37
81　防葵 …… 38
82　蓍实 …… 38
83　楮实 …… 39
84　酸枣 …… 39
85　槐实 …… 40
86　枸杞 …… 41
87　苏合香 …… 41
88　菴蕳子 …… 42
89　薏苡仁 …… 42
90　车前子 …… 42
91　蛇床子 …… 43
92　菟丝子 …… 44
93　菥蓂子 …… 44
94　茺蔚子 …… 45
95　地肤子 …… 45
96　青蘘 …… 45
97　忍冬 …… 46
98　蒺藜子 …… 46
99　肉苁蓉 …… 47
100　白英 …… 47
101　白蒿 …… 47
102　茵陈蒿 …… 48
103　漏芦 …… 48
104　茜根 …… 48
105　旋花 …… 49
106　蓝实 …… 50
107　景天 …… 50
108　天名精 …… 50
109　王不留行 …… 51

110 蒲黄 …… 51
111 香蒲 …… 52
112 兰草 …… 52
113 蘼芜 …… 52
114 云实 …… 53
115 徐长卿 …… 53
116 姑活 …… 54
117 屈草 …… 54
118 翘根 …… 54
119 牡荆实 …… 55
120 秦椒 …… 55
121 蔓荆实 …… 56
122 女贞实 …… 56
123 桑上寄生 …… 57
124 蕤核 …… 57
125 沉香 …… 58
126 辛夷 …… 58
127 榆皮 …… 59
128 玉伯 …… 59
129 曼诸石 …… 59
130 石濡 …… 60
131 柒紫 …… 60
132 牛舌实 …… 60
133 菟枣 …… 61
134 龙常草 …… 61
135 离楼草 …… 61
136 吴唐草 …… 61
137 雀医草 …… 62
138 兖草 …… 62
139 酸草 …… 62
140 徐李 …… 62

141　桑茎实……63
142　满阴实……63
143　可聚实……63
144　地耳……64
145　土齿……64
146　丁公寄……64
147　腂……64
148　龙骨……64
149　白龙骨……65
150　龙齿……65
151　牛黄……66
152　麝香……67
153　人乳汁……67
154　发髲……67
155　乱发……68
156　头垢……68
157　人屎……68
158　人溺……68
159　溺白垽……68
160　马乳……69
161　牛乳……69
162　羊乳……69
163　酥……69
164　熊脂……70
165　石蜜……70
166　蜜蜡……71
167　白蜡……71
168　蜂子……71
169　白胶……72
170　阿胶……72
171　白鹅膏……73

172 雁肪 …… 73
173 丹雄鸡 …… 73
174 白雄鸡肉 …… 74
175 乌雄鸡肉 …… 74
176 黑雌鸡 …… 76
177 黄雌鸡 …… 76
178 鹜肪 …… 77
179 牡蛎 …… 78
180 魁蛤 …… 78
181 石决明 …… 79
182 秦龟 …… 79
183 鲍鱼 …… 79
184 鮧鱼 …… 80
185 鳝鱼 …… 80
186 地防 …… 80
187 豆蔻 …… 80
188 葡萄 …… 81
189 蓬蘽 …… 81
190 覆盆子 …… 82
191 大枣 …… 82
192 藕实茎 …… 83
193 鸡头实 …… 83
194 芰实 …… 83
195 栗 …… 84
196 樱桃 …… 84
197 橘柚 …… 84
198 白瓜子 …… 85
199 白冬瓜 …… 85
200 冬葵子 …… 86
201 葵根 …… 86
202 苋实 …… 86

203 苦菜 …… 87
204 荠 …… 87
205 芜菁及芦菔 …… 88
206 菘 …… 88
207 芥 …… 88
208 苜蓿 …… 88
209 荏子 …… 89
210 胡麻 …… 89
211 麻蕡 …… 90
212 麻子 …… 90
213 饴糖 …… 91

中品卷第二

中品卷第二 …… 93
214 金屑 …… 95
215 银屑 …… 95
216 雄黄 …… 95
217 雌黄 …… 96
218 石钟乳 …… 96
219 殷孽 …… 97
220 孔公孽 …… 97
221 石脑 …… 97
222 石硫黄 …… 98
223 慈石 …… 98
224 凝水石 …… 99
225 石膏 …… 99
226 阳起石 …… 100
227 玄石 …… 101
228 理石 …… 101
229 长石 …… 102
230 绿青 …… 102
231 铁落 …… 102
232 生铁 …… 103

233 钢铁 …… 103
234 铁精 …… 103
235 铅丹 …… 104
236 玉英 …… 104
237 厉石华 …… 104
238 石肺 …… 105
239 石肝 …… 105
240 石脾 …… 105
241 石肾 …… 106
242 遂石 …… 106
243 白肌石 …… 106
244 龙石膏 …… 106
245 石耆 …… 107
246 终石 …… 107
247 当归 …… 107
248 防风 …… 107
249 秦艽 …… 108
250 黄芪 …… 108
251 吴茱萸 …… 109
252 黄芩 …… 110
253 黄连 …… 110
254 五味子 …… 111
255 决明子 …… 111
256 芍药 …… 112
257 桔梗 …… 112
258 芎䓖 …… 113
259 藁本 …… 114
260 麻黄 …… 114
261 葛根 …… 114
262 前胡 …… 115
263 知母 …… 115

264 大青 …… 116
265 贝母 …… 116
266 栝楼根 …… 117
267 丹参 …… 117
268 厚朴 …… 118
269 竹叶 …… 118
270 淡竹叶 …… 119
271 苦竹叶及沥 …… 119
272 玄参 …… 120
273 沙参 …… 120
274 苦参 …… 121
275 续断 …… 121
276 枳实 …… 122
277 山茱萸 …… 122
278 桑根白皮 …… 123
279 桑耳 …… 124
280 松萝 …… 124
281 白棘 …… 125
282 棘刺花 …… 125
283 狗脊 …… 125
284 萆薢 …… 126
285 菝葜 …… 126
286 石韦 …… 127
287 通草 …… 127
288 瞿麦 …… 128
289 败酱 …… 128
290 秦皮 …… 128
291 白芷 …… 129
292 杜蘅 …… 130
293 杜若 …… 130
294 蘖木 …… 130

295 木兰 …… 131
296 白薇 …… 131
297 葈耳实 …… 132
298 茅根 …… 132
299 百合 …… 133
300 酸浆 …… 133
301 淫羊藿 …… 133
302 蠡实 …… 134
303 栀子 …… 134
304 槟榔 …… 135
305 合欢 …… 135
306 卫矛 …… 135
307 紫葳 …… 136
308 芜荑 …… 136
309 紫草 …… 137
310 紫菀 …… 137
311 白鲜 …… 138
312 白兔藿 …… 138
313 营实 …… 139
314 薇衔 …… 139
315 井中苔及萍 …… 140
316 王孙 …… 140
317 爵床 …… 140
318 白前 …… 141
319 百部根 …… 141
320 王瓜 …… 141
321 荠苨 …… 142
322 高良姜 …… 142
323 马先蒿 …… 142
324 蜀羊泉 …… 142
325 积雪草 …… 143

326 恶实 …… 143
327 莎草根 …… 143
328 大小蓟根 …… 144
329 垣衣 …… 144
330 艾叶 …… 145
331 牡蒿 …… 145
332 假苏 …… 145
333 水萍 …… 146
334 海藻 …… 146
335 昆布 …… 146
336 荭草 …… 147
337 陟厘 …… 147
338 干姜 …… 147
339 薰草 …… 148
340 船虹 …… 148
341 婴桃 …… 148
342 五色符 …… 149
〔附〕龙脑香及膏香 …… 149
343 石剧 …… 150
344 路石 …… 150
345 旷石 …… 150
346 败石 …… 150
347 越砥 …… 151
348 夏台 …… 151
349 鬼目 …… 151
350 马唐 …… 151
351 羊乳 …… 152
352 犀洛 …… 152
353 雀翘 …… 152
354 鸡涅 …… 153
355 相乌 …… 153

356 神护草 …… 153
357 黄护草 …… 153
358 天雄草 …… 154
359 益决草 …… 154
360 异草 …… 154
361 勒草 …… 154
362 英草华 …… 154
363 吴葵华 …… 155
〔附〕北荇华 …… 155
364 陕华 …… 155
365 节华 …… 155
366 新雉木 …… 156
367 合新木 …… 156
368 俳蒲木 …… 156
369 遂阳木 …… 156
370 荻皮 …… 157
371 蕙实 …… 157
372 白并 …… 157
373 赤涅 …… 158
374 黄秫 …… 158
375 黄白支 …… 158
376 紫蓝 …… 158
377 累根 …… 159
378 良达 …… 159
379 委蛇 …… 159
380 麻伯 …… 159
381 类鼻 …… 160
382 逐折 …… 160
383 并苦 …… 160
384 索干 …… 160
385 疥柏 …… 161

386 常更之生 …… 161
387 城里赤柱 …… 161
388 菟葵 …… 161
〔附〕白菀 …… 162
389 零羊角 …… 162
390 羖羊角 …… 163
391 青羊胆 …… 163
392 羊肺 …… 163
393 羊心 …… 164
394 羊肾 …… 164
395 羊齿 …… 164
396 羊肉 …… 164
397 羊骨 …… 164
398 羊屎 …… 165
399 犀角 …… 165
400 牛角鰓 …… 165
401 白马茎 …… 166
402 牡狗阴茎 …… 168
403 鹿茸 …… 169
404 麞骨 …… 171
405 虎骨 …… 171
406 豹肉 …… 171
407 狸骨 …… 172
408 兔头骨 …… 172
409 雉肉 …… 173
410 鹰矢白 …… 173
411 雀卵 …… 173
412 鹳骨 …… 174
413 雄鹊肉 …… 174
414 伏翼 …… 174
415 蝟皮 …… 175

416 石龙子 …… 175
417 露蜂房 …… 176
418 樗鸡 …… 176
419 蚱蝉 …… 176
420 白僵蚕 …… 177
421 桑螵蛸 …… 177
422 蛋虫 …… 178
423 蛴螬 …… 178
424 蛞蝓 …… 179
425 海蛤 …… 179
426 文蛤 …… 180
427 鲤鱼胆 …… 180
428 蠡鱼 …… 180
429 龟甲 …… 181
430 鳖甲 …… 181
431 鮀鱼甲 …… 182
432 乌贼鱼骨 …… 182
433 蟹 …… 183
434 鳗鲡鱼 …… 183
435 原蚕蛾 …… 183
436 雄黄虫 …… 183
437 天社虫 …… 184
438 蜗离 …… 184
439 梗鸡 …… 184
440 梅实 …… 185
441 榧实 …… 185
442 柿 …… 185
443 木瓜实 …… 186
444 甘蔗 …… 186
445 芋 …… 186
446 乌芋 …… 187

447 蓼实 …… 187
448 葱实 …… 187
449 薤 …… 188
450 韭 …… 189
451 白蘘荷 …… 189
452 菾菜 …… 189
453 苏 …… 189
454 水苏 …… 190
455 香薷 …… 190
456 大豆黄卷 …… 190
457 生大豆 …… 191
458 赤小豆 …… 191
459 豉 …… 192
460 大麦 …… 192
461 穬麦 …… 192
462 小麦 …… 193
463 青粱米 …… 193
464 黄粱米 …… 194
465 白粱米 …… 194
466 粟米 …… 194
467 丹黍米 …… 195
468 糵米 …… 195
469 秫米 …… 195
470 陈廪米 …… 195
471 酒 …… 196
下品卷第三 …… 197
472 青琅玕 …… 199
473 肤青 …… 199
474 礜石 …… 200
475 方解石 …… 201
476 苍石 …… 201

477　土阴孽 …… 201
478　代赭 …… 201
479　卤咸 …… 202
480　戎盐 …… 202
481　大盐 …… 203
482　特生礜石 …… 203
483　白垩 …… 204
484　粉锡 …… 204
485　铜镜鼻 …… 204
486　铜弩牙 …… 205
487　金牙 …… 205
488　石灰 …… 205
489　冬灰 …… 206
490　煅灶灰 …… 206
491　伏龙肝 …… 206
492　东壁土 …… 206
493　紫石华 …… 207
494　白石华 …… 207
495　黑石华 …… 207
496　黄石华 …… 208
497　封石 …… 208
498　紫加石 …… 208
499　大黄 …… 208
500　蜀椒 …… 209
501　蔓椒 …… 209
502　莽草 …… 210
503　鼠李 …… 210
504　枇杷叶 …… 211
505　巴豆 …… 211
506　甘遂 …… 212
507　葶苈 …… 212

508 大戟 …… 213
509 泽漆 …… 213
510 芫花 …… 214
511 荛花 …… 214
512 旋覆花 …… 215
513 钩吻 …… 215
514 蚤休 …… 216
515 虎杖根 …… 216
516 石长生 …… 217
517 鼠尾草 …… 217
518 屋游 …… 217
519 牵牛子 …… 217
520 狼毒 …… 218
521 鬼臼 …… 218
522 芦根 …… 219
523 甘蕉根 …… 219
524 萹蓄 …… 219
525 商陆 …… 219
526 女青 …… 220
527 白附子 …… 220
528 天雄 …… 220
529 乌头 …… 221
530 射罔 …… 221
531 乌喙 …… 221
532 附子 …… 222
533 侧子 …… 223
534 羊踯躅 …… 223
535 茵芋 …… 223
536 射干 …… 224
537 鸢尾 …… 224
538 由跋根 …… 224

539 药实根 …… 225
540 皂荚 …… 225
541 楝实 …… 226
542 柳华 …… 226
543 桐叶 …… 227
544 梓白皮 …… 227
545 蜀漆 …… 227
546 半夏 …… 228
547 款冬花 …… 229
548 牡丹 …… 229
549 防己 …… 230
550 赤赫 …… 230
551 黄环 …… 230
552 巴戟天 …… 231
553 石南草 …… 231
554 女菀 …… 232
555 地榆 …… 232
556 五茄 …… 233
557 泽兰 …… 233
558 紫参 …… 234
559 蛇全 …… 234
560 草蒿 …… 234
561 雚菌 …… 235
562 麤舌 …… 235
563 雷丸 …… 236
564 贯众 …… 236
565 青葙子 …… 237
566 牙子 …… 237
567 藜芦 …… 238
568 赭魁 …… 238
569 及已 …… 238

570　连翘 …… 239
571　白头翁 …… 239
572　蔺茹 …… 239
573　白蔹 …… 240
574　白及 …… 241
575　占斯 …… 241
576　飞廉 …… 241
577　虎掌 …… 242
578　莨菪子 …… 242
579　栾华 …… 243
580　杉材 …… 243
581　楠材 …… 243
582　彼子 …… 243
583　紫真檀木 …… 244
584　淮木 …… 244
585　别羁 …… 244
586　石下长卿 …… 245
587　羊桃 …… 245
588　羊蹄 …… 246
589　鹿藿 …… 246
590　练石草 …… 246
591　牛扁 …… 246
592　陆英 …… 247
593　蕈草 …… 247
594　荩草 …… 247
595　恒山 …… 248
596　夏枯草 …… 248
597　蘘草 …… 249
598　戈共 …… 249
599　乌韭 …… 249
600　溲疏 …… 250

601 钓樟根皮 …… 250
602 榉树皮 …… 251
603 钩藤 …… 251
604 苦芙 …… 251
605 马鞭草 …… 251
606 马勃 …… 251
607 鸡肠草 …… 252
608 蛇莓汁 …… 252
609 苎根 …… 252
610 菰根 …… 253
611 狼跋子 …… 253
612 蒴藋 …… 253
613 弓弩弦 …… 253
614 败蒲席 …… 253
615 败船茹 …… 254
616 败鼓皮 …… 254
617 败天公 …… 254
618 半天河 …… 254
619 地浆 …… 255
620 鼠姑 …… 255
621 文石 …… 255
622 山慈石 …… 255
623 石芸 …… 255
624 金茎 …… 256
625 鬼盖 …… 256
626 马颠 …… 256
627 马逢 …… 257
628 羊实 …… 257
629 鹿良 …… 257
630 雀梅 …… 257
631 鼠耳 …… 258

632 蛇舌 …… 258
633 木甘草 …… 258
634 九熟草 …… 258
635 灌草 …… 259
636 葩草 …… 259
637 莘草 …… 259
638 封华 …… 259
639 棑华 …… 260
640 学木核 …… 260
641 木核 …… 260
642 栒核 …… 260
643 让实 …… 261
644 青雌 …… 261
645 白背 …… 261
646 白女肠 …… 261
647 白扇根 …… 262
648 白给 …… 262
649 白辛 …… 262
650 白昌 …… 262
651 赤举 …… 263
652 徐黄 …… 263
653 紫给 …… 263
654 天蓼 …… 263
655 地朕 …… 264
656 地芩 …… 264
657 地筋 …… 264
658 燕齿 …… 264
659 酸恶 …… 265
660 酸赭 …… 265
661 巴棘 …… 265
662 巴朱 …… 265

663　蜀格 …… 266
664　苗根 …… 266
665　参果根 …… 266
666　黄辨 …… 266
667　对庐 …… 267
668　粪蓝 …… 267
669　王明 …… 267
670　师系 …… 267
〔附〕领灰 …… 268
671　父陛根 …… 268
672　荆茎 …… 268
673　鬼麗 …… 268
674　竹付 …… 269
675　秘恶 …… 269
676　唐夷 …… 269
677　知杖 …… 269
678　葵松 …… 269
679　河煎 …… 270
680　区余 …… 270
681　三叶 …… 270
682　五母麻 …… 270
683　救煞人者 …… 271
684　城东腐木 …… 271
685　芥 …… 271
686　载 …… 272
687　庆 …… 272
〔附〕卢精 …… 272
688　六畜毛蹄甲 …… 272
689　鲮鲤甲 …… 273
690　獭肝 …… 273
691　狐阴茎 …… 273

692 麋脂 ······ 274
693 虾蟆 ······ 274
694 蛙 ······ 274
695 石蚕 ······ 275
696 蚺蛇胆 ······ 275
697 蝮蛇胆 ······ 275
698 蛇蜕 ······ 275
699 蜈蚣 ······ 276
700 马陆 ······ 276
701 蠮螉 ······ 277
702 雀瓮 ······ 277
703 鼠妇 ······ 277
704 萤火 ······ 278
705 衣鱼 ······ 278
706 白颈蚯蚓 ······ 279
707 蝼蛄 ······ 279
708 蜣螂 ······ 279
709 地胆 ······ 280
710 马刀 ······ 280
711 贝子 ······ 281
712 田中螺汁 ······ 281
713 蜗牛 ······ 281
714 鸬鹚矢 ······ 282
715 鸱头 ······ 282
716 孔雀矢 ······ 282
717 豚卵 ······ 282
718 鷰屎 ······ 283
719 鸩鸟毛 ······ 284
720 天鼠屎 ······ 284
721 鼹鼹鼠 ······ 285
722 鼺鼠 ······ 285

723 牡鼠 …… 285
724 斑蝥 …… 286
725 芫青 …… 286
726 葛上亭长 …… 286
727 蜘蛛 …… 286
728 蜻蛉 …… 287
729 木虻 …… 287
730 蜚虻 …… 287
731 蜚蠊 …… 288
732 水蛭 …… 288
〔附〕鲛鱼皮 …… 288
〔附〕珂 …… 289
733 桑蠹虫 …… 289
734 石蠹虫 …… 289
735 行夜 …… 290
736 麇鱼 …… 290
737 丹戬 …… 290
738 扁前 …… 290
739 蚖类 …… 291
740 蜚厉 …… 291
741 益符 …… 291
742 黄虫 …… 291
743 郁核 …… 292
744 杏核 …… 292
745 桃核 …… 293
746 李核仁 …… 294
747 梨 …… 295
748 柰 …… 295
749 安石榴 …… 295
750 瓜蒂 …… 296
751 苦瓠 …… 296

752 水靳 …… 296
753 莼 …… 297
754 落葵 …… 297
755 蘩蒌 …… 297
756 蕺 …… 297
757 葫 …… 298
758 蒜 …… 298
〔附〕芸薹 …… 298
759 腐婢 …… 299
760 扁豆 …… 299
761 黍米 …… 299
762 粳米 …… 300
763 稻米 …… 300
764 稷米 …… 300
765 醋 …… 300
766 酱 …… 301
767 盐 …… 301
768 舂杵头细糠 …… 301
《名医别录》药名索引 …… 302
《名医别录》内容的讨论 …… 310
《神农本草经》不见于《名医别录》识 …… 316
《名医别录》相关论文题录 …… 319
后记 …… 320

上品卷第一

1 玉屑[1]

味甘，平，无毒。主除胃中热、喘息、烦满，止渴，屑如麻豆服之。久服轻身长年。生蓝田，采无时。恶鹿角[2]。

【校注】

[1] 玉屑条见《新修》《千金翼》。

[2] **恶鹿角** 出陶弘景《本草经集注》。

2 玉泉[1]

无毒。主利血脉[2]，治妇人带下十二病，除气癃，明耳目。久服[3]轻身长年。生蓝田[4]，采无时[5]。畏款冬花。

〔《本经》原文〕

玉泉，味甘，平。主五脏百病，柔筋强骨，安魂魄，长肌肉，益气。久服耐寒暑，不饥渴，不老神仙。人临死服五斤，死三年色不变。一名玉札。生山谷。

【校注】

[1] 玉泉条见《新修》、《御览》卷805、卷988。

[2] **利血脉** 《纲目》《食货典》取此3字为《本经》文，《大观》《政和》《证类》取此3字作墨字《别录》文，《品汇》、森本、孙本、顾本皆不取此3字为《本经》文。按，此3字应为《别录》文。

[3] **服** 此下《大观》、玄《大观》有“耐寒暑，不饥渴，不老神仙”10字作墨字《别录》文。但《政和》、《证类》、《大全》、成化本《政和》作白字《本经》文。《品汇》《纲目》亦取此10字为《本经》文。森本、孙本、顾本、狩本、黄本亦取此10字为《本经》文。按，此10字应为《本经》文，非《别录》文。

[4] **田** 此下《纲目》有“生山谷”3字，作《别录》文。按，森本、孙本均以“生山谷”为

《本经》文，非《别录》文，本书亦从森、孙二氏之说，不录“生山谷”为《别录》文，下仿此。

[5] **生蓝田，采无时** 《大观》脱此6字。

3 丹沙[1]

无毒。主通血脉，止烦满、消渴，益精神，悦泽人面，除中恶、腹痛、毒气、疥瘘、诸疮。久服轻身神仙。作末名珍珠，光色如云母，可析者良[2]。生符陵，采无时。恶磁石，畏咸水[3]。

〔《本经》原文〕

丹沙，味甘，微寒。主身体五脏百病，养精神，安魂魄，益气明目，杀精魅邪恶鬼。久服通神明，不老。能化为汞，生山谷。

【校注】

[1] 丹沙条见《新修》、《御览》卷985。“沙”，《医心方》作“沙”，《证类》作“砂”。从《医心方》为正。

[2] **可析者良** 《纲目》、孙本作“可折者良”。

[3] **恶磁石，畏咸水** 《纲目》注此6字为徐之才文。此6字《本草经集注》已有著录。按，徐之才迟生于陶弘景。

4 水银[1]

有毒。以傅男子阴，阴消无气。一名汞。生符陵，出于丹沙。畏磁石[2]。

〔《本经》原文〕

水银，味辛，寒。主疥瘘痂疡白秃，杀皮肤中虱，堕胎，除热，杀金银铜锡毒。熔化还复为丹，久服神仙不死。生平土。

【校注】

[1] 水银条见《新修》、《御览》卷988。

[2] **畏磁石** 《纲目》注此3字为徐之才文。此3字《本草经集注》已有著录。

5 空青[1]

味酸，大寒，无毒。主益肝气，治目赤痛，去肤翳，止泪出，利水道，下乳汁，通关节，破坚积。久服令人不忘，志高神仙。生益州及越嶲山有铜处。铜精熏则生空青，其腹中空。三月中旬采，亦[2]无时[3]。

〔《本经》原文〕

空青，味甘，寒。主青盲，耳聋，明目，利九窍，通血脉，养精神。久服轻身延年不老。能化铜铁铅锡作金。生山谷。

【校注】

[1] 空青条见《新修》、《御览》卷988。

[2] **亦** 《图经衍义》卷2脱“亦”字，其他各本有“亦”字。

[3] **时** 此下《纲目》注“能化铜铁铅锡作金”8字为《别录》文，《大观》、玄《大观》、《大全》、成化本《政和》、《政和》、《证类》取此8字作白字《本经》文，《御览》取此8字为《本经》文，森本、孙本、顾本、狩本、黄本皆取此8字为《本经》文。按，此8字应为《本经》文，非《别录》文。

又，《文选》卷4“蜀都赋”李善注云：“曾青、空青，《本草经》云皆出越巂郡，瑕玉属也。”

6 曾青[1]

无毒。主养肝胆，除寒热，杀白虫，治头风、脑中寒，止烦渴，补不足，盛阴气。生蜀中及越巂[2]，采无时[3]。畏[4]菟丝子[5]。

〔《本经》原文〕

曾青，味酸，小寒。主目痛，止泪出，风痹，利关节，通九窍，破癥坚积聚。久服轻身不老。能化金铜。生山谷。

【校注】

[1] 曾青条见《新修》、《御览》卷988。《证类》将“曾青”条全文皆作墨字《别录》文。

[2] **生蜀中及越巂** 《御览》作“生蜀郡名山，其山有铜者，曾青出其阳，青者铜之精”，其他各本作“生蜀中及越巂”。又，《文选》卷4“蜀都赋”李善注引本草作“出越巂郡”。

[3] **时** 此下《纲目》有“能化金铜”4字注为《别录》文。《大观》、玄《大观》、《大全》、成化本《政和》、《政和》取“能化金铜”作白字《本经》文。森本、孙本、顾本、狩本、黄本亦取此4字为《本经》文。按，此4字应为《本经》文，非《别录》文。

[4] **畏** 《医心方》作“恶”，其他各本作“畏”。

[5] **畏菟丝子** 《纲目》注此4字为徐之才文。此4字《本草经集注》已有著录。

7 白青[1]

味酸、咸，无毒。可消为铜剑，辟五兵。生豫章[2]，采无时。

〔《本经》原文〕

白青，味甘，平。主明目，利九窍，耳聋，心下邪气，令人吐，杀诸毒三虫。久服通神明，轻身，延年不老。生山谷。

【校注】

[1] 白青条见《新修》、《御览》卷988。

[2] **生豫章**　《御览》作“出豫章”，其他各本作“生豫章”。

8　扁青[1]

无毒。去寒热、风痹，及丈夫茎中百病，益精。生朱崖、武都、朱提，采无时。

〔《本经》原文〕

扁青，味甘，平。主目痛明目，折跌痈肿，金创不瘳，破积聚，解毒气，利精神。久服轻身不老。生山谷。

【校注】

[1] 扁青条见《新修》、《御览》卷988。

9　石胆[1]

味辛，有毒。散癥积，咳逆上气，及鼠瘘、恶疮[2]。一名墨石，一名碁石[3]，一名铜勒。生羌道、羌里句青山[4]。二月庚子、辛丑日采[5]。水英为之使，畏牡[6]桂、菌桂、芫花、辛夷、白薇[7]。

〔《本经》原文〕

石胆，味酸，寒。主明目目痛，金创诸痫痉，女子阴蚀痛，石淋寒热，崩中下血，诸邪毒气，令人有子。炼饵服之，不老。久服增寿神仙。能化铁为铜，成金银。一名毕石。生山谷。

【校注】

[1] 石胆条见《新修》、《御览》卷987。

[2] **疮**　此下《大观》有“久服增寿神仙”6字作墨字《别录》文。《政和》《证类》作白字《本经》文。《纲目》《品汇》取此6字为《本经》文。森本、孙本、顾本亦取此6字为《本经》文。按，此6字应为《本经》文，非《别录》文。

[3] **一名墨石，一名碁石** 《和名》作“一名墨石，一名碁石”，其他各本作“一名黑石，一名碁石”。又，《图经衍义》卷2“碁”作“綦”。

[4] **生羌道、羌里句青山** 《御览》作“生秦州羌道山谷大石间，或出句青山”。

[5] **生羌道……辛丑日采** 《纲目》作“石胆生秦州羌道山谷大石间，或羌里句青山，二月庚子辛丑日采。其为石也，青色多白文，易破，状似空青，能化铁为铜，合成金银”。

[6] **牡** 《图经衍义》卷2作“牡丹”。

[7] **水英为之使，畏牡桂、菌桂、芫花、辛夷、白薇** 《纲目》注为徐之才文。此文《本草经集注》已有著录。

10 云母[1]

无毒。下气坚肌，续绝补中，治五劳七伤，虚损少气，止痢。久服悦泽不老，耐寒暑，志高神仙。一名云珠，色多赤。一名云华，五色具。一名云英，色多青。一名云液，色多白。一名云沙，色青黄。一名磷石[2]，色正白。生太山、齐庐山，及琅琊北定山石间，二月采[3]。泽泻为之使，畏蛇甲，反流水[4]，恶徐长卿[5]。

〔《本经》原文〕

云母，味甘，平。主身皮死肌，中风寒热，如在车船上，除邪气，安五脏，益子精，明目，久服轻身延年。一名云珠，一名云华，一名云英，一名云液，一名云沙，一名磷石。生山谷。

【校注】

[1] 云母条见《新修》《千金翼》。

[2] **“一名云珠”“一名云华”“一名云英”“一名云液”“一名云沙”“一名磷石”** 这6个“一名”原属《本经》文，但在《本草经集注》中，每个“一名”之下，都插有《别录》文，因此这些“一名”即成《别录》借用之字。本书辑录此文时，即将此等“一名”一同收录。

[3] **一名云珠……二月采** 《纲目》作“云母生太山山谷，齐山、庐山及琅琊北定山石间，二月采之。云华五色具，云英色多青，云珠色多赤，云液色多白，云砂色青黄，磷石色正白”。

[4] **反流水** 《本草经集注》《医心方》作“反流水”，《千金方》《大观》《政和》《证类》作“及流水”，《纲目》作“东流水”。从《本草经集注》等为正。

[5] **恶徐长卿** 《本草经集注》、《医心方》、《千金方》卷1序列有“恶徐长卿”4字，《大观》《政和》《证类》皆无此4字。

11 朴消[1]

味辛[2]，大寒，无毒。主治胃中食饮热结，破留血、闭绝，停痰痞满，推陈致新。炼之白如银，能寒、能热、能滑、能涩、能辛、能苦[3]、能咸、能酸。入地千岁[4]不变，色青白者佳，黄者伤人，赤者杀人。一名消石朴。生益州有咸水之阳[5]，采无时[6]。畏[7]麦句姜。

〔《本经》原文〕

朴消，味苦，寒。主百病，除寒热邪气，逐六腑积聚，结固留癖，能化七十二种石。炼饵服之，轻身神仙。生山谷。

【校注】

[1] 朴消条见《新修》、《御览》卷988。

[2] **味辛** 《纲目》作“苦辛”。按，“苦”字各本作《本经》文，非《别录》文。

[3] **能苦** 《纲目》脱此2字。

[4] **岁** 《纲目》作“年”，其他各本作“岁”。

[5] **生益州有咸水之阳** 《御览》作“山谷之阴，有咸苦之水，状如芒消而粗”。

[6] **色青白……采无时** 《纲目》作“朴消生益州山谷，有咸水之阳，采无时。色青白者佳，黄者伤人，赤者杀人。又曰芒消生于朴消”。

[7] **畏** 《纲目》作“恶”。又，“畏麦句姜”，《纲目》注为徐之才文。此4字《本草经集注》已有著录。

12 消石[1]

味辛[2]，大寒，无毒。主治五脏十二经脉中百二十疾，暴伤寒、腹中大热，止烦满消渴，利小便及瘘蚀疮。天地至神之物，能化成十二种石[3]。生益州，及武都、陇西、西羌，采无时。萤火[4]为之使，恶苦参、苦菜，畏女菀[5]。

〔《本经》原文〕

消石，味苦，寒。主五脏积热，胃胀闭，涤去蓄结饮食，推陈致新，除邪气。炼之如膏，久服轻身。一名芒消。生山谷。

【校注】

[1] 消石条见《新修》、《御览》卷988。

[2] **味辛** 《御览》作“味酸”，其他各本作“味辛”。

[3] **能化成十二种石** 《纲目》作“能化七十二种石”。又，“石”字下，《大观》、玄《大观》有“一名芒消”4字作白字《本经》文，各种版本《政和》作墨字《别录》文。《证类》“芒消”条陶隐居注：“《神农本经》……消石名芒消。”按，此4字应为《本经》文，非《别录》文。

[4] **萤火** 《本草经集注》《医心方》作“萤火”，其他各本作“火”，无“萤”字。

[5] **萤火为之使，恶苦参、苦菜，畏女菀** 《纲目》注为徐之才文。此文《本草经集注》已有

著录。

13 矾石[1]

无毒。除固热在骨髓，去鼻中息肉。岐伯云："久服伤人骨。"能使铁为铜。一名羽泽。生河西及陇西、武都、石门，采无时。甘草为之使，恶牡蛎[2]。

〔《本经》原文〕

涅石（旧作矾石，据郭璞注《山海经》引作涅石），味酸，寒。主寒热，泄利，白沃，阴蚀，恶创，目痛，坚骨齿。炼饵服之，轻身，不老增年。一名羽碮。生山谷。

【校注】

［1］矾石条见《新修》、《御览》卷988。

［2］**甘草为之使，恶牡蛎**　《纲目》注为徐之才文。此文《本草经集注》已有著录。

14 芒消[1]

味辛、苦，大寒。主治五脏积聚，久热，胃闭，除邪气，破留血、腹中淡实[2]结搏，通经脉，利大小便及月水，破五淋，推陈致新。生于朴消。石韦为之使，畏麦句姜[3]。

【校注】

［1］芒消条见《新修》《千金翼》。

［2］**淡实**　《新修》作"淡实"，其他各本作"痰实"。

［3］**石韦为之使，畏麦句姜**　《纲目》注为徐之才文。此9字《本草经集注》已有著录。又，"畏"，《本草经集注》《医心方》作"畏"，其他各本作"恶"。

15 滑石[1]

大寒，无毒。通九窍、六府、津液，去留结，止渴，令人利中。一名液石，一名共石，一名脆石[2]，一名番石。生赭阳[3]，及太山之阴，或掖北白山，或卷山。采无时。石韦为之使，恶曾青[4]。

〔《本经》原文〕

滑石，味甘，寒。主身热，泄澼，女子乳难，癃闭，利小便，荡胃中积聚寒热，益精气。久服轻身，耐饥长年。生山谷。

【校注】

[1] 滑石条见《新修》，核校本为《御览》卷988。

[2] **一名脆石** 《和名类聚钞》卷1、《和名》作“一名脆石”，其他各本作“一名脱石”。

[3] **生赭阳** 《御览》作“生棘阳”，其他各本作“生赭阳”。

[4] **石韦为之使，恶曾青** 《纲目》注为徐之才文。此文《本草经集注》已有著录。

16 紫石英[1]

味辛，无毒。主治上气心腹痛，寒热、邪气、结气，补心气不足，定惊悸，安魂魄，填下焦，止消渴，除胃中久寒，散痈肿，令人悦泽。生太山，采无时。长石为之使，得茯苓、人参、芍药共治心中结气；得天雄、菖蒲共治霍乱。畏扁青、附子，不欲鳝甲[2]、黄连、麦句姜[3]。

〔《本经》原文〕

紫石英，味甘，温。主心腹咳逆邪气，补不足，女子风寒在子宫，绝孕十年无子。久服温中，轻身延年。生山谷。

【校注】

[1] 紫石英条见《新修》、《御览》卷987。

[2] **鳝甲** 《本草经集注》《医心方》作“鳝甲”。《千金方》《大观》《政和》《证类》《疏证》作“鮀甲”。

[3] **长石为之使……黄连、麦句姜** 《纲目》注为徐之才文。此文《本草经集注》已有著录。

17 白石英[1]

味辛，无毒。主治肺痿，下气，利小便，补五脏，通日月光。久服耐寒热。生华阴及太山。大如指，长二三寸，六面如削，白澈有光[2]。其黄端白棱名黄石英，赤端名赤石英，青端名青石英，黑端名黑石英[3]。二月采，亦无时。

〔《本经》原文〕

白石英，味甘，微温。主消渴，阴痿不足，咳逆，胸膈间久寒，益气，除风湿痹。久服轻身长年。生山谷。

【校注】

[1] 白石英条见《新修》、《御览》卷987。

[2] **光** 此下《纲目》有“长五六寸者弥佳”7字。

[3] **赤端……黑石英** 此节《纲目》作“赤端白棱，名赤石英。青端赤棱，名青石英。黑泽有光，名黑石英”。

18 青石脂[1]

味酸，平，无毒。主养肝胆气，明目，治黄疸，泄痢，肠澼，女子带下百病，及疽痔，恶疮。久服补髓，益气，不饥，延年。生齐区山及海崖，采无时。

【校注】

[1] **青石脂** 赤石脂、黄石脂、白石脂、黑石脂等见《新修》《千金翼》。按，敦煌出土的陶弘景《本草经集注·序录》药物畏恶排列次序，在赤石脂和黄石脂之间有白石英，在黄石脂和白石脂之间有太一禹馀粮。

19 赤石脂

味甘、酸、辛，大温，无毒。主养心气，明目，益精，治腹痛，泄澼，下痢赤白，小便利，及痈疽疮痔，女子崩中漏下，产难，胞衣不出。久服补髓，好颜色，益智，不饥，轻身，延年。生济南、射阳，及太山之阴，采无时。恶大黄，畏芫花。

20 黄石脂

味苦，平，无毒。主养脾气，安五脏，调中，大人小儿泄痢肠澼，下脓血，去白虫，除黄疸，痈疽虫。久服轻身延年。生嵩高山，色如莺雏，采无时。曾青为之使，恶细辛，畏蜚蠊[1]。

【校注】

[1] **畏蜚蠊** 《千金方》作“畏蜚廉、扁青、附子”，其他各本无“扁青、附子”4字。

21 白石脂

味甘、酸，平，无毒。主养肺气，厚肠，补骨髓，治五脏惊悸不足，心下烦，止腹痛，下水，小肠澼热溏，便脓血，女子崩中漏下，赤白沃，排痈疽疮痔。久服安心，不饥，轻身长年。生太山之阴，采无时。得厚朴并米汁饮。止便脓。鸈屎[1]为之使，恶松脂，畏黄芩。

【校注】

[1] **鸈屎** 《千金方》作“鸈粪”，其他各本作“鸈屎”，《医心方》作“鸡矢”，《疏证》作“鹰屎”。

22 黑石脂[1]

味咸，平，无毒。主养肾气，强阴，治阴蚀疮，止肠澼泄痢，疗口疮、咽痛。久服益气，不饥，延年。一名石涅。一名石墨。出颍川[2]阳城，采无时。

〔《本经》原文〕

青石、赤石、黄石、白石、黑石脂等，味甘，平。主黄疸，泄利肠癖脓血，阴蚀下血赤白，邪气痈肿，疽痔，恶创，头疡疥瘙。久服补髓益气，肥健不饥，轻身延年。五石脂，各随五色补五脏。生山谷中。

【校注】

[1] **黑石脂** 此下《证类》引陶隐居云：“此五石脂如《本经》，疗体亦相似，《别录》各条。”此可知五石脂在《别录》分立为5条。

[2] **颍川** 《新修》原作“类川”，据《千金翼》《大观》《政和》《证类》《大全》改。

23 太一禹馀粮[1]

无毒。主治肢节不利[2]，大饱绝力身重。生太山，九月采。杜仲为之使。畏贝母、菖蒲、铁落[3]。

〔《本经》原文〕

太一馀粮，味甘，平。主咳逆上气，癥瘕血闭漏下，除邪气。久服耐寒暑，不饥，轻身飞行千里，神仙。一名石脑。生山谷。

【校注】

[1] 太一禹馀粮条见《本草经集注》《新修》。其他各本无“禹”字。

[2] **肢节不利** 《纲目》注此4字为《本经》文。《大观》、玄《大观》、《大全》、成化本《政和》、《政和》、《证类》注此4字作《别录》文。《品汇》亦注此4字为《别录》文。又，森本、孙本、顾本、狩本、黄本皆不注此4字为《本经》文。按，此4字应为《别录》文。

［3］**杜仲为之使。畏贝母、菖蒲、铁落**　《纲目》注为徐之才文。此文《本草经集注》已有著录。

24　禹馀粮[1]

平，无毒。主治小腹痛结烦疼。一名白馀粮。生东海[2]及山岛中，或[3]池泽中。

〔《本经》原文〕

禹馀粮，味甘，寒。主咳逆寒热烦满，下赤白，血闭癥瘕，大热。炼饵服之，不饥，轻身延年。生池泽。

【校注】

［1］禹馀粮条见《新修》、《御览》卷988。

［2］**海**　此下《纲目》有"生池泽"3字。森本、孙本以"生池泽"为《本经》文，所以本书从森、孙二氏看法，不录"生池泽"为《别录》文，下仿此。

［3］**或**　《新修》原作"惑"，据《千金翼》《大观》《政和》《证类》改。

25　青玉[1]

味甘，平，无毒。主治妇人无子，轻身不老，长年。一名瑴玉[2]。生蓝田。

【校注】

［1］青玉条见《新修》《千金翼》。

［2］**瑴玉**　《新修》作"般山"，《和名》作"般玉"，其他各本作"瑴玉"。本书从《千金翼》为正。

26　白玉髓[1]

味甘，平，无毒。主治妇人无子，不老延年[2]。生蓝田玉石之间[3]。

【校注】

［1］白玉髓条见《新修》《千金翼》。

［2］**年**　《新修》作"季"，据《千金翼》《证类》改。

［3］**间**　《新修》原作"门"，据《千金翼》《大观》《政和》《证类》改。

27　璧玉[1]

味甘，无毒。主明目，益气，使人多精生子[2]。

【校注】

[1] 璧玉条见《新修》《千金翼》。

[2] **子**　《食货典》作“下”，误。

28　合玉石[1]

味甘，无毒。主益气，消渴，轻身，辟谷。生常山中丘，如彘肪。

【校注】

[1] 合玉石条见《新修》《千金翼》。

29　陵石[1]

味甘，无毒。主益气，耐寒，轻身，长年。生华山，其形薄泽。

【校注】

[1] 陵石条见《新修》《千金翼》。

30　碧石青[1]

味甘，无毒。主明目，益精，去白皮瘫[2]，延年[3]。

【校注】

[1] 碧石青条见《新修》《千金翼》。

[2] **去白皮瘫**　《新修》作“去白皮疵”，据《千金翼》《证类》改。又，《千金翼》脱“皮”字。

[3] **延年**　《新修》作“延季”，据《千金翼》《证类》改。

31　五羽石[1]

主轻身长年[2]。一名金黄。生海水中蓬葭山上仓[3]中，黄如金。

【校注】

[1] 五羽石条见《新修》《千金翼》。

[2] **长年** 《新修》作“延季”，据《千金翼》《证类》改。

[3] **上仓** 《品汇》作“上谷”，《纲目》脱“上仓”2字。

32 石流青[1]

味酸，无毒。主治泄，益肝气，明目，轻身长年。生武都山石[2]间，青白色。

【校注】

[1] 石流青条见《新修》、《御览》卷987。又，“石流青”，《御览》作“石流黄”。

[2] **石** 《新修》误作“名”，据《千金翼》《证类》改。

33 石流赤[1]

味苦，无毒。主治妇人带下，止血，轻身长年。理如石耆，生山石间[2]。

【校注】

[1] 石流赤条见《新修》、《御览》卷987。

[2] **生山石间** 《御览》作“生羌道山谷”。

34 六芝

青芝[1]，生太山[2]。赤芝，生霍山。黄芝，生嵩山[3]。白芝，生华山。黑芝，生恒山[4]。紫芝，生高夏[5]。六芝皆无毒。六月、八月采。署预为之使，得发良，得麻子人、白瓜子、牡桂共益人，恶恒山，畏扁青、茵陈蒿[6]。

〔《本经》原文〕

赤芝，味苦，平。主胸中结，益心气，补中，增智慧，不忘。久食，轻身不老，延年神仙。一名丹芝。黑芝，味咸，平。主癃，利水道，益肾气，通九窍，聪察。久食轻身不老，延年神仙。一名玄芝。青芝，味酸，平。主明目，补肝气，安精魂，仁恕。久食，轻身不老，延年神仙。一名龙芝。白芝，味辛，平。主咳逆上气，益肺气，通利口鼻，强志意，勇悍，安魄。久食，轻身不老，延年神仙。一名玉芝。黄芝，味甘，平。主心腹五邪，益脾气，安神，忠信和乐。久食，轻身不老，延年神仙。一名金芝。紫芝，味甘，温。主耳聋，利关节，保神，益精气，坚筋骨，好颜色。久食轻身不老延年。一名木芝。生山谷。

【校注】

[1] 六芝条见《御览》卷986、《千金翼》。《纲目》在“青芝”条下注“一名龙芝”4字为《别录》文，《大观》、玄《大观》、《大全》、成化本《政和》、《政和》、《证类》、《图考长编》取此4字为《本经》文。森本、孙本、顾本、狩本、黄本皆取此4字为《本经》文。按，此4字应为《本经》文，非《别录》文。

[2] **山** 此下《御览》有“亦生五岳地上”6字。

[3] **生嵩山** 《御览》作“生嵩高山”。

[4] **生恒山** 《御览》作“生恒山”，其他各本作“生常山”。

[5] **生高夏** 《御览》作“生山岳地上，色紫，形如桑”。

[6] **署预为之使，得发良……恶恒山，畏扁青、茵陈蒿** 《纲目》注为徐之才文。此文《本草经集注》已有著录。

35 赤箭[1]

主消痈肿，下肢满疝[2]，下血。生陈仓、雍州，及太山、少室。三月、四月、八月采根，暴干。

〔《本经》原文〕

赤箭，味辛，温。主杀鬼精物，蛊毒恶气。久服益气力，长阴，肥健，轻身增年。一名离母，一名鬼督邮。生山谷。

【校注】

[1] 赤箭条见《御览》卷991、《千金翼》。“赤箭”，《御览》以“鬼督邮”为正名。本条，《纲目》《草木典》取“轻身增年”4字为《别录》文。《大观》、玄《大观》、《大全》、成化本《政和》、《政和》、《证类》、《品汇》、《图考长编》、《续疏》注为《本经》文，森本、孙本、顾本皆取此4字为《本经》。按，此4字应为《本经》文，非《别录》文。

[2] **疝** 《纲目》《草木典》《图考长编》作“寒疝”。

36 龙眼[1]

无毒。除虫去毒[2]。其大者似槟榔，生南海。

〔《本经》原文〕

龙眼，味甘，平。主五脏邪气，安志厌食。久服强魂聪明，轻身不老，通神明。一名益智。生山谷。

【校注】

[1] 龙眼条见《新修》《千金翼》。本条，《纲目》《草木典》全部注为《别录》文。

[2] **除虫去毒** 《纲目》《乘雅》作"除蛊毒，去三虫"。玄《大观》、《图考长编》《续疏》作"除蛊，去毒"，其他各本作"除虫，去毒"。

37 猪苓[1]

味苦[2]，无毒。生衡山及济阴、宛朐[3]，二月、八月采，阴干[4]。

〔《本经》原文〕

猪苓，味甘，平。主痎疟，解毒蛊疰不祥，利水道。久服轻身耐老。一名猳猪屎。生山谷。

【校注】

[1] 猪苓条见《新修》、《御览》卷989。又，"猪苓"，《御览》作"睹零"。

[2] **味苦** 成化本《政和》、《政和》、《证类》取"味苦"2字作白字《本经》文，《疏证》亦作《本经》文。《大观》、玄《大观》、《大全》作墨字《别录》文，森本、孙本、顾本、狩本、黄本皆不取此2字为《本经》文。按，此2字应为《别录》文。

[3] **宛朐** 《新修》作"宛朐"，其他各本作"冤句"。

[4] **阴干** 《新修》原脱"阴"字，据《千金翼》、《大观》、《政和》、《证类》、玄《大观》、《大全》、成化本《政和》补。

38 茯苓[1]

无毒。止消渴，好唾[2]，大腹淋沥，膈中痰水，水肿淋结，开胸府，调脏气，伐肾邪，长阴，益气力，保神守中[3]。其有根者[4]，名茯神。

【校注】

[1] 茯苓条见《新修》、《御览》卷989。

[2] **好唾** 武田本《新修》、《新修》卷12、《千金翼》《大观》《品汇》作"好唾"。成化本《政和》、《大全》、《政和》、《证类》、《纲目》、《草木典》、《图考长编》、《疏证》、《经疏》作"好睡"。玄《大观》作"好垂"。按，茯苓能安神，与治"好睡"不符。又茯苓能利水，与治"好唾"正相合，应以"好唾"为正。

[3] **守中** 《纲目》《草木典》作"气"字。又，《大观》、玄《大观》、《大全》在"中"字下有"一名茯菟"4字作墨字《别录》文。成化本《政和》、《政和》、《证类》取此4字作白字《本经》文，《图考长编》、森本、孙本、狩本、黄本、顾本、《疏证》皆取此4字为《本经》文。按，此4字应为《本经》文，非《别录》文。

[4] **其有根者** 武田本《新修》、《新修》、《和名》作“其有根者”，《千金翼》作“其有木根者”，《大观》、玄《大观》、《大全》、成化本《政和》、《政和》、《证类》、《品汇》、《纲目》、《图考长编》、《疏证》、《经疏》、《广雅疏证》作“其有抱根者”。本书从《新修》《和名》为正。

39 茯神

味甘[1]，平。主辟不祥，治风眩、风虚、五劳、七伤[2]，口干，止惊悸，多恚怒，善忘，开心益智，安魂魄，养精神。生太山大松下。二月、八月采，阴干。马间为之使。得甘草、防风、芍药、紫石英、麦门冬共治五脏。恶白蔹，畏牡蒙、地榆、雄黄、秦艽、龟甲[3]。

〔《本经》原文〕

茯苓，味甘，平。主胸胁逆气，忧恚惊邪恐悸，心下结痛，寒热烦满，咳逆，口焦舌干，利小便。久服安魂养神，不饥延年。一名茯菟。生山谷。

【校注】

[1] **味甘** 武田本《新修》、《新修》有“味甘”2字，其他各本无“味甘”2字。

[2] **七伤** 武田本《新修》、《新修》有“七伤”2字，其他各本无“七伤”2字。

[3] **马间为之使……龟甲** 此段《纲目》注为徐之才文。此文《本草经集注》已有著录。又，“马间”，《纲目》《草木典》作“马问”，《疏证》作“马蔺”。

40 虎魄[1]

味甘，平，无毒。主安五脏，定魂魄，杀精魅邪鬼，消瘀血，通五淋。生永昌。

【校注】

[1] 虎魄条见《新修》。本条，《御览》引《神农本草经》作“取鸡卵孵黄白浑杂者，熟煮及尚软，随意刻作物，以苦酒渍数宿，既坚内着杓中，佳者乱真矣”。

41 松脂[1]

味甘，无毒，主治胃中伏热，咽干，消渴，及风痹、死肌。炼之令白[2]。其赤者治恶风[3]痹。生太山[4]，六月采。

【校注】

[1] 松脂条见《新修》、《御览》卷953。

[2] **炼之令白** 《品汇》作"炼令白服之"。

[3] **风** 《新修》有"风"字，其他各本无"风"字。

[4] **太山** 武田本《新修》、《新修》原作"大山"，据《千金翼》《大观》《政和》《证类》改。

42 松实

味苦，温，无毒[1]。主治风痹，寒气，虚羸、少气，补不足。九月采，阴干。

【校注】

[1] **温，无毒** 武田本《新修》、《新修》原作"无毒，温"，据《千金翼》《大观》《政和》《证类》改。

43 松叶

味苦，温。主治风湿痹疮气[1]，生毛发，安五脏[2]，守中，不饥，延年。

【校注】

[1] **痹疮气** 武田本《新修》、《新修》作"痹疮气"，其他各本作"疮"，无"痹气"2字。

[2] **安五脏** 武田本《新修》、《新修》原脱"五"字，据《千金翼》《大观》《政和》《证类》补。

44 松节

温。主治百节久风[1]风虚，脚痹、疼痛。

【校注】

[1] **百节久风** 《草木典》作"百邪久风"。

45 松[1]根白皮

主辟谷，不饥。

〔《本经》原文〕

松脂，味苦，温。主疽恶创，头疡白秃，疥瘙风气，安五脏，除热。久服轻身不老延年。一名松膏，一名松肪。生山谷。

【校注】

[1] **松** 武田本《新修》、《新修》原脱，据《千金翼》、《大观》、《政和》、《证类》、玄《大观》补。

46 柏实[1]

无毒。主治恍惚、虚损，吸吸历节，腰中重痛，益血，止汗[2]。生太山。柏叶尤良。

【校注】

[1] 柏实条见《新修》《千金翼》。

[2] **汗** 武田本《新修》、《新修》原作“汁”，据《千金翼》《大观》《政和》《证类》改。

47 柏叶

味[1]苦[2]，微温，无毒。主治吐血，衄血，利血[3]，崩中，赤白，轻身，益气。令[4]人耐风寒[5]，去[6]湿痹，止饥[7]。四时各依方面采，阴干。

【校注】

[1] **味** 武田本《新修》、《新修》原脱，据《千金翼》《大观》《政和》《证类》补。

[2] **苦** 此下《品汇》衍“辛”字。

[3] **利血** 武田本《新修》、《新修》原脱，据《千金翼》《大观》《政和》《证类》补。

[4] **令** 《新修》原作“金”字，据武田本《新修》、《千金翼》、《大观》、《政和》、《证类》改。

[5] **风寒** 武田本《新修》、《新修》作“风寒”，其他各本作“寒暑”。

[6] **去** 武田本《新修》、《新修》原作“不”，据《千金翼》、《大观》、《政和》、《证类》、玄《大观》改。

[7] **止饥** 《纲目》《草木典》《经疏》作“生肌”，其他各本作“止饥”。

48 柏白皮[1]

主治火灼，烂疮，长毛发。牡蛎、桂[2]、瓜子为之使，恶[3]菊花、羊蹄、诸石[4]及面麹[5]。

〔《本经》原文〕

柏实，味甘，平。主惊悸，安五脏，益气，除湿痹。久服，令人悦泽美色，耳目聪明，不饥不老，轻身延年。生山谷。

【校注】

[1] **柏白皮** 《纲目》《草木典》《图考长编》作“根白皮”，其他各本作“柏白皮”。

[2] **桂** 《千金方》作“桂心”，其他各本作“桂”。

[3] **恶** 武田本《新修》、《新修》、《本草经集注》、《医心方》作“恶”，《千金方》、《大观》、《政和》、《证类》、玄《大观》、《大全》、成化本《政和》、《纲目》、《疏证》作“畏”。

[4] **诸石** 《医心方》作“消石”，其他各本作“诸石”。

[5] **面麹** 武田本《新修》、《新修》脱“面”字，仅作“麹”，《本草经集注》、《大观》、《政和》、《证类》、玄《大观》、《大全》、成化本《政和》、《千金方》、《纲目》、《疏证》皆作“面麹”，《医心方》脱漏此2字。又，“牡蛎、桂、瓜子为之使，恶菊花、羊蹄、诸石及面麹”，《纲目》注为徐之才文。此文《本草经集注》已有著录。

49 天门冬[1]

味甘，大寒，无毒。保定肺气，去寒热，养肌肤，益气力[2]，利小便，冷而能补。久服不饥[3]。二月、三月、七月、八月采根，暴干。垣衣、地黄为之使，畏曾青[4]。

〔《本经》原文〕

天门冬，味苦，平。主诸暴风湿偏痹，强骨髓，杀三虫，去伏尸。久服轻身益气延年。一名颠勒（《尔雅》注引云“门冬一名满冬”〔今本无〕）。生山谷。

【校注】

[1] 天门冬条见《千金翼》、《大观》卷6。

[2] **益气力** 《纲目》《草木典》脱此3字。

[3] **不饥** 玄《大观》作“不饱”。又，《纲目》《草木典》注此2字为《本经》文，其他各本作《别录》文。

[4] **垣衣、地黄为之使，畏曾青** 《纲目》《草木典》注为徐之才文。此文《本草经集注》已有著录。

50 麦门冬[1]

微寒，无毒。主治身重目黄，心下支满，虚劳、客热，口干、燥渴，止呕吐，愈痿蹶，强阴，益精，消谷调中，保神，定肺气，安五脏，令人肥健，美颜色，有子[2]。秦名、羊韭，齐名爱韭，楚名乌韭[3]，越名羊蓍，一名禹葭[4]，一名禹馀粮。叶如韭，冬夏长生。生函谷[5]及堤坂肥土石间久废处。二月、三月[6]、八月、十月采，阴干。地黄、车前为之使，恶款冬、苦瓠，畏苦参、青蘘[7]。

〔《本经》原文〕

麦门冬，味甘，平。主心腹结气，伤中伤饱，胃络脉绝，羸瘦短气。久服轻身不老不饥。生川谷及堤坂。

【校注】

[1] 麦门冬条见《御览》卷989。本条《通志略》以“禹葭”为正名。

[2] **子** 此下《续疏》注“久服轻身不老不饥”8字为《别录》文，其他各本均注此8字作《本经》文。

[3] **楚名乌韭** 《和名》作“楚名乌韭”，其他各本作“楚名马韭”。

[4] **一名禹葭** 《纲目》《图考长编》脱此4字。

[5] **谷** 此下《御览》有“山”字。

[6] **三月** 《纲目》《草木典》脱此2字。

[7] **地黄、车前为之使……青蘘** 此段《纲目》注为徐之才文。此文《本草经集注》已有著录。

51 术[1]

味甘，无毒。主治大风在身面，风眩头痛，目泪出，消痰水，逐皮间风水结肿，除心下急满，及[2]霍乱，吐下不止，利腰脐间血，益津液，暖胃，消谷，嗜食。一名山姜，一名山连。生郑山[3]、汉中、南郑。二月、三月、八月、九月采根，暴干。防风、地榆为之使[4]。

〔《本经》原文〕

术，味苦，温。主风寒湿痹，死肌，痉，疸，止汗，除热，消食。作煎饵，久服轻身延年，不饥。一名山蓟。生山谷。

【校注】

[1] 术条见《千金翼》、《大观》卷6。

[2] **及** 《纲目》《草木典》脱“及”字。

[3] **生郑山** 王念生疏《广雅》注为《本经》文，其他各本注为《别录》文。

[4] **防风、地榆为之使** 《纲目》《草木典》注为徐之才文。此文早在《本草经集注》已有著录。

52 萎蕤[1]

无毒。主治心腹结气，虚热，湿毒，腰痛，茎中寒，及目痛眦烂泪出。一名荧，一名地节，一名玉竹，一名马薰。生太山及丘陵。立春后采，阴干。畏卤咸[2]。

〔《本经》原文〕

本条是名医附经为说，其经文如下。

女萎，味甘，平。主中风暴热，不能动摇，跌筋结肉，诸不足。久服，去面黑皯，好颜色润泽，轻身不老。生山谷。

【校注】

[1] 萎蕤条见《千金翼》、《大观》卷6。又，《纲目》注“萎蕤”为《本经》文。按，《大观》“女萎”条引陶隐居云：“《本经》有女萎无萎蕤，《别录》无女萎有萎蕤。”《群芳谱》引《古今韵会》云：“《别录》作萎蕤。”萎蕤应为《别录》文。

[2] **畏卤咸** 《纲目》《草木典》注为徐之才文。此3字《本草经集注》已有著录。

53 黄精[1]

味甘，平，无毒。主补中益气，除风湿，安五脏。久服轻身、延年、不饥。一名重楼，一名菟竹，一名鸡格，一名救穷，一名鹿竹。生山谷，二月采根，阴干。

【校注】

[1] 黄精条参见《千金翼》、《大观》卷6。

54 干地黄[1]

味苦，无毒。主治男子五劳、七伤，女子伤中、胞漏、下血，破恶血、溺血，利大小肠，去胃中宿食，饱力断绝，补五脏内伤不足，通血脉，益气力，利耳目。

【校注】

[1] 地黄条见《千金翼》、《大观》卷6。

55 生地黄

大寒。主治妇人崩中血不止，及产后血上薄心、闷绝，伤身、胎动、下血，胎不落，堕坠，踠折，瘀血，留血，衄鼻[1]，吐血，皆捣饮之。一名苄，一名芑[2]，一名地脉[3]。生咸阳黄土地者佳。二月、八月采根，阴干。得麦门冬、清酒良，恶贝母，畏芜荑[4]。

〔《本经》原文〕

干地黄，味甘，寒。主折跌绝筋，伤中，逐血痹，填骨髓，长肌肉。作汤除寒热积聚，除痹，生者尤良。久服轻身不老。一名地髓。生川泽。

【校注】

[1] **衄鼻** 《纲目》《草木典》作"鼻衄"。

[2] **一名芑** 《尔雅疏》邢昺疏云："案本草地黄一名芑"，其他各本作"一名芑"。

[3] **一名地脉** 《和名》有"一名地脉"4字，其他各本无此4字。

[4] **得麦门冬、清酒良，恶贝母，畏芜荑** 《纲目》《草木典》注为徐之才文。此文《本草经集注》已有著录。"清"，《本草经集注》原作"渍"，据《千金方》《证类》改。

56 菖蒲[1]

无毒。主治耳聋、痈疮，温肠胃，止小便利[2]，四肢湿痹，不得屈伸，小儿温疟，身积热不解，可作浴汤。久服聪耳明目[3]，益心智，高志不老[4]。生上洛[5]及蜀郡严道。一寸九节者良，露根不可用。五月、十二月采根，阴干。秦皮、秦艽为之使，恶地胆、麻黄去节[6]。

〔《本经》原文〕

菖蒲，味辛，温。主风寒湿痹，咳逆上气，开心孔，补五脏，通九窍，明耳目，出声音。久服轻身，不忘不迷惑，延年。一名昌阳。生池泽。

【校注】

[1] 菖蒲条见《千金翼》、《大观》卷6。又，《政和》、成化本《政和》、《大全》、《品汇》均作《别录》文。但《大观》《证类》以《本经》《别录》分别标记。本条，《通志略》以"昌阳"为正名。

[2] **主治耳聋、痈疮，温肠胃，止小便利** 《纲目》《草木典》注为《本经》文。《大观》《证类》《图考长编》《续疏》注为《别录》文。森本、孙本、顾本皆不取此13字为《本经》文。按，此13字应为《别录》文。

[3] **聪耳明目** 《千金翼》《大观》《续疏》作"聪耳明目"，《政和》《证类》脱"明"字，《图考长编》作"聪明耳目"。《纲目》《草木典》脱此4字。

[4] **益心智，高志不老** 《纲目》《草木典》注为《本经》文。《大观》《证类》《图考长编》

《续疏》注为《别录》文。森本、孙本、顾本皆不取此7字为《本经》文。按，此7字应为《别录》文。

[5] **生上洛** 《御览》作“生石上，生上洛”。

[6] **麻黄去节** 《本草经集注》同，其他各本无“去节”2字。

57 远志[1]

无毒。主利丈夫，定心气，止惊悸，益精，去心下隔气，皮[2]肤中热、面目黄。久服好颜色，延年[3]。

叶

主益清，补阴气，止虚损，梦泄。生太山及宛朐。四月采根、叶，阴干。得茯苓、冬葵子、龙骨良，畏珍珠、蜚蠊、藜芦、蛴螬[4]，杀天雄、附子毒。

〔《本经》原文〕

远志，味苦，温。主咳逆伤中，补不足，除邪气，利九窍，益智慧，耳目聪明，不忘，强志倍力。久服轻身不老。叶名小草，一名棘菀，一名葽绕，一名细草。生山谷。

【校注】

[1] 远志条见《千金翼》、《大观》卷6。

[2] **皮** 此上《草木典》衍“除”字。

[3] **好颜色，延年** 《纲目》《草木典》脱此文。

[4] **蛴螬** 陶弘景《本草经集注》作“蛴螬”，《千金方》《医心方》《大观》《政和》《证类》《纲目》《草木典》《续疏》均作“蛴蛤”。

58 泽泻[1]

味咸，无毒。主补虚损、五劳，除[2]五脏痞满[3]，起阴气，止泄精、消渴、淋沥，逐膀胱三焦停水。扁鹊云“多服病人眼[4]”，一名及泻。生汝南。五月、六月[5]、八月采根，阴干。畏海蛤、文蛤[6]。

叶

味咸，无毒。主治大风，乳汁不出，产难，强阴气。久服轻身。五月采。

实

味甘，无毒。主治风痹、消渴，益肾气，强阴，补不足，除邪湿。久服面生光，令人无子。九月采。

〔《本经》原文〕

泽泻，味甘，寒。主风寒湿痹，乳难，消水，养五脏，益气力，肥健。久服耳目聪明，不饥，延年，轻身，面生光，能行水上。一名水泻，一名芒芋，一名鹄泻。生池泽。

【校注】

[1] 泽泻条见《千金翼》、《大观》卷6、《草木典》卷140、《疏证》、《通志略》卷51。

[2] **五劳，除**　《纲目》《草木典》脱此3字。

[3] **满**　《图考长编》脱“满”字。

[4] **扁鹊云“多服病人眼”**　《纲目》脱此8字。

[5] **五月、六月**　《图考长编》作“五六月”，《疏证》作“五月”。

[6] **畏海蛤、文蛤**　《纲目》《草木典》注为徐之才文。此文早在《本草经集注》已有著录。

59　署预[1]

平，无毒。主治头面游风、风头、眼眩[2]，下气，止腰痛，补虚劳[3]、羸瘦，充五脏，除[4]烦热，强阴[5]。秦楚名玉延，郑越名上藷。生嵩高。二月、八月采根，暴干。紫芝为之使，恶甘遂[6]。

〔《本经》原文〕

署预，味甘，温。主伤中，补虚羸，除寒热邪气，补中益气力，长肌肉。久服耳目聪明，轻身不饥，延年。一名山芋。生山谷。

【校注】

[1] 署预条见《千金翼》、《大观》卷6。又，“署预”，《品汇》《草木典》《群芳谱》《本草衍义》作“山药”。按，《负暄杂录》云：“山药本名薯蓣，避唐代宗讳，改名薯药，宋英宗讳曙，改名山药。”

[2] **风头、眼眩**　《大观》、《政和》、《品汇》、《纲目》、《图考长编》、《疏证》、玄《大观》、成化本《政和》作“头风眼眩”。《千金翼》《证类》作“风头眼眩”。又，《医心方》作“风头目眩”。

[3] **补虚劳**　《草木典》作“治虚劳”。

[4] **除** 《品汇》脱。

[5] **强阴** 《品汇》脱“强阴”2字。《纲目》《草木典》注“强阴”2字为《本经》文。《大观》、玄《大观》、《大全》、成化本《政和》、《政和》、《证类》、《图考长编》、《疏证》注为《别录》文，森本、孙本、顾本皆不取此2字为《本经》文。按，此2字应为《别录》文。

[6] **紫芝为之使，恶甘遂** 《纲目》《草木典》注为徐之才文。此文《本草经集注》已有著录。

60 菊花[1]

味甘，无毒。主治腰痛去来陶陶，除胸中烦热，安肠胃，利五脉，调四肢。一名日精，一名女节[2]，一名女华，一名女茎，一名更生，一名周盈，一名傅延年，一名阴成[3]。生雍州及田野。正月采根，三月采叶，五月采茎，九月采花，十一月采实，皆阴干。术[4]、枸杞根、桑根白皮为之使。

〔《本经》原文〕

菊花，味苦，平。主风头眩肿痛，目欲脱，泪出，皮肤死肌，恶风湿痹。久服利血气，轻身耐老延年。一名节华。生川泽及田野。

【校注】

[1] 菊花条见《千金翼》、《大观》卷6。本条，《御览》《初学记》引《本草经》作“菊有筋菊，有白菊、黄菊……一名白花……一名朱嬴，一名女菊。其菊有两种，一种紫茎气香而味甘美，叶可作羹，为真菊，一种青茎而大，作蒿艾气，味苦不堪食，名薏，非真菊也”。

[2] **一名女节** 《和名》作“一名女郎”。

[3] **一名傅延年，一名阴成** 《御览》作“一名傅公，一名延年，一名阴威”。

[4] **术** 《疏证》作“水”。

61 甘草[1]

无毒。主温中，下气，烦满，短气，伤脏，咳嗽，止渴，通经脉，利血气，解百药毒，为九土之精，安和七十二种石，一千二百种草。一名蜜甘，一名美草，一名蜜草，一名蕗[2]。生河西积沙山及上郡。二月、八月除日采根，暴干，十日成。术、干漆、苦参为之使，恶远志，反大戟、芫花、甘遂、海藻[3]。

〔《本经》原文〕

甘草，味甘，平。主五脏六腑寒热邪气，坚筋骨，长肌肉，倍力，金创尰，解毒。久服轻身延年。生川谷。

【校注】

[1] 甘草条见《千金翼》、《大观》卷6。

[2] **一名蕗** 《和名》同，其他各本作“一名蕗草”。又，《急就篇》颜师古注云：“甘草，一名蜜草，一名蕗，一名靇，一名大苦。”

[3] **术、干漆、苦参为之使，恶远志，反大戟、芫花、甘遂、海藻** 《纲目》《草木典》注为徐之才文。此文《本草经集注》已有著录。

62 人参[1]

微温，无毒。主治肠胃中冷，心腹鼓痛，胸胁逆满，霍乱吐逆，调中，止消渴，通血脉，破坚积[2]，令人不忘。一名神草，一名人微，一名土精，一名血参。如人形者有神。生上党及辽东。二月、四月、八月上旬采根，竹刀刮，暴干，无令见风。茯苓为之使，恶溲疏，反藜芦。

〔《本经》原文〕

人参，味甘，微寒。主补五脏，安精神，定魂魄，止惊悸，除邪气，明目，开心益智。久服轻身延年。一名人衔，一名鬼盖。生山谷。

【校注】

[1] 人参条见《御览》卷991、《千金翼》。

[2] **破坚积** 《草木典》作“补坚积”。

63 石斛[1]

无毒。主益精[2]，补内绝不足，平胃气，长肌肉，逐皮肤邪热痱气，脚膝疼冷痹弱。久服定志，除惊[3]。一名禁生，一名杜兰，一名石遂。生六安[4]水傍石上。七月、八月采茎，阴干。陆英为之使，恶凝[5]水石、巴豆，畏僵蚕、雷丸[6]。

〔《本经》原文〕

石斛，味甘，平。主伤中，除痹，下气，补五脏虚劳羸瘦，强阴。久服厚肠胃，轻身延年。一名林兰。生山谷。

【校注】

[1] 石斛条见《御览》卷992、《千金翼》。

[2] **益精** 《纲目》《草木典》注为《本经》文，《大观》、玄《大观》、《大全》、成化本《政和》、《政和》、《证类》、《品汇》、《图考长编》、《续疏》注为《别录》文，森本、孙本、顾本、狩

本、黄本不取此2字为《本经》文。按，此2字应为《别录》文。

[3] **惊** 此后《纲目》《草木典》注“轻身延年”4字为《别录》文，《大观》、玄《大观》、《大全》、成化本《政和》、《政和》、《证类》、《品汇》、《图考长编》、《续疏》取此4字为《本经》文，森本、孙本、狩本、黄本、顾本皆录此4字为《本经》文。按，此4字应为《本经》文，非《别录》文。

[4] **生六安** 《御览》作“出六安”。

[5] **凝** 玄《大观》卷6作“疑”。

[6] **陆英为之使，恶凝水石、巴豆，畏僵蚕、雷丸** 《纲目》《草木典》注为徐之才文。此文《本草经集注》已有著录。

64 石龙芮[1]

无毒。平肾胃气，补阴气不足，失精，茎冷。久服令人皮肤光泽，有子。一名石熊[2]，一名彭根，一名天豆。生太山石边。五月五日采子，二月、八月采皮，阴干。大戟为之使，畏蛇蜕皮、吴茱萸。

又，水堇，主治毒肿痈疮、蛔虫、齿龋[3]（“唐本注”谓石龙芮俗名水堇）。

〔《本经》原文〕

石龙芮，味苦，平。主风寒湿痹，心腹邪气，利关节，止烦满。久服轻身，明目不老。一名鲁果能，一名地椹。生川泽石边。

【校注】

[1] 石龙芮条见《御览》卷993、《千金翼》。又，《御览》以“地椹”为正名。《纲目》在“石龙芮”条注“鲁果能”3字为《别录》文。《大观》、玄《大观》、《大全》、成化本《政和》、《政和》、《证类》取此3字作白字《本经》文，《图考长编》、森本、孙本、顾本、狩本、黄本皆取此3字为《本经》文。按，此3字应为《本经》文，非《别录》文。

[2] **一名石熊** 《和名》作“一名石熊”，其他各本作“一名石能”。

[3] **水堇……齿龋** 此文出《证类》“石龙芮”条“唐本注”引《别录》文。

65 石龙蒭[1]

微温[2]，无毒。补内虚不足，治痞满，身无润泽，出汗，除茎中热痛，杀鬼疰恶毒气[3]。一名龙珠[4]，一名龙华，一名悬莞，一名草毒。九节多味[5]者，良。生梁州湿地。五月、七月采茎，暴干。

又，石龙，一名方宾，主治蛔虫及不消食尔[6]。

〔《本经》原文〕

石龙蒭，味苦，微寒。主心腹邪气，小便不利，淋闭风湿，鬼注恶毒。久服补虚羸，轻身，耳目聪明，延年。一名龙须，一名草续断。生山谷。

【校注】

[1] 石龙蒭条见《千金翼》、《大观》卷7。

[2] **微温** 《大观》《政和》《证类》"石龙蒭"条"今按"注文引《别录》云"微温"。

[3] **杀鬼疰恶毒气** 《纲目》《草木典》无此文。

[4] **一名龙珠** 《大观》、玄《大观》、《续疏》作《别录》文。《大全》、成化本《政和》、《政和》、《证类》作白字《本经》文。《纲目》、《草木典》、《图考长编》、孙本、顾本、狩本、黄本皆注为《本经》文，唯森本不取此4字为《本经》文。本书从《大观》、森本为正，取此4字为《别录》文。

[5] **味** 《纲目》作"珠"。

[6] **一名……食尔** 此文出《证类》"石龙蒭"条"唐本注"引《别录》文。

66 络石[1]

微寒，无毒[2]。主喉舌不通，大惊入腹，除邪气，养肾，治腰髋痛，坚筋骨，利关节。久服[3]通神。一名石蹉，一名略石，一名明石，一名领石，一名悬石。生太山，或石山之阴，或高山岩石上，或生人[4]间。正月采[5]。杜仲、牡丹为之使，恶铁落[6]、贝母、菖蒲[7]。

又，络石，一名石龙藤[8]。

〔《本经》原文〕

络石，味苦，温。主风热，死肌，痈伤，口干舌焦，痈肿不消，喉舌肿，水浆不下。久服轻身明目，润泽好颜色，不老延年。一名石鲮。生川谷。

【校注】

[1] 络石条见《御览》卷993、《千金翼》。

[2] **毒** 此下《大观》、玄《大观》、成化本《政和》、《大全》、《政和》、《证类》、《续疏》有"喉舌肿不通"，前3字作《本经》文，末2字作《别录》文，森本、孙本、顾本、黄本取前3字"喉舌肿"为《本经》文。《品汇》取此5字为《本经》文。《纲目》《草木典》改为"喉舌肿闭"作《本经》文。《图考长编》改为"主喘息不通"作《别录》文。按，《证类》"喉舌肿"为《本经》文。而"不通"2字当为《别录》文。

[3] **服** 此下《纲目》《草木典》注"轻身明目，润泽好颜色，不老延年"13字为《别录》文。《大观》《大全》、玄《大观》、成化本《政和》、《证类》、《品汇》、《图考长编》、《续疏》取此13字

为《本经》文，森本、孙本、顾本、黄本亦取此13字为《本经》文。按，此13字应为《本经》文，非《别录》文。

［4］**人**　《大观》作“木”，其他各本作“人”。

［5］**正月采**　《纲目》《草木典》作“五月采”，其他各本作“正月采”。

［6］**落**　此下《大观》《政和》《证类》《纲目》《草木典》《续疏》有“畏”字，《本草经集注》《千金方》《医心方》皆无“畏”字。

［7］**杜仲、牡丹为之使，恶铁落、贝母、菖蒲**　《纲目》注此文为徐之才文。此文《本草经集注》已有著录。

［8］**石龙藤**　此3字出《证类》“络石”条“唐本注”引《别录》文。

67　千岁蘽汁[1]

味甘，平，无毒。主补五脏，益气，续筋骨，长肌肉，去诸痹。久服轻身不饥，耐老，通神明。一名蘽芜。生太山川谷[2]。

【校注】

［1］千岁蘽汁条见《千金翼》、《大观》卷7。又，“千岁蘽汁”，《和名类聚钞》《通志略》作“千岁藟”，无“汁”字。

［2］**川谷**　《纲目》《草木典》《图考长编》作“山谷”，其他各本作“川谷”。

68　木香[1]

温[2]，无毒。治气劣[3]，肌中偏寒，主气不足，消毒，杀鬼、精物、温疟、蛊毒，行[4]药之精[5]。久服轻身致神仙[6]。一名蜜香[7]。生永昌[8]。

〔《本经》原文〕

木香，味辛。主邪气，辟毒疫温鬼，强志，主淋露。久服不梦寤魇寐。生山谷。

【校注】

［1］木香条见《御览》卷991、《千金翼》。

［2］**温**　《大观》、玄《大观》、成化本《政和》、《政和》、《证类》作《别录》文。森本、顾本、《续疏》取“温”字为《本经》文。孙本、狩本、黄本不取“温”字为《本经》文。本文从《大观》为正。

［3］**劣**　玄《大观》作“少”。

［4］**行**　《纲目》《草木典》《图考长编》作“引”，《千金翼》《大观》《政和》《证类》《品汇》《续疏》皆作“行”。

［5］**治气劣，肌中偏寒……行药之精**　《纲目》《草木典》作“消毒，杀鬼精物，温疟，蛊毒

气，劣气不足，肌中偏寒，引药之精”。

[6] **轻身致神仙** 《纲目》《草木典》脱此文，其他各本有此5字。

[7] **一名蜜香** 《御览》作“一名木蜜香”。《证类》《香谱》作“一名蜜香”，无“木”字。又，《齐民要术》引本草曰：“木蜜一名木香。”

[8] **生永昌** 《群芳谱》引《别录》作“生永昌山谷”。

69 龙胆[1]

大寒，无毒。主除胃中伏热，时气温热，热泄下痢，去肠中小蛊[2]，益肝胆气，止惊惕[3]。生齐朐及宛朐。二月、八月、十一月、十二月采根，阴干。贯众为之使，恶防葵、地黄[4]。

〔《本经》原文〕

龙胆，味苦，寒。主骨间寒热，惊痫邪气，续绝伤，定五脏，杀蛊毒。久服益智不忘，轻身耐老。名陵游。生山谷。

【校注】

[1] 龙胆条见《千金翼》、《大观》卷6。又，《政和》、成化本《政和》、《大全》将“龙胆”条刻成墨字《别录》文，脱漏《本经》文标记。

[2] **蛊** 《千金翼》《图考长编》作“蛊”，《大观》《政和》《证类》《品汇》《纲目》《续疏》均作“虫”。

[3] **惕** 此下《纲目》《草木典》注“久服益智不忘，轻身耐老”为《别录》文。《大观》、玄《大观》、《证类》、《品汇》、《图考长编》、《续疏》取此10字为《本经》文，森本、孙本、顾本、狩本、黄本皆取此10字为《本经》文。按，此10字应为《本经》文，非《别录》文。

[4] **贯众为之使，恶防葵、地黄** 《纲目》《草木典》注出典为徐之才文。此文《本草经集注》已有著录。

70 牛膝[1]

味酸[2]，平[3]，无毒。主伤中少气，男子阴消，老人失溺，补中续绝，填骨髓，除脑中痛及腰脊痛，妇人月水不通，血结，益精，利阴气，止发白[4]。生河内及临朐。二月、八月、十月采根，阴干。恶萤火、龟甲、陆英，畏白前[5]。

〔《本经》原文〕

牛膝，味苦。主寒湿痿痹，四肢拘挛，膝痛不可屈伸，逐血气，伤热火烂，堕胎。久服轻身耐老。一名百倍。生川谷。

【校注】

[1] 牛膝条见《御览》卷992、《千金翼》。

[2] **酸** 《大观》、玄《大观》、《证类》、《续疏》作《别录》文，森本不取“酸”字为《本经》文。但《政和》、《大全》、成化本《政和》作白字《本经》文，孙本、顾本、《图考长编》、狩本、黄本皆取“酸”字为《本经》文。本书从《大观》等为正。

[3] **平** 《政和》《证类》《图考长编》作《别录》文。孙本、顾本不取“平”字为《本经》文。

[4] **填骨髓……发白** 《纲目》《草木典》作“益精，利阴气，填骨髓，止发白，除脑中痛及腰脊痛，妇人月水不通，血结”。

[5] **恶萤火、龟甲、陆英，畏白前** 《纲目》注为徐之才文。此10字《本草经集注》已有著录。“陆”，《图经衍义》作“阴”。又，“白前”，《千金方》作“车前”。

71 卷柏[1]

味甘[2]，平，微寒，无毒。止咳逆，治脱肛，散淋结，头中风眩，痿蹶，强阴，益精。久服令人好容体[3]。一名豹足，一名求股，一名交时。生常山。五月、七月采，阴干。

〔《本经》原文〕

卷柏，味辛，温。主五脏邪气，女子阴中寒热痛，癥瘕血闭绝子。久服轻身和颜色。一名万岁。生山谷石间。

【校注】

[1] 卷柏条见《御览》卷989、《千金翼》。

[2] **甘** 此下《纲目》《草木典》注“温”字为《别录》文，成化本《政和》、玄《大观》、《大全》、《大观》、《政和》、《证类》作白字《本经》文，《图考长编》、《续疏》、森本、孙本、顾本、狩本、黄本均取“温”字为《本经》文。按，“温”字应为《本经》文，非《别录》文。

[3] **令人好容体** 《品汇》脱此文。“体”，《千金翼》、《大观》、玄《大观》、《证类》作“体”，《政和》、成化本《政和》、《大全》、《纲目》、《图考长编》、《续疏》作“颜”。本书从《大观》等为正。

72 菌桂[1]

无毒。生交趾、桂林山谷岩崖间[2]。无骨，正圆如竹[3]。立秋采。

〔《本经》原文〕

菌桂，味辛，温。主百病，养精神，和颜色，为诸药先聘通使。久服轻身不老，面生光华，媚好常如童子。生山谷。

【校注】

[1] 菌桂条见《新修》《千金翼》。

[2] **桂林山谷岩崖间** 武田本《新修》、《新修》原作“山谷桂枝间”，据《千金翼》、《大观》、《政和》、《证类》、玄《大观》、《大全》、成化本《政和》改。

[3] **竹** 此下武田本《新修》、《新修》原衍“生桂林山谷”5字，据《千金翼》《大观》《政和》《证类》删。

73 牡桂[1]

无毒。主治心痛，胁风，胁痛[2]，温筋通脉，止烦，出汗。生南海。

〔《本经》原文〕

牡桂，味辛，温。主上气咳逆，结气喉痹，吐吸，利关节，补中益气。久服通神，轻身不老。生山谷。

【校注】

[1] 牡桂条见《新修》《千金翼》。

[2] **胁风，胁痛** 《纲目》《草木典》颠倒为“胁痛，胁风”。

74 桂[1]

味甘、辛，大热，有毒[2]。主温中[3]，利肝肺气，心腹寒热，冷疾[4]，霍乱，转筋，头痛，腰痛[5]，出汗，止烦，止唾、咳嗽、鼻齆，能堕胎，坚骨节[6]，通血脉，理疏不足，宣导百药，无所畏。久服神仙，不老。生桂阳[7]。二月、七八月[8]、十月采皮，阴干。得人参、麦门冬、甘草、大黄、黄芩[9]调中益气，得柴胡、紫石英[10]、干地黄治吐逆。

【校注】

[1] 桂条见《新修》《千金翼》。本条，《和名类聚钞》引本草有“桂一名梫”。

[2] **有毒** 武田本《新修》、《新修》作“有毒”，其他各本作“有小毒”。

[3] **温中** 《纲目》《草木典》排在“堕胎”之下。

[4] **冷疾** 《草木典》作“冷痰”。

[5] **头痛，腰痛** 《草木典》颠倒为“腰痛，头痛”。

[6] **能堕胎，坚骨节** 《纲目》《草木典》作“堕胎，温中，坚筋骨”。

[7] **桂阳** 武田本《新修》、《新修》原作“桂杨”，据《千金翼》《大观》《政和》《证类》改。

[8] **七八月** 武田本《新修》、《新修》作“七八月”，其他各本作“八月”，无“七”字。

[9] **黄芩** 玄《大观》误作“黄岑”。

[10] **紫石英** 《新修》原脱“英”字，据《大观》《政和》《证类》补。

75 杜仲[1]

味甘，温，无毒。主治脚中酸疼痛[2]，不欲践地。一名思仲，一名木绵。生上虞及[3]上党[4]、汉中。二月、五月、六月、九月采皮，阴干[5]。畏[6]蛇蜕皮、玄参[7]。

〔《本经》原文〕

杜仲，味辛，平。主腰脊痛，补中，益精气，坚筋骨，强志，除阴下痒湿，小便余沥。久服轻身耐老。一名思仙。生山谷。

【校注】

[1] 杜仲条见《新修》《千金翼》。

[2] **痛** 武田本《新修》、《新修》有“痛”字，其他各本无“痛”字。

[3] **及** 武田本《新修》、《新修》原作“又”，据《千金翼》《大观》《政和》《证类》改。

[4] **党** 武田本《新修》、《新修》在“党”字下有“及”字，据《千金翼》《大观》《政和》《证类》删。

[5] **阴干** 武田本《新修》、《新修》有“阴干”2字，其他各本无“阴干”2字。

[6] **畏** 武田本《新修》、《新修》作“畏”，《大观》《政和》《证类》《纲目》《续疏》作“恶”。

[7] **畏蛇蜕皮、玄参** 《纲目》《草木典》注为徐之才文。此6字《本草经集注》已有著录。

76 干漆[1]

有毒。主治咳嗽，消瘀血，痞结[2]，腰痛，女子疝瘕，利小肠，去蛔虫。生汉中。夏至后采，干之。半夏为之使，畏鸡子[3]。

〔《本经》原文〕

干漆，味辛，温，无毒。主绝伤，补中，续筋骨，填髓脑，安五脏，五缓六急，风寒湿痹。生漆去长虫。久服轻身耐老。生川谷。

【校注】

[1] 干漆条见《新修》《千金翼》。

[2] **咳嗽，消瘀血，痞结** 武田本《新修》、《新修》原作“咳嗽消疼血痞满”，据《千金翼》《大观》《政和》《证类》改。

[3] **半夏为之使，畏鸡子** 《纲目》《草木典》注为徐之才文。此文《本草经集注》已有著录。

77 细辛[1]

无毒。主温中，下气，破痰，利水道，开胸中[2]，除喉痹，齆鼻[3]风痫，癫疾，下乳结，汗[4]不出，血不行，安五脏，益肝胆，通精气。生华阴。二月、八月采根，阴干。曾青、桑根白皮[5]为之使，反藜芦，恶狼毒、山茱萸、黄芪，畏滑石、消石[6]。

〔《本经》原文〕

细辛，味辛，温。主咳逆，头痛脑动，百节拘挛，风湿痹痛，死肌。久服明目，利九窍，轻身长年。一名小辛。生山谷。

【校注】

[1] 细辛条见《御览》卷989、《千金翼》。

[2] **中** 此下《纲目》《草木典》《图考长编》有“滞结”2字，其他各本无。

[3] **鼻** 此下《纲目》《草木典》有“不闻香臭”4字，其他各本无此4字。

[4] **汗** 《千金翼》作“汁”，其他各本作“汗”。

[5] **桑根白皮** 《本草经集注》作“桑根白皮”，《医心方》作“桑根”。《千金方》《大观》《政和》《证类》均作“枣根”。按，“桑”字在唐代抄本中皆书写为“桒”，“枣”字写成“枽”。“桒”“枽”形相近，抄时易舛错。本书从《本草经集注》为正。

[6] **曾青……消石** 《纲目》《草木典》注出典为徐之才文。此文《本草经集注》已有著录。

78 独活[1]

味甘[2]，微温，无毒。主治诸贼风，百节痛风无久新者[3]。一名胡王使者，一名独摇草。此草[4]得风不摇，无风自动[5]。生雍州[6]，或陇西南安。二月、八月采根，暴干。蠡实[7]为之使[8]。

〔《本经》原文〕

独活，味苦，平。主风寒所击，金疮止痛，贲豚，痫痓，女子疝瘕。久服轻身耐老。一名羌活，一名羌青，一名护羌使者。生川谷。

【校注】

[1] 独活条见《御览》卷992、《千金翼》。

[2] **味甘** 《图考长编》、《疏证》、《政和》、成化本《政和》、《大全》作《本经》文。但玄《大观》、《大观》、《证类》对“味甘”2字作墨字《别录》文，森本、孙本、顾本、狩本、黄本均不取“味甘”2字为《本经》文。按，“味甘”2字应为《别录》文。

[3] **无久新者** 《纲目》《草木典》作“无问久新”。

[4] **此草** 《图考长编》脱“此草”2字。

[5] **动** 此下《纲目》《草木典》有“故名独摇草”5字。又，《群芳谱》引《别录》曰：“此草得风不摇，无风自动，故名独摇草。”

[6] **生雍州** 《御览》作“生益州”。

[7] **蠡实** 《本草经集注》《千金方》《医心方》作“蠡实”。《大观》《政和》《证类》《纲目》《疏证》作“豚实”。

[8] **蠡实为之使** 《纲目》《草木典》注为徐之才文。此5字《本草经集注》已有著录。

79 升麻[1]

味苦，微寒，无毒。主解毒入口皆吐出，中恶腹痛，时气毒疠，头痛寒热，风肿诸毒，喉痛口疮。久服轻身长年[2]。生益州。二月、八月采根，日干。

〔《本经》原文〕

升麻，味甘，平。主解百毒，杀百精老物殃鬼，辟温疾、瘴邪、毒蛊。久服不夭。一名周升麻。生山谷。

【校注】

[1] 升麻条见《御览》卷990、《千金翼》。又，《大观》、玄《大观》、《大全》、成化本《政和》、《政和》、《证类》、《品汇》、《图考长编》所载“升麻”条，均作《别录》文，顾本无升麻，所以顾本亦认为升麻非《本经》文。《纲目》《草木典》所载“升麻”条，全作《本经》文。《御览》引《本经》曰：“升麻，一名周升麻。味甘、辛。生山谷。治辟百毒，杀百老殃鬼，辟温疾鄣雅（2字疑为“瘴邪”之误）毒蛊。久服不矢（矢，疑“夭”之误）。生益州。”森本、孙本录《御览》所引资料作《本经》文。持《御览》和《大观》所载“升麻”条全文校之，《御览》所引的内容，仅为《大观》半数，余下半数当是《别录》文，本书取余下半数收为《别录》文。

[2] **久服轻身长年** 森本、《疏证》取此为《本经》文，孙本不取此为《本经》文。《御览》升麻条无，故本书辑为《别录》文。

80 柴胡[1]

微寒，无毒。主除伤寒，心下烦热，诸痰热结实，胸中邪逆[2]，五脏间游气，大肠停积水胀，及湿痹拘挛，亦可作浴汤。一名山菜，一名茹草。叶[3]，一[4]名芸蒿，辛香可食。生洪农及宛朐。二月、八月采根，暴干。得茯苓、桔梗、大黄、石膏、麻子仁、甘草、桂，以水一㪷煮，取四升，入消石三方寸匕，治伤寒寒热、头痛、心下烦满。半夏为之使，恶皂荚，畏女菀、藜芦[5]。

〔《本经》原文〕

柴胡，味苦，平。主心腹，去肠胃中结气，饮食积聚，寒热邪气，推陈致新。久服轻身，明目，益精。一名地熏。

【校注】

[1] 柴胡条见《御览》卷993、《千金翼》。

[2] **邪逆** 《草木典》作"邪气"，其他各本作"邪逆"。

[3] **一名茹草。叶** 《和名》作"一名茹草叶"，《纲目》作"一名茹草"，并把"叶"字划归下句。

[4] **一** 玄《大观》无"一"字，其他各本有"一"字。

[5] **半夏为之使，恶皂荚，畏女菀、藜芦** 《纲目》《草木典》注为徐之才文。此文《本草经集注》已有著录。

81 防葵[1]

味甘、苦，无毒。主治五脏虚气，小腹支满，胪胀口干，除肾邪，强志。中火者不可服，令人恍惚见鬼。一名房慈[2]，一名爵离，一名农果，一名利茹，一名方盖。生临淄，及嵩高太山少室。三月三日采根，暴干。

〔《本经》原文〕

防葵，味辛，寒。主疝瘕，肠泄，膀胱热结，溺不下，咳逆，温疟，癫痫惊邪狂走。久服坚骨髓，益气轻身。一名梨盖。生山谷。

【校注】

[1] 防葵条见《御览》卷993、《千金翼》。

[2] **房慈** 《纲目》作"房苑"，其他各本作"房慈"。

82 蓍实[1]

味酸，无毒。生少室。八月、九月采实[2]。日干。

〔《本经》原文〕

蓍实，味苦，平。主益气，充肌肤，明目，聪慧先知。久服，不饥不老轻身。生山谷。

【校注】

[1] 著实条见《御览》卷993、《千金翼》。

[2] **实** 《草木典》脱“实”字，其他各本有“实”字。

83 楮实[1]

味甘，寒，无毒。主治阴痿水肿，益气，充肌肤[2]，明目。久服不饥，不老，轻身。生少室山[3]。一名谷实[4]，所在有之。八月、九月采实，日干，四十日成[5]。叶，味甘，无毒。主治小儿身热，食不生肌，可作浴汤。又治恶疮，生肉。树皮[6]，主逐水，利小便。茎，主隐疹痒，单煮[7]洗浴。其皮间白汁疗癣[8]。

【校注】

[1] 楮实条见《新修》《千金翼》。又，“楮实”，武田本《新修》、《新修》、《和名》作“柠实”，其他各本作“楮实”。

[2] **肤** 《纲目》《草木典》脱“肤”字，其他各本有“肤”字。

[3] **益气，充肌肤……生少室山** 《新修》原脱，据《千金翼》《大观》《政和》补。

[4] **楮实，味甘，寒。主阴痿水肿，益气，充肌肤，明目。一名谷实** 玄《大观》、《续疏》误作《本经》文。

[5] **四十日成** 武田本《新修》、《新修》原脱，据《千金翼》《大观》《政和》《证类》补。

[6] **树皮** 《千金翼》脱“树”字。

[7] **单煮** 《纲目》《草木典》作“煮汤”，其他各本作“单煮”。

[8] **其皮间白汁疗癣** 武田本《新修》、《新修》原脱“间”“疗”2字，据《千金翼》《大观》《政和》《证类》补。

84 酸枣[1]

无毒。主治烦心不得眠，脐上下痛，血转，久泄，虚汗，烦渴[2]，补中，益肝气，坚筋骨[3]，助阴气，令人肥健。生[4]河东。八月采实，阴干，卅[5]日成。恶防己[6]。

〔《本经》原文〕

酸枣，味酸，平。主心腹寒热，邪结气聚，四肢酸疼湿痹。久服安五脏，轻身延年。生川泽。

【校注】

[1] 酸枣条见《新修》《千金翼》。

[2] **虚汗，烦渴** 武田本《新修》、《新修》作“汗渴”，据《千金翼》、《大观》、《政和》、《证类》、玄《大观》、成化本《政和》改。

[3] **骨** 武田本《新修》、《新修》原作“大骨”，玄《大观》作“助”，据《千金翼》、《大观》、《政和》、《证类》、《大全》、成化本《政和》改。

[4] **生** 《证类》误刻为白字《本经》文，《大观》《政和》作墨字《别录》文。

[5] **卅** 武田本《新修》、《新修》作“卅”。《千金翼》、《大观》、《政和》、《证类》、玄《大观》、《大全》、成化本《政和》作“四十”。

[6] **恶防己** 《纲目》注为徐之才文。此3字《本草经集注》已有著录。

85 槐实[1]

味酸、咸，无毒[2]。以七月七日取之，捣取[3]汁，铜器盛之，日煎，令可作丸[4]，大如[5]鼠矢，内窍中，三易乃愈[6]。又堕胎。久服明目、益气、头不白[7]延年[8]。枝，主洗疮及阴囊下湿痒。皮，主烂疮。根，主喉痹寒热。生河南。可作神烛。景天为之使[9]。

又，八月断槐大枝，使生嫩蘖[10]，煮汁酿酒，治大风痿痹甚效[11]。

〔《本经》原文〕

槐实，味苦，寒。主五内邪气热，止涎唾，补绝伤，五痔，火创，妇人乳瘕，子脏急痛。生平泽。

【校注】

[1] 槐实条见《新修》《千金翼》。

[2] **毒** 此下《图考长编》衍“治五痔疮漏”5字，其他各本，无此5字。又，《品汇》在“毒”字下，注“子脏急痛”4字为《别录》文。《大观》《政和》《证类》取此4字作白字《本经》文，森本、孙本、顾本皆录此4字为《本经》文，《纲目》《图考长编》《续疏》亦注此4字为《本经》文。按，此4字应为《本经》文，非《别录》文。

[3] **取** 《纲目》《草木典》脱，其他各本有“取”字。

[4] **丸** 《新修》原作“九”，据武田本《新修》、《千金翼》、《大观》、玄《大观》、成化本《政和》、《大全》、《政和》、《证类》改。

[5] **大如** 《纲目》脱“大”字，其他各本有“大”字。又，《草木典》脱“大如”2字。

[6] **三易乃愈** 武田本《新修》、《新修》原作“三著愈”，据《千金翼》、《大观》、玄《大观》、《大全》、成化本《政和》、《政和》、《证类》改。但《纲目》《草木典》《图考长编》作“日三易乃愈”。

[7] **白** 武田本《新修》、《新修》原作“日”，据《千金翼》、《大观》、《政和》、《证类》、玄《大观》、《大全》、成化本《政和》改。

[8] **年** 此下《纲目》《草木典》有“治五痔疮瘘”5字，其他各本无。

[9] **景天为之使** 《纲目》《草木典》注为徐之才文。此文《本草经集注》已有著录。

[10] **使生嫩孽** 《纲目》《草木典》作“候生嫩蘖”。《大观》《政和》《证类》作“使生嫩孽”。《新修》作“使生嬾蘖”。

[11] **八月……甚效** 此文出《新修》“槐实”条注引《别录》文。

86 枸杞[1]

根大寒，子微寒，无毒。主治风湿[2]，下胸胁气，客热[3]头痛，补内伤，大劳、嘘吸，坚筋骨[2]，强阴，利大小肠。久服耐寒暑[2]。一名羊乳，一名却暑[4]，一名仙人杖，一名西王母杖。生常山及[5]诸丘陵阪岸上[6]。冬采根，春夏采叶，秋采茎实[7]，阴干[8]。

〔《本经》原文〕

枸杞，味苦，寒。主五内邪气，热中消渴，周痹。久服坚筋骨，轻身不老。一名杞根，一名地骨，一名枸忌，一名地辅。生平泽。

【校注】

[1] 枸杞条见《新修》《御览》。

[2] **“风湿”“坚筋骨”“耐寒暑”** 《纲目》《草木典》注为《本经》文，《大观》、玄《大观》、《大全》、成化本《政和》、《政和》、《证类》、《品汇》、《图考长编》、《续疏》取此8字为《别录》文，森本、孙本、顾本、狩本、黄本不取此8字为《本经》文。按，此8字应为《别录》文。

[3] **客热** 《草木典》作“客寒”，玄《大观》作“容热”，其他各本作“客热”。

[4] **却暑** 武田本《新修》、《新修》、《和名》、《千金翼》、《大观》、玄《大观》、《大全》、成化本《政和》、《政和》、《证类》、《续疏》作“却暑”，《纲目》《图考长编》作“却老”。

[5] **及** 武田本《新修》、《新修》原作“又”，据《千金翼》《证类》改。

[6] **上** 武田本《新修》、《新修》有“上”字，其他各本无“上”字。

[7] **茎实** 武田本《新修》、《新修》脱“茎”字，据《千金翼》《证类》补。

[8] **阴干** 《纲目》《草木典》脱此2字。

87 苏合香[1]

味甘，温，无毒。主辟恶，杀鬼精物，温疟，蛊毒，痫痓，去三虫，除邪，不梦，忤魇脒，通神明。久服[2]轻身长年。生[3]中台川谷。

【校注】

[1] 苏合香条见《新修》《千金翼》。“香”，武田本《新修》、《新修》原脱，据《千金翼》《大

观》《政和》《证类》补。

[2] **不梦，忤魇脒。通神明。久服** 武田本《新修》、《新修》作此文，其他各本作“令人无梦魇，久服通神明”。

[3] **生** 《纲目》《草木典》作“出”，其他各本作“生”。

88 菴䕡子[1]

微温，无毒。主治心下坚，膈中寒热，周痹，妇人月水不通，消食，明目。駏[2]驉食之神仙。生雍州，亦生上党及道边。十月采实，阴干。荆实、薏苡为之使[3]。

〔《本经》原文〕

菴䕡子，味苦，微寒。主五脏瘀血，腹中水气，胪胀留热，风寒湿痹，身体诸痛。久服轻身延年不老。生川谷。

【校注】

[1] 菴䕡子条见《御览》卷991、《千金翼》。

[2] **駏** 《千金翼》作“驱”，其他各本作“駏”。

[3] **荆实、薏苡为之使** 《纲目》《草木典》注为徐之才文。此文《本草经集注》已有著录。

89 薏苡仁[1]

无毒。主除筋骨[2]邪气不仁，利肠胃，消水肿，令人能食。一名屋菼，一名起[3]实，一名赣。生真定。八月采实，采根无时。

〔《本经》原文〕

薏苡仁，味甘，微寒。主筋急拘挛，不可屈伸，风湿痹，下气。久服轻身益气。其根，下三虫。一名解蠡。生平泽及田野。

【校注】

[1] 薏苡仁条见《千金翼》、《大观》卷6。

[2] **骨** 此后《纲目》《草木典》有“中”字，其他各本无“中”字。

[3] **起** 《和名》、《千金翼》、《大观》、玄《大观》、《大全》、成化本《政和》、《政和》、《证类》、《品汇》、《疏证》作“起”，《纲目》《草木典》《图考长编》作“芑”。

90 车前子[1]

味咸，无毒[2]。主男子伤中，女子淋沥，不欲食，养肺，强阴，益精，令人有子，明目，治赤痛。

叶及根，味甘，寒。主治金疮，止血，衄鼻，瘀血，血瘕，下血，小便赤，止烦，下气，除小虫。一名芣苡[3]，一名虾蟆衣，一名牛遗[4]，一名胜舄[5]。生真定[6]丘陵阪道中。五月五日采，阴干。

〔《本经》原文〕

车前子，味甘，寒。主气癃，止痛，利水道小便，除湿痹。久服轻身耐老。一名当道。生平泽。

【校注】

[1] 车前子条见《御览》卷998、《千金翼》。

[2] **无毒** 《政和》、成化本《政和》、《大全》作白字《本经》文，孙本、黄本、《图考长编》取“无毒”2字为《本经》文，《大观》、玄《大观》、《证类》、《续疏》作《别录》文，森本、顾本、狩本不取“无毒”2字为《本经》文。本书从《大观》等为正。

[3] **苡** 《和名》《和名类聚钞》作“苡”，其他各本作“苢”。

[4] **遗** 《御览》作“舌”，其他各本作“遗”。

[5] **舄** 《纲目》作“马”，《续疏》作“留”，其他各本作“舄”。

[6] **真定** 《续疏》作“正定”，其他各本作“真定”。

91 蛇床子[1]

味辛、甘[2]，无毒。上温中下气，令妇人子脏热，男子阴强[3]。久服好颜色[4]，令人有子[5]。一名虺床，一名思益，一名绳毒，一名枣棘，一名墙蘼。生临淄[6]。五月采实，阴干。恶牡丹、巴豆、贝母[7]。

〔《本经》原文〕

蛇床子，味苦，平。主妇人阴中肿痛，男子阴痿湿痒，除痹气，利关节，癫痫恶疮。久服轻身。一名蛇粟，一名蛇米。生川谷及田野。

【校注】

[1] 蛇床子条见《千金翼》、《大观》卷7。

[2] **辛、甘** 玄《大观》、《大观》作白字《本经》文，但《大全》、成化本《政和》、《政和》、《证类》作墨字《别录》文。《纲目》《图考长编》《疏证》注“辛甘”2字为《别录》文。森本、孙本、顾本、狩本、黄本皆不取“辛甘”2字为《本经》文。按，此2字应为《别录》文。

[3] **阴强** 《疏证》作“强阴”，其他各本作“阴强”。

[4] **好颜色** 《纲目》《草木典》注为《本经》文。《大观》、玄《大观》、《大全》、成化本

《政和》、《政和》、《证类》均作墨字《别录》文，《品汇》《图考长编》《疏证》亦作《别录》文，森本、孙本、顾本、狩本、黄本皆不取此3字为《本经》文。按，此3字应为《别录》文。

[5] **子** 此下《政和》《证类》《图考长编》《疏证》有“一名蛇粟”4字注为《别录》文。孙本、顾本不取此4字为《本经》文。但《大观》、玄《大观》作白字《本经》文，狩本、森本、《纲目》取此4字为《本经》文。本文以《大观》等为正。

[6] **生临淄** 《广雅疏证》王念孙注为《本经》文，其他各本作《别录》文。

[7] **恶牡丹、巴豆、贝母** 《纲目》《草木典》注为徐之才文。此文《本草经集注》已有著录。

92 菟丝子[1]

味甘，无毒。主养肌，强阴，坚筋骨，主[2]治茎中寒，精自出，溺有余沥，口苦，燥渴，寒血为积[3]。一名菟缕，一名蓎蒙，一名玉女，一名赤网[4]，一名菟累。生朝鲜田野，蔓延草木之上。色黄而细为赤网，色浅而大为菟累[5]。九月采实，暴干。宜丸不宜煮[6]，得酒良，署预、松脂为之使，恶藋菌[7]。

〔《本经》原文〕

菟丝子，味辛，平。主续绝伤，补不足，益气力，肥健。汁，去面皯。久服明目，轻身延年。一名菟芦。生川泽。

【校注】

[1] 菟丝子条见《千金翼》、《大观》卷6。

[2] **主** 《千金翼》误作“生”，其他各本作“主”。

[3] **积** 此下《纲目》《草木典》注“久服明目，轻身延年”为《别录》文。《大观》、玄《大观》、《大全》、成化本《政和》、《政和》、《证类》、《品汇》、《图考长编》、《续疏》取此8字为《本经》文，森本、孙本、顾本、狩本、黄本取此8字为《本经》文。按，此8字应为《本经》文，非《别录》文。

[4] **赤网** 《和名》、《千金翼》、《图经衍义》、玄《大观》、《大观》、《证类》、《品汇》作“赤网”。《政和》、成化本《政和》、《大全》、《纲目》、《图考长编》作“赤纲”。

[5] **累** 此下《纲目》《草木典》有“功用并同”4字，其他各本无此4字。

[6] **宜丸不宜煮** 《本草经集注》有“宜丸不宜煮”，其他各本无此5字。

[7] **得酒良，署预、松脂为之使，恶藋菌** 《纲目》《草木典》注为徐之才文。此文《本草经集注》已有著录。

93 菥蓂子[1]

无毒。主治心腹腰痛。一名大荠。生咸阳。四月、五月采，暴干。得荆实、细辛良，恶干姜、苦参。

〔《本经》原文〕

析蓂子，味辛，微温。主明目，目痛泪出，除痹，补五脏，益精光。久服轻身不老。一名蔑析，一名大蕺，一名马辛。生川泽及道旁。

【校注】

［1］菥蓂子条见《千金翼》、《大观》卷6。又，本条《通志略》作“菥蓂”，无“子”字。

94　茺蔚子[1]

味甘，微寒，无毒，主治血逆大热，头痛，心烦。一名贞蔚。生海滨。五月采。

〔《本经》原文〕

茺蔚子，味辛，微温。主明目，益精，除水气。久服轻身。茎，主瘾疹痒，可作浴汤。一名益母，一名益明，一名大札。生池泽。

【校注】

［1］茺蔚子条见《千金翼》、《大观》卷6。

95　地肤子[1]

无毒。主去皮肤中热气，散恶疮疝瘕，强阴。久服使人润泽[2]。一名地麦[3]。生荆州及田野。八月、十月采实，阴干。又，地肤子，捣绞取汁，主赤白痢；洗目去热暗、雀盲、涩痛。苗灰，主痢亦善[4]。

【校注】

［1］地肤子条见《御览》卷992、《千金翼》。

［2］**使人润泽**　《纲目》《草木典》列在“去皮肤中热气”之下。

［3］**一名地麦**　《御览》作“一名地脉”，玄《大观》、《续疏》作“一名地裂”，其他各本作“一名地麦”。按，柯逢时《大观本草札记》云：“麦原误裂，今改。”

［4］**捣绞取汁……亦善**　此文出《证类》“地肤子”条“唐本注”引《别录》文。又《纲目》引此文略加化裁。

96　青蘘[1]

无毒[2]。生中原川谷。

〔《本经》原文〕

青蘘，味甘，寒。主五脏邪气，风寒湿痹，益气，补脑髓，坚筋骨。久服耳目聪明，不饥不老增寿。巨胜苗也。生川谷。

【校注】

[1] 青蘘条见《新修》《千金翼》。又，青蘘在《新修》《大观》归入米谷类，两书并注云："青蘘，《本经》在草上品中，既堪啖，今从胡麻条下。"据此青蘘应排列在草部。

[2] **毒** 此下《纲目》《草木典》衍"梦神"2字。又有"巨胜苗也"4字注为《别录》文。《大观》《政和》《证类》取此4字作白字《本经》文，《图考长编》《续疏》取此4字为《本经》文。森本、孙本皆取此4字为《本经》文。按，此4字应为《本经》文，非《别录》文。

97 忍冬[1]

味甘，温，无毒。主治寒热、身肿。久服轻身，长年，益寿。十二月采，阴干。

【校注】

[1] 忍冬条见《御览》卷993、《千金翼》。

98 蒺藜子[1]

味辛，微寒[2]，无毒。主治身体风痒，头痛，咳逆，伤肺，肺痿，止烦，下气，小儿头疮，痈肿，阴㿉，可作摩粉。其叶，主风痒，可煮以浴。一名即藜[3]，一名茨。生冯翊或道旁。七月、八月采实，暴干。乌头为之使[4]。

〔《本经》原文〕

蒺藜子，味苦，温。主恶血，破癥结积聚，喉痹，乳难。久服长肌肉，明目轻身。一名旁通，一名屈人，一名止行，一名豺羽，一名升推。生平泽或道傍。

【校注】

[1] 蒺藜子条见《御览》卷997、《千金翼》。

[2] **微寒** 《纲目》《草木典》作"微温"，其他各本作"微寒"。又，《大观》《政和》《证类》引《开宝本草》注云："别本注云'《本经》云温，《别录》云寒'。"

[3] **即藜** 《图考长编》作"蒺藜"，其他各本作"即藜"。

[4] **乌头为之使** 《纲目》《草木典》注为徐之才文。此文《本草经集注》已有著录。

99　肉苁蓉[1]

味酸、咸，无毒。除膀胱邪气、腰痛，止痢。生河西及代郡雁门。五月五日采，阴干。

〔《本经》原文〕

肉苁蓉，味甘，微温。主五劳七伤，补中，除茎中寒热痛，养五脏，强阴，益精气多子，妇人癥瘕。久服轻身。生山谷。

【校注】

[1] 肉苁蓉条见《御览》卷989、《千金翼》。

100　白英[1]

无毒。一名白草。生益州。春采叶，夏采茎，秋采花，冬采根。

〔《本经》原文〕

白英，味甘，寒。主寒热八疸，消渴，补中益气。久服轻身延年。一名谷菜。生山谷。

【校注】

[1] 白英条见《御览》卷991、《千金翼》。又，“白英”，《和名》、森本、《医心方》作“白莫”，《御览》作“槃菜”，其他各本作“白英”。又，《政和》、成化本《政和》“白英”条全文作墨字，无白字《本经》文的标记。又，《品汇》“白英”条有“主寒热八疸，消渴，补中益气。久服轻身延年”17字注为《别录》文。《大观》、玄《大观》、《证类》取此17字作白字《本经》文，《图考长编》《纲目》、森本、孙本、顾本亦取此17字为《本经》文，非《别录》文。又，《纲目》“白英”条有“谷菜”2字注为《别录》文。《大观》《证类》取此2字作白字《本经》文，《图考长编》取此2字作《本经》文。按，此2字应为《本经》文，非《别录》文。

101　白蒿[1]

无毒。生中山，二月采[2]。

〔《本经》原文〕

白蒿，味甘，平。主五脏邪气，风寒湿痹，补中益气，长毛发令黑，疗心悬，少食常饥。久服轻身，耳目聪明，不老。生川泽。

【校注】

［1］白蒿条见《千金翼》、《大观》卷6。

［2］**生中山，二月采**　玄《大观》、《大观》作大字正文，《证类》作小字注文。

102　茵陈蒿[1]

微寒，无毒。主治通身发黄，小便不利，除头热，去伏瘕。久服面白悦，长年。白兔食之，仙[2]。生太山及丘陵坂[3]岸上。五月及立秋采，阴干。

〔《本经》原文〕

茵陈蒿，味苦，平。主风湿寒热邪气，热结黄疸。久服轻身益气耐老。生丘陵坂岸上。

【校注】

［1］茵陈蒿条见《千金翼》、《御览》卷993。

［2］**面白悦，长年。白兔食之，仙**　《纲目》《草木典》注为《本经》文。《大观》、玄《大观》、成化本《政和》、《政和》、《证类》、《品汇》、《图考长编》、《疏证》取此10字为《别录》文，森本、孙本、顾本、狩本、黄本不取此10字为《本经》文。按，此10字应为《别录》文。

［3］**坂**　《千金翼》、《大观》、玄《大观》、《图考长编》作"坂"，《政和》、成化本《政和》、《证类》、《纲目》、《草木典》、《疏证》作"坡"。本文从《大观》等为正。

103　漏芦[1]

味咸[2]，大寒，无毒。主止遗溺，热气疮痒如麻豆，可作浴汤。生乔山。八月采根，阴干。

〔《本经》原文〕

漏芦，味苦，寒。主皮肤热，恶创，疽痔，湿痹，下乳汁。久服轻身益气，耳目聪明，不老延年。一名野兰。生山谷。

【校注】

［1］漏芦条见《御览》卷991、《千金翼》。

［2］**味咸**　《大观》、玄《大观》、《续疏》注为《别录》文。狩本、森本、顾本不取此2字为《本经》文。《政和》、成化本《政和》、《证类》作白字《本经》文，《图考长编》、黄本、孙本均取此2字为《本经》文。本文从《大观》等为正。

104　茜根[1]

无毒。主止血内崩，下血，膀胱不足，踒跌，蛊毒。久服益精气，轻身。可以染绛[2]。一名地血，一名茹藘，一名茅蒐，一名蒨。生乔山。二月、三月采根，暴干[3]。畏鼠姑[4]。

〔《本经》原文〕

茜根，味苦，寒。主寒湿风痹，黄疸，补中。生川谷。

【校注】

[1] 茜根条见《千金翼》、《大观》卷7。又，《品汇》“茜根”条引《别录》云有“除心痹、心烦、心中热”。又，《纲目》《草木典》“茜草”条引《别录》云有“苗根，咸，平”。

[2] **绛** 此下《纲目》《草木典》有“又苗根，主痹及热中伤跌折”11字，其他各本无此11字。

[3] **干** 此下《纲目》《草木典》有“又曰苗根，生山阴谷中蔓草木上，茎有刺，实如椒”19字。

[4] **畏鼠姑** 《纲目》《草木典》注为徐之才文。此文《本草经集注》已有著录。

105 旋花[1]

无毒[2]。一名美草。生豫州[3]。五月采，阴干。又，根主续筋也[4]。

〔《本经》原文〕

旋花，味甘，温。主益气，去面皯黑色，媚好。其根，味辛。主腹中寒热邪气，利小便，久服不饥轻身。一名筋根花，一名金沸。生平泽。

【校注】

[1] 旋花条见《御览》卷992、《千金翼》。

[2] **毒** 此下《纲目》《草木典》有“利小便，久服不饥轻身”9字注为《别录》文，《大观》、玄《大观》、成化本《政和》、《证类》、《政和》取此9字作白字《本经》文，《品汇》、《图考长编》、森本、孙本、狩本、黄本、顾本皆作《本经》文。按，此9字应为《本经》文，非《别录》文。又，《纲目》《草木典》在“毒”字下注“续筋骨，合金疮”6字为《别录》文。《大观》、《政和》、《证类》、玄《大观》、成化本《政和》将此6字录在“旋花”条，陈藏器《本草》注文中。按，此6字应为《本草拾遗》文，非《别录》文。又，《纲目》《草木典》在“旋花”条“正误”下，引《别录》曰：“花，一名金沸。”《大观》、玄《大观》、成化本《政和》、《政和》、《证类》取“一名金沸”4字作白字《本经》文，《图考长编》亦注为《本经》文，森本、孙本、顾本、狩本、黄本皆取此4字为《本经》文。按，此4字应为《本经》文，非《别录》文。

[3] **生豫州** 《御览》作“生豫州或预章”，其他各本作“生豫州”。

[4] **根主续筋也** 此文出《新修》注引《别录》文。

106 蓝实[1]

无毒。其叶汁，杀百药毒，解狼毒、射罔毒。其茎叶，可以染青。生河内。

〔《本经》原文〕

蓝实，味苦，寒。主解诸毒，杀蛊蚑注鬼螫毒。久服头不白轻身。生平泽。

【校注】

[1] 蓝实条见《千金翼》、《大观》卷7。

107 景天[1]

味酸[2]，无毒。主治诸蛊毒，痂疕，寒热，风痹，诸不足。久服通神不老[3]。一名火母[4]，一名救火，一名据火。生太山。四月四日、七月七日采，阴干。

〔《本经》原文〕

景天，味苦，平。主大热，火疮，身热烦邪恶气。花，主女人漏下赤白，轻身明目。一名戒火，一名慎火。生川谷。

【校注】

[1] 景天条见《御览》卷998、《千金翼》。

[2] **酸** 玄《大观》、《大观》作白字《本经》文。《大全》、成化本《政和》、《政和》、《证类》作墨字《别录》文，森本、孙本、顾本、狩本、黄本均不取“酸”字为《本经》文。按，“酸”字应为《别录》文。

[3] **久服通神不老** 《纲目》《草木典》脱此6字，其他各本同。

[4] **一名火母** 《御览》《事类赋》作“一名水母”，其他各本作“一名火母”。又，《事类赋》在“母”字后有“花主明目轻身”6字，其他各本无。

108 天名精[1]

无毒[2]。主逐水，大吐下。一名天门精，一名玉门精，一名彘颅，一名蟾蜍兰[3]，一名觐。生平原。五月采。垣衣为之使[4]。又，天名精，一名天蔓菁[5]。

〔《本经》原文〕

天名精，味甘，寒。主瘀血，血瘕欲死，下血，止血，利小便，除小虫，去痹，除胸中结热，止烦。久服轻身耐老。一名麦句姜，一名虾蟆蓝，一名豕首。生川泽。

【校注】

［1］天名精条见《千金翼》、《大观》卷7。

［2］**毒** 此下《纲目》《草木典》《图考长编》有“除小虫，去痹，除胸中结热，止烦渴”13字注为《别录》文。孙本、顾本、黄本不取此13字为《本经》文。成化本《政和》、《政和》取此13字作墨字《别录》文，但《大观》、玄《大观》、《大全》、《证类》取此13字作白字《本经》文，《品汇》取此13字为《本经》文，森本、狩本亦取此13字为《本经》文。本文从《大观》等为正，不取此13字为《别录》文。

［3］**一名彘颅，一名蟾蜍兰** 《尔雅》郭璞注引本草作“彘颅，一名蟾蠩兰，今江东呼豨首，可以熁蚕蛹”。

［4］**垣衣为之使** 《纲目》《草木典》注“垣衣为之使”5字为徐之才文。此5字《本草经集注》已有著录。

［5］**天名精，一名天蔓菁** 此文出《新修》注引《别录》文。

109 王不留行[1]

味甘，平，无毒[2]。止心烦，鼻衄，痈疽，恶疮，瘘乳，妇人难产[3]。生太山。二月、八月采。

〔《本经》原文〕

王不留行，味苦，平。主金创，止血，逐痛，出刺，除风痹内寒。久服，轻身耐老增寿。生山谷。

【校注】

［1］王不留行条见《御览》卷991、《千金翼》。

［2］**毒** 此下《纲目》《草木典》注“主治金疮，止血，逐痛出刺，除风痹内塞（塞为寒之误），久服轻身耐老增寿”23字为《别录》文。《大观》、玄《大观》、《大全》、成化本《政和》、《政和》《证类》取此23字作白字《本经》文，《品汇》《图考长编》、森本、孙本、顾本、《疏证》取此23字为《本经》文。按，此23字应为《本经》文，非《别录》文。

［3］**难产** 《千金翼》作“产难”，其他各本作“难产”。

110 蒲黄[1]

无毒。生河东。四月采。

〔《本经》原文〕

蒲黄，味甘，平。主心腹膀胱寒热，利小便，止血，消瘀血。久服轻身益气力，延年神仙。生池泽。

【校注】

[1] 蒲黄条见《千金翼》、《大观》卷7。

111 香蒲[1]

无毒[2]。一名醮。生南海。

〔《本经》原文〕

香蒲，味甘，平。主五脏心下邪气，口中烂臭，坚齿明目聪耳。久服轻身耐老。一名睢。生池泽。

【校注】

[1] 香蒲条见《御览》卷993、《千金翼》。

[2] **毒** 此下《图考长编》有“一名睢”3字作《别录》文。玄《大观》、《大全》、成化本《政和》、《大观》、《政和》、《证类》取此3字作白字《本经》文，森本、孙本、顾本、狩本、黄本皆取此3字为《本经》文。按，此3字应为《本经》文，非《别录》文。

112 兰草[1]

无毒。除胸中痰癖。生大吴[2]。四月、五月采。

〔《本经》原文〕

兰草，味辛，平。主利水道，杀蛊毒，辟不祥。久服益气，轻身不老，通神明。一名水香。生池泽。

【校注】

[1] 兰草条见《御览》卷983、《千金翼》。又，“兰草”，《御览》作“草兰”，其他各本作“兰草”。

[2] **大吴** 《纲目》《草木典》作“太吴”，其他各本作“大吴”。

113 蘼芜[1]

无毒。主治身中老风，头中久风，风眩。一名江蓠[2]，芎䓖苗也。生雍州及宛朐。四月、五月采叶，暴干。

〔《本经》原文〕

蘼芜，味辛，温。主咳逆，定惊气，辟邪恶，除蛊毒鬼注，去三虫。久服通神。一名薇芜。生川泽。

【校注】

[1] 蘼芜条见《千金翼》、《大观》卷7。又，《纲目》“蘼芜”条以“薇芜”为《别录》文。《大观》、玄《大观》、《大全》、成化本《政和》、《政和》、《证类》取此2字作白字《本经》文。森本、孙本、顾本、《图考长编》、狩本、黄本皆取此2字为《本经》文。按，此2字应为《本经》文，非《别录》文。

[2] **一名江蓠** 《尔雅疏》邢昺引本草作“一名汀蓠”。

114 云实[1]

味苦，无毒。主治消渴。花，杀精物，下水，烧之致鬼。久服益寿[2]。一名员实，一名云英，一名天豆。生河间。十月采，暴干。

〔《本经》原文〕

云实，味辛，温。主泄利肠澼，杀虫蛊毒，去邪恶结气，止痛，除寒热。花，主见鬼精物，多食令人狂走。久服轻身，通神明。生川谷。

【校注】

[1] 云实条见《御览》卷992、《千金翼》页23。

[2] **益寿** 《品汇》注为《本经》文。《大观》、玄《大观》、《大全》、成化本《政和》、《政和》、《证类》作墨字《别录》文，森本、孙本、顾本、狩本、黄本皆不取“益寿”2字为《本经》文。按，此2字应为《别录》文，非《本经》文。又，《纲目》《草木典》脱“益寿”2字。

115 徐长卿[1]

无毒。久服益气延年。生太山及陇西。三月采。

〔《本经》原文〕

徐长卿，味辛，温。主鬼物百精蛊毒，疫疾邪恶气，温疟。久服强悍轻身。一名鬼督邮。生山谷。

【校注】

[1] 徐长卿条见《御览》卷991、《千金翼》。

116 姑活[1]

无毒。生河东。又，姑活，一名鸡精也[2]。

〔《本经》原文〕

姑活，味甘，温。主大风邪气，湿痹寒痛。久服轻身，益寿耐老。一名冬葵子。

【校注】

[1] 姑活条见《新修》《千金翼》。此下《纲目》《草木典》注"味甘，温。主大风邪气，湿痹寒痛。久服轻身，益寿耐老。一名冬葵子"25字为《别录》文。《政和》、成化本《政和》在此25字中，把前19字作墨字《别录》文，后6字"老。一名冬葵子"作白字《本经》文。《大观》、玄《大全》、《证类》取此25字作白字《本经》文，森本、孙本、顾本、狩本、黄本皆取此25字作《本经》文。按，此25字应为《本经》文，非《别录》文。又，《品汇》对"姑活"条全文，未注明《本经》文和《别录》文。

[2] **一名鸡精也** 此文出《新修》"姑活"条注引《别录》文。但是《纲目》《草木典》注云："恭曰：别本一名鸡精。"

117 屈草[1]

微寒，无毒。生汉中。五月采。

〔《本经》原文〕

屈草，味苦。主胸胁下痛，邪气，腹间寒热，阴痹。久服轻身益气耐老。生川泽。

【校注】

[1] 屈草条见《新修》、《御览》卷991。

118 翘根[1]

有小毒。以作蒸饮酒病人。生嵩高。二月、八月采。

〔《本经》原文〕

翘根，味甘，寒，平。主下热气，益阴精，令人面悦好，明目。久服轻身耐老。

【校注】

[1] 翘根条见《新修》、《御览》卷991。

119 牡荆实[1]

味苦，温，无毒。主除骨间寒热[2]，通利胃气，止咳逆[3]，下气。生河间南阳宛朐山谷，或平寿、都乡高堤[4]岸上，牡荆生田野[5]。八月、九月采实，阴干。得术[6]、柏实、青葙共治头风，防风[7]为之使，恶石膏[8]。

又，荆叶，味苦，平，无毒。主久痢[9]，霍乱、转筋，血淋，下部疮，湿䘌薄脚，主脚气肿满。其根，味甘、苦，平，无毒。水煮服，主心风、头风，肢体诸风，解肌发汗[10]。

【校注】

[1] 牡荆实条见《新修》《千金翼》。

[2] **寒热** 武田本《新修》、《新修》原脱“寒”字，据《千金翼》、《大观》、玄《大观》、成化本《政和》、《证类》、《政和》补。

[3] **咳逆** 武田本《新修》、《新修》原脱“逆”字，据《千金翼》、《大观》、玄《大观》、《大全》、成化本《政和》、《政和》、《证类》补。

[4] **堤** 武田本《新修》、《新修》有“堤”字，其他各本无“堤”字。

[5] **牡荆生田野** 武田本《新修》、《新修》作“牡荆生田野”，其他各本作“及田野中”。

[6] **术** 玄《大观》、《草木典》误作“木”。

[7] **防风** 《纲目》《草木典》作“防己”，其他各本作“防风”。

[8] **得术、柏实……恶(《纲目》《草木典》作畏)石膏** 《纲目》《草木典》注为徐之才文。此文《本草经集注》已有著录。

[9] **久痢** 《草木典》作“久病”，其他各本作“久痢”。

[10] **荆叶……发汗** 此文出《新修》“牡荆”条注引《别录》文。

120 秦椒[1]

生温，熟寒，有毒。主治喉痹，吐逆。疝瘕，去老血，产后余[2]疾，腹痛[3]，出汗，利五脏。生太[4]山及秦岭上，或琅邪。八月、九月采实。恶瓜蒌、防葵，畏雌黄[5]。

〔《本经》原文〕

秦椒，味辛，温。主风邪气，温中，除寒痹，坚齿发，明目。久服，轻身好颜色，耐老增年通神。生川谷。

【校注】

[1] 秦椒条见《新修》《千金翼》。

[2] **余** 《新修》原作“除”，据《千金翼》、《大观》、成化本《政和》、《政和》、《证类》改。

[3] **腹痛** 《大观》、玄《大观》作“肿痛”，其他各本作“腹痛”。

[4] **太** 《千金翼》作“大”，其他各本作“太”。

[5] **恶瓜蒌、防葵，畏雌黄** 《纲目》《草木典》注为徐之才文。此文《本草经集注》已有著录。

121 蔓荆实[1]

味辛，平，温，无毒。去长虫[2]，治风头痛，脑鸣，目泪出，益气。久服令人光[3]泽，脂致，长须发。生益州[4]。恶乌头、石膏[5]。

〔《本经》原文〕

蔓荆实，味苦，微寒。主筋骨间寒热痹拘挛，明目，坚齿，利九窍，去白虫。久服轻身耐老。小荆实亦等。生山谷。

【校注】

[1] 蔓荆实条见《新修》《千金翼》。

[2] **去长虫** 武田本《新修》、《新修》原脱“虫”字，据《千金翼》、《大观》、《政和》、《证类》、玄《大观》、《大全》、成化本《政和》补。《纲目》《草木典》脱此3字，其他各本有此3字。又，《品汇》注“去长虫”3字为《本经》文。《大观》、玄《大观》、《大全》、成化本《政和》、《政和》、《证类》、《图考长编》、《续疏》注为《别录》文，森本、孙本、顾本、狩本、黄本皆不取此3字为《本经》文。按，此3字应为《别录》文。

[3] **光** 武田本《新修》、《新修》作“蔓”，《大观》、玄《大观》、《大全》、成化本《政和》、《政和》、《证类》、《品汇》、《纲目》、《续疏》、《图考长编》作“光”，《千金翼》作“润”。本文从《大观》等为正。

[4] **长须发。生益州** 武田本《新修》、《新修》有此文，其他各本无此文。

[5] **恶乌头、石膏** 《纲目》《草木典》注为徐之才文。此文《本草经集注》已有著录。

122 女贞实[1]

味甘，无毒。生武陵，立冬采[2]。

〔《本经》原文〕

女贞实，味苦，平。主补中，安五脏，养精神，除百疾。久服肥健，轻身不老。生山谷。

【校注】

[1] 女贞实条见《新修》《千金翼》。

[2] **立冬采** 武田本《新修》、《新修》原作“立夏采”，据《千金翼》《大观》《政和》《证类》改。按，女贞实在10月成熟，作“立冬采”为宜。

123 桑上寄生[1]

味甘，无毒。主治金创，去痹[2]，女子崩中，内伤不足，产后余疾，下乳汁[3]。一名茑[4]。生弘农桑树上[5]。三月三日采茎、叶，阴干。

〔《本经》原文〕

桑上寄生，味苦，平。主腰痛，小儿背强，痈肿，安胎，充肌肤，坚发齿，长须眉。其实，明目，轻身通神。一名寄屑，一名寓木，一名宛童。生川谷。

【校注】

[1] 桑上寄生条见《新修》《千金翼》。

[2] **主治金创，去痹** 《纲目》《草木典》排在“下乳汁”之下。

[3] **汁** 此下《大观》、玄《大观》、《大全》、《图考长编》、《续疏》有“一名宛童”4字注作《别录》文。但成化本《政和》、《政和》、《证类》作白字《本经》文，森本、孙本、顾本、狩本、黄本皆取此4字为《本经》文。按，此4字应为《本经》文。

[4] **茑** 武田本《新修》、《新修》原作“蔦”，据《和名》《千金翼》《大观》《政和》《证类》改。

[5] **桑树上** 《千金翼》作“桑上”，脱“树”字，其他各本作“桑树上”。

124 蕤核[1]

微寒，无毒。主治目肿眦烂[2]，齆鼻[3]，破心下结痰痞气。生函谷及巴西。七月采实[4]。

〔《本经》原文〕

蕤核，味甘，温。主心腹邪结气，明目，目赤痛伤泪出。久服轻身益气不饥。生川谷。

【校注】

[1] 蕤核条见《新修》、《御览》卷992。

[2] **目肿眦烂** 《纲目》《草木典》注为《本经》文。《大观》、玄《大观》、成化本《政和》、

《大全》、《政和》、《证类》作墨字《别录》文。森本、孙本、顾本、狩本、黄本皆不取此4字为《本经》文，《品汇》《图考长编》注为《别录》文。按，此4字应为《别录》文。

[3] **鼿鼻** 《纲目》《草木典》在"瘖气"之下。

[4] **七月采实** 武田本《新修》、《新修》有"七月采实"4字，其他各本无此4字。

125 沉香[1]

薰陆香、鸡舌香、藿香、詹糖香、枫香[2]并微温。悉治风水毒肿，去恶气。薰陆、詹糖去伏尸。鸡舌藿香[3]治霍乱、心痛。枫香治风瘾疹痒毒。

【校注】

[1] 沉香条见《新修》《千金翼》。

[2] **沉香、薰陆香、鸡舌香、藿香、詹糖香、枫香** 武田本《新修》、《新修》、《千金翼》合并为1条外，其他各本分立为6条。又，《和名类聚钞》卷6引本草云："沉香节坚而沉水者。"

[3] **鸡舌藿香** 《通志略》云："应劭为汉侍中，年老口臭，帝赐鸡舌香含之。"

126 辛夷[1]

无毒。温中，解肌，利九窍，通鼻塞[2]，涕出，治面肿引[3]齿痛，眩冒，身洋洋[4]如在车船之上者。生须发，去白虫。可作膏药[5]，用之去中[6]心及外毛[7]，毛射人肺，令人咳。生汉中[8]。九月采实，暴干。芎䓖为之使，恶五石脂，畏菖蒲、黄连、石膏、黄环[9]。

〔《本经》原文〕

辛夷，味辛，温。主五脏身体寒热，风头脑痛面䵟。久服下气，轻身明目，增年耐老。一名辛矧，一名侯桃，一名房木。生川谷。

【校注】

[1] 辛夷条见《新修》、《御览》卷960。

[2] **鼻塞** 武田本《新修》、《新修》原作"鼻寒"，据《千金翼》、《大观》、《政和》、《证类》、玄《大观》、《大全》、成化本《政和》改。

[3] **引** 武田本《新修》、《新修》原作"弘"，据《千金翼》、《大观》、《政和》、《证类》、玄《大观》、《大全》、成化本《政和》改。

[4] **洋洋** 武田本《新修》、《新修》作"洋洋"，其他各本作"兀兀"。

[5] **可作膏药** 《纲目》《草木典》脱此4字。

[6] **中** 武田本《新修》、《新修》有"中"字，其他各本无"中"字。

［7］**可作膏药，用之去中心及外毛**　《图考长编》断句为“可作膏药用之，去心及外毛”。

［8］**中**　此下《御览》《纲目》《草木典》有“魏与梁州，其树似杜仲，高丈余，子似冬桃而小”18字，其他各本无此。

［9］**芎藭为之使……黄环**　《纲目》《草木典》注为徐之才文。此文《本草经集注》已有著录。

127　榆皮[1]

无毒。主治肠胃邪热气[2]，消肿。性滑利。治小儿头疮痂[3]疕。花，主治小[4]儿痫，小便不利，伤热。生颍川。二月采皮，取白暴干。八月采实，并勿令中湿，湿则伤人[5]。

〔《本经》原文〕

榆皮，味甘，平。主大小便不通，利水道，除邪气。久服轻身不饥。其实尤良。一名零榆。生山谷。

【校注】

［1］榆皮条见《新修》《千金翼》。

［2］**肠胃邪热气**　《医心方》作“肠胃中热气”，其他各本作“肠胃邪气”。

［3］**痂**　武田本《新修》、《新修》原脱“痂”字，据《千金翼》、《大观》、《政和》、《证类》、玄《大观》、《大全》、成化本《政和》补。

［4］**小**　《续疏》无“小”字，其他各本有“小”字。

［5］**湿则伤人**　《续疏》作“中湿伤人”，其他各本作“湿则伤人”。

128　玉伯[1]

味酸，温，无毒。主轻身益气，止渴。一名玉遂。生石上如松，高五六寸，紫花，用[2]茎叶。

【校注】

［1］玉伯条见《新修》《千金翼》。

［2］**用**　《新修》原作“田”，据《千金翼》、《大观》、《政和》、《证类》、玄《大观》、《大全》、成化本《政和》改。

129　曼诸石[1]

味甘。主益五脏气，轻身长年。一名阴精，六月、七月出[2]石上，青黄色，夜有光。

【校注】

[1] 曼诸石条见《新修》《千金翼》。

[2] **出** 《千金翼》脱，其他各本有“出”字。

130 石濡[1]

主明目，益精气，令人不饥渴，轻身长年。一名石芥。

【校注】

[1] 石濡条见《新修》《千金翼》。又，《纲目》《草木典》将“石濡”条并在“石蕊”条下。

131 柒紫[1]

味苦。主治少[2]腹痛，利小肠[3]，破积聚，长肌肉。久服轻身长年。生宛朐。二月、七月采。

【校注】

[1] 柒紫条见《新修》《千金翼》。《和名》作“染紫”，《品汇》《纲目》《群芳谱》《草木典》作“柴紫”，其他各本作“桼紫”。

[2] **少** 《新修》作“少”，其他各本作“小”。

[3] **肠** 《新修》作“肠”，其他各本作“腹”。

132 牛舌实[1]

味咸，温，无毒。主轻身益气。一名彖户[2]。生水中泽旁。实[3]大，叶长尺。五月采[4]。

【校注】

[1] 牛舌实条见《新修》《千金翼》。

[2] **一名彖户** 《纲目》《草木典》作“一名豕首”，《纲目》《草木典》将“一名豕首”4字，排在“牛舌实”条末。《千金翼》作“一名象户”。《新修》、《和名》、《大观》、玄《大观》、《大全》、成化本《政和》、《政和》、《证类》作“一名彖户”。

[3] **实** 《新修》原无，据《千金翼》、《大观》、《政和》、《证类》、玄《大观》、《大全》、成

化本《政和》补。

[4] **采** 此下《纲目》《草木典》衍“实”字。

133 菀枣[1]

味酸，无毒。主轻身益气。生丹阳陵地，高尺许，实如枣。

【校注】

[1] 菀枣条见《新修》《千金翼》。又，“菀枣”，《新修》作“鲎枣”，据《千金翼》《大观》《政和》《证类》改。

134 龙常草[1]

味咸，温，无毒。主轻身，益阴气，治痹寒湿。生河水旁，如龙蒭，冬、夏生。

【校注】

[1] 龙常草条见《新修》《千金翼》。

135 离楼草[1]

味咸，平，无毒。主益气力，多子，轻身长年。生[2]常山。七月、八月采实。

【校注】

[1] 离楼草条见《新修》《千金翼》。

[2] **生** 《新修》原脱，据《千金翼》、《大观》、《政和》、《证类》、玄《大观》、《大全》、成化本《政和》补。

136 吴唐草[1]

味甘，平，无毒。主轻身，益气长年。生故稻草中，夜日[2]有光，草中有膏。

【校注】

[1] 吴唐草条见《新修》《千金翼》。

[2] **夜日** 《新修》作“夜日”，其他各本作“日夜”。

137 雀医草[1]

味苦，无毒。主轻身，益气，洗浴[2]烂疮，治风水。一名白气。春生，秋花白，冬实黑。

【校注】

[1] 雀医草条见《新修》《千金翼》。

[2] **洗浴** 《纲目》《草木典》脱漏“浴”字，其他各本有“浴”字。

138 兖草[1]

味酸，平，无毒。主轻身，益气，长年。生[2]蔓草木上，叶黄有毛，冬生。

【校注】

[1] 兖草条见《新修》《千金翼》。

[2] **生** 《新修》原脱，据《千金翼》、《大观》、《政和》、《证类》、玄《大观》、《大全》、成化本《政和》补。

139 酸草[1]

主轻身，长[2]年。生[3]名山醴泉上阴居[4]。茎有五叶清泽，根赤黄。可以消玉。一名丑草。

【校注】

[1] 酸草条见《新修》《千金翼》。

[2] **长** 《新修》作“长”，其他各本作“延”。

[3] **生** 《新修》原脱，据《千金翼》《大观》《政和》《证类》补。

[4] **阴居** 《纲目》《草木典》《群芳谱》作“阴厓”，其他各本作“阴居”。

140 徐李[1]

主益气，轻身，长年[2]。生太山阴，如李小形，实青色，无核，熟[3]采食之。

【校注】

[1] 徐李条见《新修》《千金翼》。

[2] **年** 《新修》原作“季”，据《千金翼》《大观》《政和》《证类》改。

[3] **熟** 《新修》作“孰”，据《千金翼》等改。

141 桑茎实[1]

味酸，温，无毒。主字乳[2]余疾[3]，轻身，益气。一名草王。叶似[4]荏，方茎大叶。生园中，十月采。

【校注】

[1] 桑茎实条见《新修》《千金翼》。

[2] **字乳** 《品汇》作“孕乳”，《纲目》《草木典》作“乳孕”，其他各本作“字乳”。

[3] **余疾** 《纲目》《草木典》《群芳谱》作“余病”，其他各本作“余疾”。

[4] **似** 《新修》作“似”，其他各本作“如”。

142 满阴实[1]

味酸，平，无毒。主益气，除热，止渴[2]，利小便，轻身[3]，长年。生深山谷[3]及园中。茎如芥，叶小，实如樱桃，七月成。

【校注】

[1] 满阴实条见《新修》《千金翼》。又，《千金翼》作“蒲阴实”，其他各本作“满阴实”。

[2] **渴** 《新修》原作“汤”，据《千金翼》、《大观》、《政和》、《证类》、玄《大观》、《大全》、成化本《政和》改。

[3] **“轻身”“谷”** 《纲目》《草木典》脱。

143 可聚实[1]

味甘，温，无毒。主轻身，益气，明目。一名长寿。生山野道中。穟[2]如麦，叶如艾。五月采。

【校注】

[1] 可聚实条见《新修》《千金翼》。

[2] **穟** 《新修》作“穟”，其他各本作“穗”。

144 地耳[1]

味甘，无毒。主明目，益气，令人有子。生丘陵，如碧石青。

【校注】

[1] 地耳条见《新修》《千金翼》。

145 土齿[1]

味甘，平，无毒。主轻身，益气，长年。生山陵地中，状如马牙。

【校注】

[1] 土齿条见《新修》《千金翼》。

146 丁公寄[1]

味甘。主金疮痛，延年。一名丁父[2]。生石间，蔓延木上。叶细，大枝[3]，赤茎，母[4]大如碛黄，有汁[5]。七月七日采。

【校注】

[1] 丁公寄条见《新修》《千金翼》。

[2] **丁父** 《新修》原作“丁文”，据《和名》《千金翼》《大观》《政和》《证类》改。

[3] **大枝** 《新修》作“六枝”，据《千金翼》《证类》改。

[4] **母** 《纲目》作“其”，其他各本作“母”。

[5] **有汁** 《草木典》作“丹汁”，其他各本作“有汁”。

147 腂[1]

味甘，无毒。主益气，延年。生山谷中，白顺理。十月采。

【校注】

[1] 腂条见《新修》《千金翼》。又，“腂”，《新修》作“畊”，其他各本作“腂”。

148 龙骨[1]

微寒，无毒。主治心腹烦满，四肢痿枯[2]，汗出，夜卧自惊，恚怒，伏气在心下，不得喘息[3]，肠痈内疽阴蚀，止汗[4]，小便利[5]，溺血，养精神，定魂魄，安五脏。

【校注】

[1] 龙骨条见《新修》、《御览》卷988。

[2] **枯** 武田本《新修》、《新修》原作“枝”，据《千金翼》、《大观》、《政和》、《证类》、玄《大观》、成化本《政和》、《大全》改。

[3] **不得喘息** 武田本《新修》、《新修》原作“得息”，据《千金翼》《大观》《政和》《证类》改。

[4] **止汗** 武田本《新修》、《新修》原作“心汁”，《纲目》《禽虫典》作“汗出止汗”，据《千金翼》《大观》《政和》《证类》改。

[5] **心腹烦满……小便利** 《纲目》《禽虫典》作“心腹烦满，恚怒，气伏在心下，不得喘息，肠痈内疽阴蚀，四肢痿枯，夜卧自惊，汗出止汗，缩小便”。又，“小便利”《新修》作“小便利”，其他各本作“缩小便”。

149 白龙骨

治梦寐[1]泄精，小便泄精[2]。

【校注】

[1] **梦寐** 武田本《新修》、《新修》作“梦寤”，《纲目》《禽虫典》作“多寐”，其他各本作“梦寐”。

[2] **小便泄精** 《品汇》脱此4字。

150 龙齿

主治小儿五惊，十二痫[1]，身热不可近人[2]，大人骨间寒热，又杀蛊毒[3]。角，主治惊痫瘈[3]疭，身热如火，腹中坚及热泄[4]。生晋地及[5]太山岩水岸土穴石[6]中死龙处，采无时。龙骨，得人参、牛黄良，畏石膏。龙角，畏干漆、蜀椒、理石[7]。

〔《本经》原文〕

龙骨，味甘，平。主心腹，鬼注，精物老魅，咳逆，泄利脓血，女子漏下，癥瘕坚结，小儿热气惊痫。齿，主小儿大人惊痫，癫疾狂走，心下结气，不能喘息，诸痉，杀精物。久服轻身，通神明延年。生山谷。

【校注】

[1] **小儿五惊，十二痫** 《纲目》《禽虫典》作《本经》文，玄《大观》、《大全》、成化本《政和》、《大观》、《政和》、《证类》、《品汇》、《疏证》亦注为《别录》文，森本、孙本、顾本、狩本、黄本不注为《本经》文。按，此7字应为《别录》文。

[2] **人** 武田本《新修》、《新修》有“人”字，其他各本无“人”字。

[3] **“毒”“瘈”** 武田本《新修》、《新修》原脱，据《千金翼》《大观》《政和》《证类》补。

[4] **泄** 此下《纲目》《禽虫典》有“久服轻身，通神明，延年”9字注为《别录》文。《大观》、玄《大观》、《大全》、成化本《政和》、《政和》、《证类》、《品汇》、《疏证》注为《本经》文，森本、孙本、顾本、狩本、黄本亦取此9字为《本经》文。按，此9字应为《本经》文，非《别录》文。

[5] **及** 《新修》原作“生”，据《千金翼》、《大观》、《政和》、《证类》、玄《大观》、《大全》、成化本《政和》改。

[6] **石** 武田本《新修》、《新修》有“石”字，其他各本无“石”字。

[7] **龙骨，得人参……理石** 《纲目》《禽虫典》注为徐之才文。此20字《本草经集注》已有著录。

151 牛黄[1]

有小毒。主治小儿百病，诸痫，热口不开，大人狂癫。又[2]堕胎，久服轻身，增年[3]，令人不忘。生晋地平泽[4]，生[5]于牛，得之[6]即阴干百日，使时燥[7]，无令见日月光。人参为之使，得牡丹、菖蒲利耳目，恶龙骨、地黄、龙胆、蜚蠊[8]，畏牛膝[9]。

〔《本经》原文〕

牛黄，味苦，平。主惊痫，寒热，热盛狂痓，除邪，逐鬼。生平泽。

【校注】

[1] 牛黄条见《新修》、《御览》卷988。

[2] **又** 武田本《新修》、《新修》原脱，据《千金翼》《大观》《政和》《证类》补。

[3] **年** 武田本《新修》、《新修》作“季”，据《千金翼》《证类》《大观》《政和》改。

[4] **生晋地平泽** 《御览》作“生晋地，生陇西平泽，特牛胆中”，其他各本作“生晋地平泽”。

[5] **生** 武田本《新修》、《新修》有“生”字，其他各本无“生”字。

[6] **生晋地平泽，生于牛，得之** 《纲目》《禽虫典》作“生陇西及晋地，特牛胆中得之”。《续疏》作“生晋地平泽，于牛胆得之”。

[7] **使时燥** 《纲目》《禽虫典》脱“时”字。《续疏》作“使自燥”。

[8] **蜚蠊** 《医心方》作“飞廉”，其他各本作“蜚蠊”。

[9] **人参为之使……畏牛膝**　《纲目》注此文为徐之才文。此文《本草经集注》已有著录。

152　麝香[1]

无毒。主治诸凶邪鬼气，中恶，心腹暴痛胀急，痞满，风毒，妇人产难，堕胎，去面䵟[2]，目中肤翳。久服通神仙。生中台[3]，及益州[4]，雍州山中[5]。春分取之[6]生者益良。

〔《本经》原文〕

麝香，味辛，温。主辟恶气，杀鬼精物，温疟、蛊毒，痫痓，去三虫。久服除邪，不梦寤魇寐。生川谷。

【校注】

[1] 麝香条见《新修》、《御览》卷981。

[2] **䵟**　读晕。

[3] **台**　此下《御览》有“山也”2字，其他各本无此2字。

[4] **及益州**　《新修》原作“生益州及”，据《千金翼》《大观》《政和》《证类》改。

[5] **山中**　《千金翼》《续疏》作“山谷”，其他各本作“山中”。

[6] **之**　《纲目》《禽虫典》作“香”，其他各本作“之”。

153　人乳汁[1]

主补五脏，令人肥白悦泽。

又，首生男乳，疗目赤痛多泪，解独肝牛肉毒[2]，合豉浓汁服之神效（见《新修》注引《别录》文）。

【校注】

[1] 人乳汁条见《新修》《千金翼》。

[2] **毒**　《新修》原作“如”，据武田本《新修》、《大观》、《政和》、《证类》改。

154　发髲[1]

小寒，无毒。合鸡子黄煎之，消为水，治小儿惊热下痢[2]。

〔《本经》原文〕

发髲，味苦，温。主五癃关格不通，利小便水道，疗小儿痫，大人痓。仍自还神化。

【校注】

[1] 发髲条见《新修》《千金翼》。

[2] **下痢** 按唐·刘禹锡所见本草，有“下痢”2字。《小儿卫生总微论方·胎中病论》引刘禹锡云：“因阅本草有‘乱发合鸡子黄煎消为水，疗小儿惊热下痢’。”敦煌卷子本《新修本草》残卷在“热”字后尚残存“下”字，疑为“下痢”2字的痕迹。

155 乱发[1]

微温。主治咳[2]嗽，五淋，大小便不通，小儿惊痫，止血鼻衄，烧之吹内立已[3]。

【校注】

[1] 乱发条见《新修》《千金翼》。

[2] **咳** 武田本《新修》、《新修》原脱，据《千金翼》《大观》《政和》《证类》补。

[3] **烧之吹内立已** 《纲目》作“烧灰，吹之立已”。《千金翼》作“烧之吹内立止”。

156 头垢

主治淋闭不通。

157 人屎[1]

寒。主治时行大热狂走，解诸毒，宜用绝干者，捣末，沸汤沃服之[2]。

【校注】

[1] 人屎条见《新修》《千金翼》。

[2] **宜用绝干者，捣末，沸汤沃服之** 武田本《新修》、《新修》原脱，据《千金翼》《大观》《政和》《证类》补。

158 人溺

治寒热，头疼，温气，童男者尤良。

159 溺白垽[1]

治鼻衄，汤火灼疮。东向圊厕[2]溺坑中青泥，治喉痹，消痈肿，若已有脓即溃。

【校注】

[1] 迳　《千金翼》作“逕”，其他各本作“迳”。

[2] **圊厕**　武田本《新修》、《新修》原作“清前”，据《千金翼》《大观》《政和》《证类》改。

160　马乳[1]

止渴[2]。

【校注】

[1] 马乳条见《新修》《千金翼》。

[2] **渴**　此下《纲目》《禽虫典》衍“治热”2字。

161　牛乳[1]

微寒。补虚羸，止渴，下气[2]。

【校注】

[1] 牛乳条见《新修》《千金翼》。

[2] **下气**　武田本《新修》、《新修》、《医心方》有“下气”2字，其他各本无此2字。

162　羊乳[1]

温。补寒冷虚乏。

【校注】

[1] 羊乳条见《新修》《千金翼》。

163　酥[1]

微寒。补五脏，利大[2]肠，主口疮。

【校注】

[1] 酥条见《新修》《千金翼》。又，“酥”，武田本《新修》、《新修》、《和名》作“酪苏”，

《千金翼》、《大观》、玄《大观》、成化本《政和》、《政和》、《证类》作“酥”。按，“酪苏”和“酪”是2种药，容易混淆。各书用“酥”名，而不用“酪苏”名。又，“苏”是《别录》药，“酪”是《新修本草》新增药，但《品汇》误注“酪”为《别录》药。

[2] **大** 此下《纲目》《食货典》衍“小”字，其他各本无“小”字。

164 熊脂[1]

微温，无毒。主治食饮[2]呕吐[3]。久服长年。生雍州，十一月取。

〔《本经》原文〕

熊脂，味甘，微寒。主风痹不仁筋急，五脏腹中积聚，寒热羸瘦，头疡白秃，面皯皰。久服强志，不饥轻身。生山谷。

【校注】

[1] 熊脂条见《新修》、《御览》卷908。

[2] **食饮** 《纲目》《禽虫典》作“饮食”。

[3] **呕吐** 武田本《新修》、《新修》作“呕吐”，其他各本作“吐呕”。

165 石蜜[1]

微温，无毒[2]。主养脾气，除心烦，食饮[3]不下，止肠澼，肌中疼痛，口疮，明耳目。久服延年神仙[4]。生武都、河源山谷，及诸山石中[5]，色白如膏者良。

〔《本经》原文〕

石蜜，味甘，平。主心腹邪气，诸惊痫痓，安五脏诸不足，益气补中，止痛解毒，除众病，和百药。久服强志轻身，不饥不老。一名石饴。生山谷。

【校注】

[1] 石蜜条见《北堂书钞》卷147、《御览》卷857。

[2] **微温，无毒** 《千金翼》、《大观》、玄《大观》、《大全》、《图经衍义》作“微温，无毒”，《政和》、成化本《政和》、《证类》作“无毒，微温”。

[3] **食饮** 《纲目》《食货典》作“饮食”，其他各本作“食饮”。

[4] **延年神仙** 《纲目》《食货典》注为《本经》文。《大观》、玄《大观》、《大全》、成化本《政和》、《政和》、《证类》、《品汇》、《疏证》注为《别录》文，森本、孙本、狩本、黄本、顾本皆不取此4字为《本经》文。按，此4字应为《别录》文。

[5] **中** 《纲目》《食货典》作“间”。

166 蜜蜡[1]

无毒[2]。

【校注】

[1] 蜜蜡条见《千金翼》、《大观》卷20。又，“蜜蜡”，《医心方》《和名》作“臈蜜”，据《千金翼》《证类》改。

[2] **无毒** 《品汇》作“味甘平无毒”，其他各本无“味甘平”3字。

167 白蜡

治久[1]泄澼后重见白脓，补绝伤，利小儿。久服轻身，不饥。生武都，生于蜜房[2]木石间。恶芫花、齐蛤[3]。

〔《本经》原文〕

蜜蜡，味甘，微温。主下利脓血，补中，续绝伤金创，益气，不饥耐老。生山谷。

【校注】

[1] **久** 《纲目》《食货典》作“人”，其他各本作“久”。

[2] **房** 《纲目》《食货典》作“庐”，其他各本作“房”。

[3] **齐蛤** 《医心方》作“文蛤”。《本草经集注》、《千金方》、《大观》、玄《大观》、《大全》、成化本《政和》、《政和》、《证类》作“齐蛤”。又，“恶芫花、齐蛤”，《纲目》《食货典》注为徐之才文。此文《本草经集注》已有著录。

168 蜂子[1]

微寒，无毒。主治心腹痛，大人小儿腹中五虫[2]口吐出者，面目黄[3]。久服轻身益气[4]。大黄蜂子[5]，主治干呕。土蜂子，治嗌痛。生武都。畏黄芩、芍药、牡蛎。

〔《本经》原文〕

蜂子，味甘，平。主风头，除蛊毒，补虚羸伤中。久服令人光泽，好颜色，不老。大黄蜂子，主心腹胀满痛，轻身益气。土蜂子，主痈肿。一名蜚零。生山谷。

【校注】

[1] 蜂子条见《千金翼》、《大观》卷20。

[2] **虫** 此下《纲目》《禽虫典》有“从”字，其他各本无“从”字。

[3] **面目黄** 《纲目》《禽虫典》排在“心腹痛”之下。

[4] **轻身益气** 《纲目》《禽虫典》排在“主治”之下。

[5] **大黄蜂子** 此下《纲目》《禽虫典》注“心腹胀满痛，轻身益气”9字为《别录》文。《大观》、玄《大观》、《大全》、成化本《政和》、《政和》、《证类》作白字《本经》文，森本、孙本、顾本、狩本、黄本皆取此9字为《本经》文。按，此9字应为《本经》文，非《别录》文。

169 白胶[1]

温，无毒。主治吐血，下血，崩中不止，四肢酸[2]疼[3]，多汗，淋露，折跌伤损。生云中，煮鹿角作之。得火良[4]，畏大黄。

〔《本经》原文〕

白胶，味甘，平。主伤中劳绝，腰痛羸瘦，补中益气，妇人血闭无子，止痛安胎。久服轻身延年。一名鹿角胶。

【校注】

[1] 白胶条见《新修》、《御览》卷766。

[2] **酸** 《纲目》《禽虫典》作“作”字，其他各本作“酸”字。

[3] **疼** 武田本《新修》、《新修》原脱，据《千金翼》《大观》《政和》《证类》补。

[4] **得火良** 《千金翼》对“得火良”3字作大字，非注文。

170 阿胶[1]

微温，无毒。主丈夫少[2]腹痛，虚劳羸瘦，阴气不足，脚酸不能久立，养肝气。生东平郡，煮驴皮作之。出东阿[3]。恶[4]大黄，得火良。

〔《本经》原文〕

阿胶，味甘，平。主心腹内崩，劳极洒洒如疟状，腰腹痛，四肢酸疼，女子下血，安胎。久服轻身益气。一名傅致胶。

【校注】

[1] 阿胶条见《新修》《千金翼》。

[2] **少** 武田本《新修》、《新修》作“少”，其他各本作“小”。

[3] **煮驴皮作之。出东阿** 《纲目》《食货典》作“东阿县，煮驴皮作之”。

[4] **恶** 武田本《新修》、《新修》、《医心方》作“恶”，其他各本作“畏”。

171 白鹅膏[1]

主治耳卒聋，以灌之[2]。毛，治射工，水毒。肉，平，利五脏。

【校注】

[1] 白鹅膏条见《新修》《千金翼》。

[2] **耳卒聋，以灌之** 《纲目》《禽虫典》作“灌耳，治卒聋”。

172 雁肪[1]

无毒。久服长毛[2]发须眉。生江南[3]。取无时。

又，雁喉下白毛，疗小儿痫[4]。

〔《本经》原文〕

雁肪，味甘，平。主风挛拘急偏枯，气不通利。久服益气不饥，轻身耐老。一名鹜肪。生池泽。

【校注】

[1] 雁肪条见《新修》、《御览》卷988。

[2] **毛** 武田本《新修》、《新修》、《医心方》原脱，据《千金翼》《大观》《政和》《证类》补。

[3] **生江南** 武田本《新修》、《新修》作“生南海”，据《千金翼》《证类》改。

[4] **雁喉……小儿痫** 此文出《新修》注引《别录》文。《证类》脱“别录”2字。《纲目》注此文出典为“苏恭”。

173 丹雄鸡[1]

微寒，无毒[2]。主不伤之疮[3]。

【校注】

[1] 丹雄鸡条见《新修》、《御览》卷918。又，“丹雄鸡”，《御览》作“丹鸡”，其他各本作“丹雄鸡”。又，《御览》引《本草经》曰：“丹鸡一名载丹”，其他各本无此文。

[2] **毒** 此下《纲目》《禽虫典》注“补虚，温中，止血”6字为《别录》文。《大观》、玄《大观》、《大全》、成化本《政和》、《政和》、《证类》取此6字作白字《本经》文，《品汇》、森本、

孙本、顾本、狩本、黄本皆取此6字为《本经》文。按，此6字应为《本经》文，非《别录》文。

［3］**不伤之疮** 武田本《新修》、《新修》作“不伤之疮”，其他各本作“久伤乏疮”。《纲目》作“能愈久伤乏疮不瘥者”。《禽虫典》作“能愈久伤之疮不瘥者”。又，《大观》、玄《大观》、《大全》在“疮”字下，取“通神，杀毒，辟不祥”7字作墨字《别录》文。《政和》、成化本《政和》、《证类》取此7字作白字《本经》文，《品汇》、《纲目》、《禽虫典》、森本、孙本、顾本皆取此7字为《本经》文。按，此7字应为《本经》文，非《别录》文。又，《政和》《证类》在“疮”字下，取“东门上者尤良”6字作墨字《别录》文，森本不取此6字为《本经》文。但《大观》、玄《大观》、《大全》取此6字作白字《本经》文，《纲目》、《禽虫典》、孙本、顾本、狩本、黄本皆取此6字为《本经》文。按，此6字应为《本经》文，非《别录》文。

174 白雄鸡肉

味酸[1]，微温。主下气，治狂邪，安五脏，伤中，消渴。

【校注】

［1］**味酸** 武田本《新修》、《新修》原脱，据《千金翼》《大观》《政和》《证类》补。

175 乌雄鸡肉

微[1]温。主补中，止痛。

胆

微寒。主治目不明，肌疮。

心

主治五邪。

血

主治踒折，骨痛及痿痹[2]。

鸡肠

平[3]，主治[4]小便数不禁[5]。

肝及左翅毛

主起阴。

冠血

主乳难。

肶胵里黄皮

微寒[6]。主小便利，遗溺[7]，除热，止烦。

矢白

微寒[8]。破石淋及转筋，利小便，止遗溺[9]，灭瘢痕[10]。

【校注】

[1] **微** 武田本《新修》、《新修》原脱，据《千金翼》《大观》《政和》《证类》补。

[2] **痹** 此下《纲目》《禽虫典》有“中恶、腹痛、乳难”6字，其他各本无此6字。又，《大观》、玄《大观》、《大全》在“痹”字下，取“肪，主耳聋”4字作墨字《别录》文，《品汇》《纲目》《禽虫典》亦注为《别录》文。《政和》、成化本《政和》、《证类》取此4字作白字《本经》文，森本、孙本、顾本、狩本、黄本皆取此4字为《本经》文。本书从《政和》等为正。

[3] **平** 武田本《新修》、《新修》有“平”字，其他各本无“平”字。

[4] **治** 此下《大观》、玄《大观》有“遗溺”2字，并作墨字《别录》文，《品汇》《纲目》《禽虫典》亦注为《别录》文。但《政和》、《证类》、成化本《政和》取此2字作白字《本经》文，森本、孙本、顾本、狩本、黄本亦取此2字为《本经》文。本书从《政和》等为正。

[5] **禁** 此下《纲目》《禽虫典》有“烧存性，每服三指，酒下”9字，其他各本无此9字。

[6] **微寒** 《大观》、玄《大观》、《大全》取“微寒”2字作白字《本经》文。《政和》、《证类》、成化本《政和》作墨字《别录》文，森本、孙本、顾本、狩本、黄本皆不取此2字为《本经》文。按，此2字应为《别录》文。又，《纲目》《禽虫典》《品汇》在“寒”字下注“泄利”2字为《别录》文。《大观》、玄《大观》、《大全》、成化本《政和》、《政和》、《证类》取此2字作白字《本经》文，森本、孙本、顾本、狩本、黄本皆取此2字为《本经》文。按，此2字应为《本经》文，非《别录》文。

[7] **小便利，遗溺** 《纲目》《禽虫典》作“小便频遗”。

[8] **寒** 此下《纲目》《禽虫典》注“消渴，伤寒寒热”6字为《别录》文。《大观》、玄《大观》、《大全》、成化本《政和》、《政和》、《证类》取此6字作白字《本经》文，《品汇》、森本、孙

本、顾本、狩本、黄本、《疏证》取此6字为《本经》文。按，此6字应为《本经》文，非《别录》文。

[9] **遗溺** 《纲目》《禽虫典》作“遗尿”，其他各本作“遗溺”。

[10] **痕** 武田本《新修》、《新修》原脱，据《千金翼》《大观》《政和》《证类》补。

176 黑[1]雌鸡

主[2]治风寒湿痹，五缓六急，安胎[3]。其血，无毒，平[4]。治中恶腹痛，及痿折骨痛，乳难[5]。

【校注】

[1] **黑** 武田本《新修》、《新修》原作“里”，据《千金翼》《大观》《政和》《证类》改。

[2] **主** 此下《纲目》《禽虫典》有“作羹食”3字，其他各本无此3字。

[3] **黑雌鸡……安胎** 《大观》、玄《大观》、《大全》取“黑雌鸡，主风寒湿痹、五缓六急，安胎”14字作白字《本经》文，孙本、狩本、黄本、顾本皆取此14字为《本经》文。《政和》、成化本《政和》、《证类》取此14字作墨字《别录》文，《纲目》《禽虫典》《品汇》亦注为《别录》文，森本亦不取此14字为《本经》文。本书从《政和》等为正，取此14字为《别录》文。

[4] **其血，无毒，平** 武田本《新修》、《新修》作“其血，无毒，平”，其他各本作“血无毒”3字。

[5] **难** 此下《品汇》《纲目》有“翮羽，主下血闭”6字，并注为《别录》文。《大观》、玄《大观》、《大全》、成化本《政和》、《政和》、《证类》取此6字作白字《本经》文，森本、孙本、顾本、狩本、黄本皆取此6字为《本经》文。按，此6字应为《本经》文，非《别录》文。

177 黄雌鸡

味酸甘[1]，平。主治伤中，消渴，小便数[2]不禁，肠澼泄利，补益五脏，续[3]绝伤，治虚劳[4]，益气力。

肋骨

主治小儿羸瘦，食不生肌。

卵白[5]

微寒。治目热赤痛，除心下伏热[6]，止烦满，咳逆，小儿下泄，妇人产难，胞衣不出[7]。醯渍之[8]一宿，治黄疸，破大烦热。

卵中白皮

主治久咳结气[9]，得麻黄、紫菀和服[10]之立已[11]。生朝鲜。

〔《本经》原文〕

丹雄鸡，味甘，微温。主女人崩中、漏下、赤白沃，补虚，温中，止血，通神，杀毒，辟不祥。头，主杀鬼，东门上者尤良。肪，主耳聋。肠，主遗溺。肶胵里黄皮，主泄利。屎白，主消渴，伤寒寒热。翮羽，主下血闭。鸡子，主除热火疮痫痉，可作虎魄神物。鸡白蠹，肥脂，生平泽。

【校注】

[1] **甘** 武田本《新修》、《新修》原脱，据《千金翼》《大观》《政和》《证类》补。

[2] **数** 此下《纲目》《禽虫典》有“而”字，其他各本无“而”字。

[3] **续** 《纲目》《禽虫典》脱“续”字，其他各本有“续”字。

[4] **虚劳** 武田本《新修》、《新修》作“虚劳”，《大观》、玄《大观》、《大全》、成化本《政和》、《政和》、《证类》、《千金翼》、《品汇》作“劳”，《纲目》《禽虫典》作“五劳”。

[5] **卵白** 此下《纲目》有“鸡子，除热火灼烂疮、痫痉，可作虎魄神物”16字，并注为《别录》文。《大观》、玄《大观》、《大全》、成化本《政和》、《政和》、《证类》取此16字作白字《本经》文，《品汇》、森本、孙本、顾本、《疏证》、狩本、黄本皆取此16字为《本经》文。按，此16字应为《本经》文，非《别录》文。

[6] **伏热** 武田本《新修》、《新修》原脱“伏”字，据《千金翼》《证类》补。

[7] **出** 此下《纲目》《禽虫典》有“并生吞之”4字，其他各本无此4字。

[8] **醯渍之** 《纲目》《禽虫典》作“醋浸”2字，其他各本作“醯渍之”3字。

[9] **结气** 《纲目》《禽虫典》作“气结”，其他各本作“结气”。

[10] **和服** 武田本《新修》、《新修》脱“和”字，据《千金翼》《证类》补。

[11] **得麻黄、紫菀和服之立已** 《纲目》《禽虫典》作“得麻黄、紫菀服立效”。

178 鹜肪[1]

味甘，无毒。主治风虚，寒热[2]。白鸭屎，名鸭通[3]。主杀石药毒，解结缚蓄热[4]。肉，补虚，除[5]热，和脏腑，利水道[6]。

又，鸭肪，主水肿。血，主解诸毒。肉，主小儿惊痫。头，主治水肿，通利小便[7]。

【校注】

[1] 鹜肪条见《新修》《千金翼》。

[2] **风虚，寒热** 《纲目》《禽虫典》作“气虚寒热水肿”。

[3] **鸭通** 《新修》作“鸭通”，其他各本脱“鸭”字。

[4] **蓄热** 武田本《新修》、《新修》作“蓄热”，其他各本作“散蓄热”。

[5] **除** 武田本《新修》、《新修》、《医心方》原脱，据《千金翼》《大观》《政和》《证类》补。

[6] **除热，和脏腑，利水道** 《纲目》《禽虫典》作“除客热，利脏腑及水道”。

[7] **鸭肪……小便** 此文出《新修》“鹜肪”条注引《别录》文。又，《纲目》将此文并入“鹜肪”条中。

179 牡蛎[1]

微寒，无毒。主除留热在关节荣卫，虚热去来不定，烦满，止汗，心痛气结[2]，止渴，除老血，涩大小肠，止大小便，治泄精[3]、喉痹[4]、咳嗽、心胁下痞热[5]。一名牡蛤。生东海，采无时。贝母为之使，得甘草[6]、牛膝、远志、蛇床[7]良，恶麻黄、吴茱萸[8]、辛夷[9]。

〔《本经》原文〕

牡蛎，味咸，平。主伤寒寒热，温疟洒洒，惊恚怒气，除拘缓鼠瘘，女子带下赤白。久服，强骨节，杀邪气，延年。一名蛎蛤。生池泽。

【校注】

[1] 牡蛎条见《千金翼》、《大观》卷20。

[2] **止汗，心痛气结** 《纲目》《禽虫典》作“心痛、气结、止汗”。

[3] **泄精** 《纲目》《禽虫典》移在“除老血”之下。

[4] **喉痹** 《疏证》作“瘘痹”，其他各本作“喉痹”。

[5] **痞热** 《禽虫典》脱“热”字。

[6] **甘草** 《医心方》误作“其草”。

[7] **蛇床** 《本草经集注》作“蛇舌”，《千金方》、《大观》、玄《大观》、《大全》、成化本《政和》、《政和》、《证类》、《疏证》作“蛇床”。

[8] **吴茱萸** 《本草经集注》脱“吴”字。

[9] **贝母为之使……辛夷** 《纲目》注为徐之才文。此文《本草经集注》已有著录。

180 魁蛤[1]

味甘，平，无毒。主治瘘痹，泄痢，便脓血。一名魁陆[2]，一名活东。生东海，正圆两头空，表有文[3]，取无时。

【校注】

[1] 魁蛤条见《千金翼》、《大观》卷20。

[2] **魁陆** 《尔雅》郭璞引本草注作“魁陆，魁状如海蛤，圆而厚，外有理纵横，即今之蚶也”，其他各本无此文。

[3] **表有文** 《尔雅疏》邢昺云：“案本草虫鱼部，魁蛤，一名魁陆，生东海，正圆，两头空，表有文。”

181 石决明[1]

味咸[2]，平，无毒。主治目障翳痛，青盲[3]。久服益精[4]轻身。生南海。

【校注】

[1] 石决明条见《御览》卷988、《千金翼》。

[2] **味咸** 《御览》作“味酸”，其他各本作“味咸”。

[3] **目障翳痛，青盲** 《医心方》作“目白翳痛，清盲”。

[4] **益精** 《续疏》脱此2字。

182 秦龟[1]

味苦，无毒。除湿痹气，身重，四肢关节不可动摇。生山之阴土中。二月、八月取[2]。

【校注】

[1] 秦龟条见《千金翼》、《大观》卷20。

[2] **取** 《纲目》作“采”。

183 鲍鱼[1]

味辛，臭，温，无毒。主坠堕、骽蹶，踠折，瘀血[2]，血痹在四肢不散者，女子崩中血不止。勿令中咸。

【校注】

[1] 鲍鱼条见《初学记》卷30、《千金翼》。

[2] **鲍鱼……瘀血** 《初学记》引本草作“鲍鱼，味辛，无毒。主逐痿蹶、踠折、瘀血”。

184 鮧鱼[1]

味甘，无毒。主治百病。

【校注】

[1] 鮧鱼条见《千金翼》、《大观》卷20。又，《和名类聚钞》引本草作“鲇、鮧鱼”。

185 鳝鱼[1]

味甘，大温，无毒。主补中，益血，治沈唇。五月五日取头骨烧之[2]，止痢。又，干鳝头，主消渴，食不消，去冷气，除痞疭[3]。

【校注】

[1] 鳝鱼条见《千金翼》。又，“鳝鱼”，《医心方》《和名》作“鉭鱼”，其他各本作“鳝鱼”。本条，《初学记》引本草作“鉭鱼，味甘，大温，无毒。云是芥根变作。又曰是人发所化，作臛食之甚补”。此文大意和陶弘景注文相似。

[2] **烧之** 《纲目》作“烧服”。

[3] **干鳝头……除痞疭** 此文出《证类》“鳝鱼”条“唐本注”引《别录》文。“疭”，《纲目》作“癥”。

186 地防[1]

令人不饥不渴。生黄陵，如濡[2]，居土中。

【校注】

[1] 地防条见《新修》《千金翼》。

[2] **如濡** 《纲目》作“状如蠕”，其他各本作“如濡”。

187 豆蔻[1]

味辛，温，无毒。主温中，心腹痛，呕吐，去口臭气[2]。生南海[3]。

【校注】

[1] 豆蔻条见《新修》《千金翼》。

[2] **气** 此下《纲目》有“下气，止霍乱，一切冷气，消酒毒”12 字，其他各本无此 12 字。《草木典》将此 12 字注为《开宝本草》文。据《大观》、玄《大观》、《大全》、成化本《政和》、《政和》、《证类》“豆蔻”条注文，在此 12 字中，有“下气，止霍乱”5 字出于《开宝本草》注，“一切冷气”4 字，出于《药性论》注，“消酒毒”3 字，出于《日华子》注。

[3] **生南海** 《一切经音义》引本草作“豆蔻，生南国也”。

188 葡萄[1]

无毒。逐水[2]，利小便。生陇西五原敦煌。

〔《本经》原文〕

葡萄，味甘，平。主筋骨湿痹，益气倍力，强志，令人肥健，耐饥，忍风寒。久食轻身不老延年。可作酒，生山谷。

【校注】

[1] 葡萄条见《新修》、武田本《新修》卷 17。

[2] **逐水** 武田本《新修》、《新修》原作“遂水”，据《千金翼》《大观》《政和》《证类》改。

189 蓬蘽[1]

味咸[2]，无毒。主治暴中风，身热大惊。一名陵蘽，一名阴蘽。生荆山及宛朐。

〔《本经》原文〕

蓬蘽，味酸，平。主安五脏，益精气，长阴令坚，强志，倍力有子。久服轻身不老。一名覆盆。生平泽。

【校注】

[1] 蓬蘽条见《新修》《千金翼》。又，《纲目》《草木典》在“蓬蘽”条“释名”下，注“覆盆”2 字为《别录》文，《大观》、玄《大观》、《大全》、成化本《政和》、《政和》、《证类》取此 2 字作白字《本经》文，《图考长编》、《续疏》、森本、孙本、顾本、狩本、黄本皆取此 2 字为《本经》文。按，此 2 字应为《本经》文，非《别录》文。

[2] **咸** 玄《大观》、《大观》作白字《本经》文，《续疏》亦注为《本经》文，但《政和》、成化本《政和》、《大全》、《证类》取“咸”字作墨字《别录》文，《图考长编》亦注为《别录》文，森本、孙本、顾本、狩本、黄本皆不取“咸”字为《本经》文。按，此“咸”字应为《别录》文。

190 覆盆子[1]

味甘，平，无毒。主益气轻身，令发不白。五月采实[2]。

【校注】

[1] 覆盆子条见《新修》、《御览》卷998。

[2] **实** 武田本《新修》、《新修》有“实”字，其他各本无“实”字。

191 大枣[1]

无毒。补中益气[2]，强力，除烦闷[3]，治心下悬、肠澼[4]。久服不饥神仙[5]。一名干枣，一名美枣，一名良枣。八月采，暴干[6]。三岁陈核中仁，燔之，味苦，主治腹痛，邪气。生枣，味甘[7]、辛，多食[8]令人多寒[9]热，羸瘦者，不可食[10]。生[11]河东。杀乌头毒[12]。

又，枣叶，散服使人瘦，久[13]即呕吐；揩热痱疮至良[14]。

〔《本经》原文〕

大枣，味甘，平。主心腹邪气，安中养脾，助十二经，平胃气，通九窍，补少气少津液，身中不足，大惊，四肢重，和百药。久服轻身长年。叶覆麻黄，能令出汗。生平泽。

【校注】

[1] 大枣条见《新修》、《御览》卷965。

[2] **补中益气** 《医心方》作“调中益气”，其他各本作“补中益气”，又，《纲目》《草木典》在“气”字下，有“坚志”2字，其他各本无此2字。

[3] **闷** 武田本《新修》、《新修》原脱，据《千金翼》《大观》《政和》《证类》补。

[4] **肠澼** 《纲目》《草木典》作“除肠澼”，其他各本无“除”字。

[5] **神仙** 《草木典》脱漏“神仙”2字。

[6] **八月采，暴干** 《事类赋》《御览》作“九月采日干”，其他各本作“八月采暴干”。

[7] **甘** 武田本《新修》、《新修》原脱，据《千金翼》《大观》《政和》《证类》补。

[8] **多食** 武田本《新修》、《新修》原脱，据《千金翼》《大观》《政和》《证类》补。

[9] **寒** 武田本《新修》、《新修》原脱，据《千金翼》《大观》《政和》《证类》补。

[10] **食** 武田本《新修》、《新修》原作“令”，据《千金翼》《大观》《政和》《证类》改。

[11] **生** 武田本《新修》、《新修》原脱，据《千金翼》《大观》《政和》《证类》补。

[12] **杀乌头毒** 《纲目》《草木典》注为徐之才文。此文《本草经集注》已有著录。

[13] **久** 武田本《新修》、《新修》原作“又”，据《大观》《政和》《证类》改。

[14] **枣叶……揩热痱疮至良** 此文出《新修》注引《别录》文。"揩热痱疮至良"，《纲目》作"和葛粉，揩热痱疮良"。"至"，武田本《新修》、《新修》有"至"字，其他各本无"至"字。

192 藕实茎[1]

寒，无毒。一名莲[2]。生汝南，八月采。

又，藕，主热渴，散血[3]生肌。久服[4]令人心欢[5]。

〔《本经》原文〕

藕实茎，味甘，平。主补中养神，益气力，除百疾。久服轻身耐老，不饥延年。一名水芝丹。生池泽。

【校注】

[1] 藕实茎条见《新修》、《御览》卷999。本条，《御览》引《神农本草注》作"藕实茎，所在池泽皆有，生豫章汝南郡者良，苗高五六尺，叶团青大如扇，其花赤名莲荷，子黑状如羊矢"。其他各本无此文。

[2] **莲** 《纲目》作"石莲子"3字，其他各本作"莲"，《通志略》云："按《本草》藕实茎，一名莲。"

[3] **散血** 《纲目》《草木典》作"散留血"，其他各本无"留"字。

[4] **久服** 武田本《新修》、《新修》原脱"久服"2字，据《大观》《政和》《证类》补。

[5] **藕，主热渴……心欢** 此文出《新修》"藕实茎"条注引《别录》文。

193 鸡头实[1]

无毒。一名芡[2]。生雷泽，八月采。

〔《本经》原文〕

鸡头实，味甘，平。主湿痹，腰脊膝痛，补中，除暴疾，益精气，强志，令耳目聪明。久服轻身不饥，耐老神仙。一名雁啄实。生池泽。

【校注】

[1] 鸡头实条见《新修》、《御览》卷975。又，"鸡头实"，《御览》作"鸡头"，《纲目》《草木典》作"芡实"，其他各本作"鸡头实"。

[2] **芡** 《群芳谱》《通志略》以"芡"为正名，以"鸡头"为别名。

194 芰实[1]

味甘，平，无毒。主安中，补五[2]脏，不饥，轻身。一名菱[3]。

【校注】

［1］芰实条见《新修》《千金翼》。

［2］**五** 武田本《新修》、《新修》、《医心方》原脱，据《千金翼》《大观》《政和》《证类》补。

［3］**菱** 《群芳谱》以“蔆”为正名，以“芰”为别名。

195 栗[1]

味咸，温，无毒。主益气，厚肠胃，补肾气，令人耐饥[2]。生山阴，九月[3]采。

【校注】

［1］栗条见《新修》《千金翼》。

［2］**耐饥** 武田本《新修》、《新修》、《医心方》作“忍饥”，据《千金翼》《证类》改。

［3］**九月** 武田本《新修》、《新修》原作“九日”，据《千金翼》《大观》《政和》《证类》改。

196 樱桃[1]

味甘。主调中，益脾气，令人好颜[2]色，美志。

【校注】

［1］樱桃条见《新修》、《初学记》卷28。本条，《初学记》引本草作“樱桃，味甘，主调中，益脾气，令人好颜色，美志气，一名牛桃，一名麦英”。此文与本书“婴桃”条文部分相同。又，《和名类聚钞》引本草云：“樱桃，一名朱樱。”

［2］**颜** 武田本《新修》、《新修》原脱，据《千金翼》《政和》《大观》《证类》补。

197 橘柚[1]

无毒。主下气，止呕咳，除膀胱留热，下[2]停水，五[3]淋，利小便，治脾[4]不能消谷，气冲[5]胸中，吐逆，霍乱，止泄[6]，去寸白[7]。久服轻身长年[8]。生南山，生江南[9]。十月采。

〔《本经》原文〕

橘柚，味辛，温。主胸中瘕热逆气，利水谷。久服去臭，下气通神。一名橘皮。生川谷。

【校注】

［1］橘柚条见《新修》《千金翼》。本条，《橘录》引本草作“橘柚，味辛温，无毒。主去胸中瘕热，利水谷，止呕咳，久服通神，轻身长年”。

[2] **下** 武田本《新修》、《新修》有“下”字，其他各本无“下”字。

[3] **五** 《纲目》作“起”。

[4] **脾** 《大观》、玄《大观》作“痹”，其他各本作“脾”。

[5] **冲** 武田本《新修》、《新修》、《医心方》作“充”，据《千金翼》《证类》改。

[6] **除膀胱留热……止泄** 此29字，《纲目》《草木典》作“治气冲胸中，吐逆霍乱，疗脾不能消谷，止泄，除膀胱留热停水，起淋，利小便”。

[7] **白** 此下《纲目》《草木典》有“虫”字。

[8] **久服轻身长年** 《纲目》《草木典》脱此文。《千金翼》脱“轻身”2字。

[9] **生南山，生江南** 《千金翼》作“生于南山川谷，及生江南”。《纲目》《草木典》作“生江南及山南”。

198 白瓜子[1]

寒，无毒。主除烦[2]满不乐，久服寒中。可作面脂，令悦泽[3]。一名白瓜子[4]。生嵩高。冬瓜仁也，八月采之。

【校注】

[1] 白瓜子条见《新修》、《御览》卷978。又，“白瓜子”，《图考长编》并入“白冬瓜”条中，并省略“白瓜子”名称。

[2] **烦** 《新修》原脱，据《千金翼》《大观》《政和》《证类》改。

[3] **令悦泽** 《新修》作“令悦泽”，成化本《政和》、《政和》、《证类》作“令而悦泽”。玄《大观》、《大全》、《大观》、《续疏》作“令面泽”，《千金翼》《品汇》《图考长编》作“令面悦泽”，《医心方》作“令人悦泽”，《纲目》《草木典》脱漏此3字。又，“泽”字下，《续疏》有“一名水芝”4字，并注为《别录》文，其他各本取此4字注《本经》文。

[4] **白瓜子** 《新修》《证类》作“白瓜子”，《千金翼》、《大观》、玄《大观》、《大全》、成化本《政和》、《政和》、《图考长编》作“白爪子”。

199 白冬瓜

味甘[1]，微寒。主除小腹水胀，利小便，止渴[2]。

又，甘瓜子，主腹内结聚，破溃脓血，最为肠胃脾内壅要药[3]。

〔《本经》原文〕

白瓜子，味甘，平。主令人悦泽，好颜色，益气不饥。久服轻身耐老。一名水芝。生平泽。

【校注】

[1] **味甘** 《新修》原脱，据《千金翼》《大观》《政和》《证类》补。

[2] **白冬瓜……止渴** 《图考长编》注为《本经》文。《大观》、玄《大观》、《大全》、成化本《政和》、《政和》、《证类》、《品汇》、《纲目》、《草木典》、《续疏》注为《别录》文，森本、孙本、顾本、狩本、黄本皆不取此18字为《本经》文。按，此18字应为《别录》文。

[3] **甘瓜子……内壅要药** 此文出《新修》“白瓜子”条注引《别录》文。又，《纲目》《草木典》将此文列在“甜瓜”条下。按，“甜瓜”是《嘉祐本草》新增的药，非《别录》药。

200 冬葵子[1]

无毒。主治妇人乳难内闭[2]。生少室[3]。十二月采[4]。黄芩为之使。

【校注】

[1] 冬葵子条见《新修》《千金翼》。

[2] **乳难内闭** 《纲目》《草木典》作“乳内闭肿痛”。“内闭”，《新修》作“由闭”，据《千金翼》《大观》《政和》《证类》改。

[3] **生少室** 《新修》作“生少室”，其他各本作“生少室山”。

[4] **采** 《新修》作“采”，其他各本作“采之”。

201 葵根

味甘，寒，无毒。主恶疮，治淋，利小便，解蜀椒毒。叶[1]，为百菜主，其[2]心伤人。

〔《本经》原文〕

冬葵子，味甘，寒。主五脏六腑，寒热羸瘦，五癃，利小便。久服，坚骨长肌肉，轻身延年。

【校注】

[1] **叶** 《纲目》《草木典》作“苗，甘，寒，滑，无毒”。

[2] **其** 《新修》原脱，据《千金翼》《证类》补。

202 苋实[1]

大寒，无毒。主治白翳[2]，杀蛔虫。一名莫实，细苋亦同。生淮阳及田中，叶如蓝，十一月采。

〔《本经》原文〕

苋实，味甘，寒。主青盲，明目，除邪，利大小便，去寒热。久服，益气力，不饥轻身。一名马苋。

【校注】

[1] 苋实条见《千金翼》、《大观》卷27。

[2] **白翳** 《大观》作白字《本经》文，《品汇》注为《本经》文，玄《大观》、《大全》、成化本《政和》、《政和》、《证类》、《纲目》、《草木典》、《图考长编》注为《别录》文，森本、孙本、顾本、狩本、黄本皆不取此2字为《本经》文。按，此2字应为《别录》文。

203 苦菜[1]

无毒。主治肠澼，渴热，中疾，恶疮[2]。久服耐饥寒，高[3]气不老。一名游冬[4]。生益州，生[5]山陵道旁，凌冬不死。三月三日采，阴干。

〔《本经》原文〕

苦菜，味苦，寒。主五脏邪气，厌谷，胃痹。久服，安心益气，聪察，少卧，轻身耐老。一名荼草。一名选。生川谷。

【校注】

[1] 苦菜条见《新修》《千金翼》。本条，陆羽《茶经》引本草作“苦荼，一名荼，一名选，一名游冬。生益州川谷山陵道旁，凌冬不死，三月三日采干”。

[2] **肠澼，渴热，中疾，恶疮** 《纲目》断句为“肠澼渴热，中疾恶疮”。《千金翼》断句为“肠澼，渴热中疾恶疮”。《图考长编》断句为“肠澼渴，热中疾，恶疮”。

[3] **高** 《新修》、《千金翼》、《大观》、玄《大观》、《大全》、成化本《政和》、《图经衍义》、《政和》、《证类》作“高”，《品汇》《纲目》《草木典》《图考长编》作“豪”。

[4] **一名游冬** 《尔雅疏》引本草作“一名荼草，一名选，一名游冬”。

[5] **生** 《新修》有“生”字，其他各本无“生”字。

204 荠[1]

味甘[2]，温，无毒。主利肝气，和中。其实[3]，主明目，目痛。

【校注】

[1] 荠条见《新修》《千金翼》。

[2] **味甘** 《急就篇》王应麟注云：“本草荠味甘。”

[3] **其实** 《纲目》《草木典》作“茎实”。

205　芜菁及芦菔[1]

味苦[2]，温，无毒。主利五脏，轻身益气，可长食之[3]。芜菁子，主治明目。

【校注】

[1] 芜菁及芦菔条见《新修》《千金翼》。

[2] **苦**　《新修》原脱，据《千金翼》《大观》《政和》《证类》《医心方》补。

[3] **之**　《新修》原脱，据《千金翼》《大观》《政和》《证类》《医心方》补。

206　菘[1]

味甘，温，无毒。主通利肠胃，除胸中烦，解酒渴。

【校注】

[1] 菘条见《新修》《千金翼》。

207　芥[1]

味辛，温，无毒。归鼻。主除肾邪气，利九窍，明耳目，安中。久服[2]温中。

又，子，主射工及疰气[3]发无恒[4]处，丸服之；或捣为末，醋和涂之，随手验也[5]。

【校注】

[1] 芥条见《新修》《千金翼》。

[2] **服**　《新修》作“服”，其他各本作“食”。

[3] **气**　《新修》《大观》《证类》作“气”，《政和》作“食”。

[4] **恒**　《新修》作“恒”，《大观》、玄《大观》、《大全》、成化本《政和》、《图经衍义》、《政和》《证类》作“常”。

[5] **验也**　《新修》作“验也”，《大观》《政和》《证类》作“有验”。又，“子，主射工……随手验也”，此文出《新修》“芥”条注引《别录》文。《纲目》注此文出典为“苏恭”。《纲目》又在“白芥”条有“子，发汗，主胸膈痰冷，上气，面目黄赤。又醋研，傅射工毒”。并注此文出典为《别录》。（见《纲目》）按，此文出《开宝本草》新增药物“白芥”条正文（见《证类》）。

208　苜蓿[1]

味苦，平[2]，无毒。主安中，利人，可久食。

【校注】

[1] 苜蓿条见《新修》《千金翼》。

[2] **苦，平** 《新修》原脱，据《千金翼》《大观》《政和》《证类》补。

209 荏子[1]

味辛，温，无毒。主治咳逆，下气，温中，补[2]体。叶，主调中，去臭气。九月采，阴干。

荏叶，人常生食，其子故不及苏也[3]。

【校注】

[1] 荏子条见《新修》《千金翼》。

[2] **补** 《新修》原脱，据《千金翼》《大观》《政和》《证类》补。

[3] **荏叶，人常生食，其子故不及苏也** 此文出《新修》“荏子”条注引《别录》文。

210 胡麻[1]

无毒。坚筋骨，治金创[2]，止痛[3]，及伤寒温疟，大吐后虚热羸困。久服明耳目，耐饥[4]，延年[5]。以作油，微寒。利大肠，胞衣不落。生者摩[6]疮肿[7]，生秃发。一名狗虱，一名方茎，一名鸿藏。生上党[8]。

〔《本经》原文〕

胡麻，味甘，平。主伤中虚羸，补五内，益气力，长肌肉，填髓脑。久服轻身不老。一名巨胜。叶名青蘘。生川泽。

【校注】

[1] 胡麻条见敦煌卷子本《新修本草》残卷、《新修》。

[2] **金创** 敦煌卷子本《新修本草》残卷、武田本《新修》、《新修》作“金创”，其他各本作“金疮”。

[3] **止痛** 武田本《新修》、《新修》原作“心痛”，据敦煌卷子本《新修本草》残卷、《千金翼》、《大观》、《政和》、《证类》、玄《大观》、《大全》、成化本《政和》改。

[4] **耐饥** 敦煌卷子本《新修本草》残卷、《新修》、武田本《新修》、《医心方》作“耐饥”，其他各本作“耐饥渴”。

[5] **坚筋骨……延年** 《纲目》《草木典》作“坚筋骨，明耳目，耐饥渴，延年，疗金疮，止痛，及伤寒温疟，大吐后虚热羸困”。

[6] **摩** 敦煌卷子本《新修本草》残卷作“磨”，其他各本作“摩”。

［7］**胞衣不落。生者摩疮肿**　《纲目》《草木典》作“产妇胞衣不落，生油摩肿”。

［8］**生上党**　《纲目》《草木典》作“胡麻，一名巨胜，生上党川泽，秋采之”。

211　麻蕡[1]

有毒[2]。破积，止痹[3]，散脓[4]。此麻花上勃勃者。七月七日采，良。

【校注】

［1］麻蕡条见《新修》、《初学记》卷27。

［2］**毒**　此下《纲目》《草木典》有“利五脏，下血，寒气”7字，并注为《别录》文，《大观》、玄《大观》、《大全》、成化本《政和》、《政和》、《证类》取此7字作白字《本经》文。《品汇》、《图考长编》、森本、孙本、顾本、狩本、黄本皆取此7字为《本经》文。按，此7字应为《本经》文，非《别录》文。

［3］**止痹**　武田本《新修》、《新修》原作“心痹除”，据《千金翼》《大观》《政和》《证类》改。

［4］**脓**　此下《纲目》《草木典》有“久服，通神明轻身”7字，并注为《别录》文，《大观》、玄《大观》、《大全》、成化本《政和》、《政和》、《证类》取此7字作白字《本经》文，《品汇》、《图考长编》、森本、孙本、顾本、狩本、黄本皆取此7字为《本经》文。按，此7字应为《本经》文，非《别录》文。

212　麻子

无毒。主治中风汗出，逐水[1]，利小便，破积血，复血脉，乳妇产后余疾，长发，可为沐药[2]。久服神仙[3]。九月采。入土[4]中者贼人[5]。生太山。畏牡蛎、白薇，恶茯苓[6]。

〔《本经》原文〕

麻蕡，味辛，平。主五劳七伤，利五脏，下血寒气，多食，令人见鬼狂走。久服，通神明轻身。一名麻勃。麻子，味甘，平。主补中益气，肥健不老。生川谷。

【校注】

［1］**汗出，逐水**　武田本《新修》、《新修》原作“汁出，遂水”，据《千金翼》《大观》《政和》《证类》改。“水”字下，《纲目》《草木典》有“气”字，其他各本无“气”字。

［2］**长发，可为沐药**　《纲目》《草木典》作“沐发长润”。

［3］**久服神仙**　《图考长编》脱此4字。又，《疏证》将此4字注为《本经》文，其他各本注为《别录》文。

［4］**土**　武田本《新修》、《新修》原作“出”，据《千金翼》《大观》《政和》《证类》改。

[5] **贼人** 《新修》作“贼人”，其他各本作“损人”。

[6] **畏牡蛎、白薇，恶茯苓** 《纲目》《草木典》注此文为徐之才文。此文《本草经集注》已有著录。

213 饴糖[1]

味甘，微温。主补虚乏[2]，止渴，去血。

【校注】

[1] 饴糖条见《新修》《千金翼》。

[2] **味甘……主补虚乏** 《疏证》注为《本经》文，其他各本注为《别录》文。

中品卷第二

214　金屑[1]

味辛，平，有毒。主镇精神，坚骨髓，通利五脏，除邪毒气[2]，服之神仙。生益州，采无时。

【校注】

[1] 金屑条见《新修》《千金翼》。

[2] **除邪毒气**　《纲目》《食货典》作“邪气”，其他各本作“除邪毒气”。

215　银屑[1]

味辛，平，有毒。主安五脏，定心神，止惊悸，除邪气，久服轻身长年。生永昌，采无时。

【校注】

[1] 银屑条见《新修》《千金翼》。

216　雄黄[1]

味甘，大温，有毒。主治疥虫，䘌疮，目痛，鼻中息肉，及绝筋，破骨，百节中大风，积聚，癖气，中恶，腹痛，鬼疰，杀诸蛇虺毒，解藜芦毒，悦泽人面。饵服之，皆飞入人脑中[2]，胜鬼神，延年益寿，保中不饥。得铜可作金。生武都、敦煌山之阳，采无时[3]。

〔《本经》原文〕

雄黄，味苦，平，寒。主寒热，鼠瘘恶疮，疽痔死肌，杀精物、恶鬼、邪气、百蛊毒，胜五兵。炼食之，轻身神仙。一名黄食石。生山谷。

【校注】

[1] 雄黄条见《新修》《千金翼》。

[2] **饵服之，皆飞入人脑中** 《纲目》作“饵服之者，皆飞入脑中”。

[3] **时** 武田本《新修》、《新修》原作“特”，据《千金翼》《大观》《政和》《证类》改。

217 雌黄[1]

味甘，大寒，有毒。蚀鼻中[2]息肉，下部䘌疮，身面[3]白駮，散皮肤死肌，及恍惚邪气，杀蜂蛇毒。久服令[4]人脑满。生武都，与雄黄同山生。其阴山有金，金精熏则生雌黄，采无时。

〔《本经》原文〕

雌黄，味辛，平。主恶疮头秃痂疥，杀毒虫虱身痒邪气诸毒。炼之，久服轻身，增年不老。生山谷。

【校注】

[1] 雌黄条见《新修》、《御览》卷988。又，“雌黄”，《御览》作“雌黄石金”，其他各本作“雌黄”，无“石金”2字。本条，《乘雅》在“雌黄”条中衍“充四肢，通谿骨”6字。

[2] **中** 《纲目》作“内”，其他各本作“中”。

[3] **面** 《千金翼》作“而”，其他各本作“面”。

[4] **令** 《新修》原作“全”，据武田本《新修》、《千金翼》、《大观》、《政和》、《证类》改。

218 石钟乳[1]

无毒。主益气，补虚损，疗脚弱疼冷，下焦伤竭[2]，强阴。久服延年益寿，好颜色，不老，令人有子。不练服之，令人淋。一名公乳[3]，一名芦石，一名夏石。生少室及太山，采无时。蛇床为之使，恶牡丹、玄石、牡蒙，畏紫石英、蘘草[4]。

〔《本经》原文〕

石钟乳，味甘，温。主咳逆上气，明目，益精，安五脏，通百节，利九窍，下乳汁。生山谷。

【校注】

[1] 石钟乳条见《新修》、《御览》卷987。

[2] **伤竭** 《千金翼》作“肠竭”，其他各本作“伤竭”。

[3] **一名公乳** 《御览》《纲目》作“一名留公乳”。其他各本作“一名公乳”。

[4] **蛇床为之使……蘘草** 《纲目》注为徐之才文。此文《本草经集注》已有著录。

219 殷孽[1]

无毒。主治脚冷疼弱[2]。钟乳根也。生赵国，又梁山及南海，采无时。恶术、防已[3]。

〔《本经》原文〕

殷孽，味辛，温。主烂伤瘀血，泄利寒热，鼠瘘，癥瘕结气。一名姜石。生山谷。

【校注】

[1] 殷孽条见《新修》《千金翼》。

[2] **脚冷疼弱** 《纲目》注为《本经》文。《大观》《政和》《证类》《品汇》注此4字为《别录》文，森本、孙本、顾本皆不录此4字为《本经》文。按，此4字应为《别录》文。又，“弱”字后，《纲目》有“熏筋骨弱并痔瘘及下乳汁”11字注为《别录》文。《大观》《政和》《证类》取此11字为《日华子》文。

[3] **恶术、防已** 《本草经集注》作“恶术、防已”。《大观》《政和》《证类》作“恶防已，畏术”。又，《纲目》注此4字为徐之才文。此4字《本草经集注》已有著录。

220 孔公孽[1]

无毒。主治男子阴疮，女子阴蚀，及伤[2]食病，恒[3]欲眠睡。一名通石，殷孽根也，青黄色。生梁山。木兰为之使，恶细辛[4]。

【校注】

[1] 孔公孽条见《新修》、《御览》卷987。

[2] **伤** 武田本《新修》、《新修》原脱，据《千金翼》《大观》《政和》《证类》补。

[3] **恒** 《新修》作“恒”，其他各本作“常”。

[4] **木兰为之使，恶细辛** 《纲目》注为徐之才文。此文《本草经集注》已有著录。

221 石脑[1]

味甘温，无毒。主治风寒、虚损，腰脚疼痹，安五脏，益气[2]。一名石饴饼。

生名山土石[3]中，采无时。

【校注】

[1] 石脑条见《新修》《千金翼》。

[2] **益气** 武田本《新修》、《新修》原脱，据《千金翼》《大观》《政和》《证类》补。

[3] **石** 《纲目》脱“石”字，其他各本有“石”字。

222 石硫黄[1]

大热，有毒。主治心腹积聚，邪气冷癖在胁，咳逆上气，脚冷疼弱无力，及鼻衄，恶疮，下部䘌疮，止血[2]，杀疥虫。生东海牧羊[3]中，及大山[4]及[5]河西山，矾石液也[6]。

〔《本经》原文〕

石硫黄，味酸，温。主妇人阴蚀，疽痔恶血，坚筋骨，除头秃。能化金银钢铁奇物。生山谷。

【校注】

[1] 石硫黄条见《新修》、《御览》卷987。

[2] **止血** 武田本《新修》、《新修》作“心血”，《千金翼》作“上血”，其他各本作“止血”。

[3] **牧羊** 武田本《新修》、《新修》作“牧阳”，据《千金翼》《证类》改。

[4] **大山** 武田本《新修》、《新修》作“大山”，其他各本作“太山”。

[5] **及** 武田本《新修》、《新修》有“及”字，其他各本无“及”字。

[6] **河西山，矾石液也** 武田本《新修》、《新修》原作“河西焚石也液”，据《千金翼》《大观》《政和》《证类》改。

223 慈石[1]

味咸，无毒。主养肾脏，强骨气，益精，除烦，通关节，消痈肿，鼠瘘，颈核，喉[2]痛，小儿惊痫，练水饮之。亦[3]令人[4]有子。一名处石。生太[5]山及慈山山阴，有铁者[6]则生其阳，采无时。柴胡为之使，恶牡丹、莽草，畏[7]黄石脂，杀铁毒[8]。

〔《本经》原文〕

慈石，味辛，寒。主周痹风湿，肢节中痛，不可持物，洗洗酸痟，除大热烦满及耳聋。

一名玄石。生山谷。

【校注】

[1] 慈石条见《新修》、《御览》卷988。又，“慈石”，《和名》《新修》《医心方》作“慈石”，其他各本作“磁石”。

[2] **喉** 武田本《新修》、《新修》原作“唯”，据《千金翼》《大观》《政和》《证类》改。

[3] **亦** 《续疏》脱漏“亦”字。

[4] **人** 武田本《新修》、《新修》原脱，据《千金翼》《大观》《政和》《证类》补。

[5] **太** 武田本《新修》、《新修》原作“大”，据《千金翼》《大观》《政和》《证类》改。

[6] **者** 武田本《新修》、《新修》作“者”，其他各本作“处”。

[7] **畏** 《政和》误作“是”，其他各本作“畏”。

[8] **柴胡为之使……杀铁毒** 《纲目》注此文为徐之才文。此文《本草经集注》已有著录。又，“毒”字下，《纲目》衍“消金”2字。《千金方》脱漏“杀铁毒”3字。

224 凝水石[1]

味甘，大寒，无毒。主除时气热盛，五脏伏热，胃中热，烦满[2]，止渴[3]，水肿，少腹痹[4]。一名寒水石，一名凌水石。色如云母，可折[5]者良[6]，盐之精也。生常山山谷，又中水县[7]及邯郸。解巴豆毒，畏地榆[8]。

〔《本经》原文〕

凝水石，味辛，寒。主身热，腹中积聚邪气，皮中如火烧，烦满，水饮之。久服不饥。一名白水石。生山谷。

【校注】

[1] 凝水石条见《新修》、《御览》卷987。

[2] **烦满** 《纲目》脱此2字，其他各本有此2字。

[3] **止渴** 《新修》原作“口渴”，据武田本《新修》、《千金翼》、《证类》改。

[4] **少腹痹** 《疏证》作“小便痹”。

[5] **折** 《新修》《纲目》作“折”。《千金翼》、《大观》、《政和》、《证类》、《疏证》、《经疏》、玄《大观》、《大全》、《图经衍义》作“析”。

[6] **良** 《纲目》无“良”字，其他各本有“良”字。

[7] **县** 据《千金翼》《大观》《政和》《证类》改。

[8] **解巴豆毒，畏地榆** 《纲目》注为徐之才文。此文《本草经集注》已有著录。

225 石膏[1]

味甘，大寒，无毒。主除时气，头痛，身热，三焦大热，皮肤热[2]，肠胃中鬲热[3]，解肌，发汗，止消渴，烦逆，腹胀，暴气喘息，咽热，亦可作浴汤[4]。一名细石[5]，细理白泽者良，黄者令人淋。生齐山及齐卢山、鲁蒙山，采无时。鸡子为之使，恶莽草、毒公[6]。

〔《本经》原文〕

石膏，味辛，微寒。主中风寒热，心下逆气惊喘，口干舌焦，不能息，腹中坚痛，除邪鬼，产乳，金创。生山谷。

【校注】

[1] 石膏条见《新修》、《御览》卷988。

[2] **皮肤热** 武田本《新修》、《新修》原脱，据《千金翼》《大观》《政和》《证类》补。

[3] **鬲热** 武田本《新修》、《新修》作"鬲热"，《千金翼》《大观》《政和》《证类》《疏证》《经疏》作"嗝气"，《品汇》《纲目》作"结气"。

[4] **浴汤** 武田本《新修》、《新修》原作"洛汤"，据《千金翼》《大观》《政和》《证类》改。

[5] **细石** 《纲目》作"细理石"，其他各本作"细石"。

[6] **毒公** 《本草经集注》《医心方》《千金方》《新修》作"毒公"，《大观》《政和》《证类》《纲目》《疏证》作"马目毒公"。又，鸡子为之使，恶莽草、毒公，《纲目》注此文为徐之才文。此文《本草经集注》已有著录。

226 阳起石[1]

无毒。主治男子茎头寒，阴下湿痒，去臭汗[2]，消水肿。久服不饥，令[3]人有子。一名石生[4]，一名羊起石，云母[5]根也。生齐山[6]及琅邪，或云山、阳起山，采无时。桑螵蛸为之使，恶泽泻、菌桂、雷丸[7]、蛇蜕皮，畏菟丝[8]。

〔《本经》原文〕

阳起石，味咸，微温。主崩中漏下，破子脏中血，癥瘕结气，寒热腹痛，无子，阴痿不起，补不足。一名白石。生山谷。

【校注】

[1] 阳起石条见《新修》、《御览》卷987。

[2] **汗** 武田本《新修》、《新修》原作"汁"，据《千金翼》《大观》《政和》《证类》改。

[3] **令** 《新修》原作"金"，据武田本《新修》、《千金翼》、《大观》、《政和》、《证类》改。

[4] **一名石生** 武田本《新修》、《新修》脱"石"字，据《和名》《千金翼》《大观》《政和》《证类》补。

[5] **云母** 武田本《新修》、《新修》原作"云舟"，据《千金翼》《大观》《政和》《证类》改。

［6］**生齐山**　《御览》作“生齐地”，其他各本作“生齐山”。

［7］**菌桂、雷丸**　武田本《新修》、《新修》作“兰桂、雪丸”，据《本草经集注》《千金方》《医心方》《大观》《政和》《证类》改。

［8］**桑螵蛸为之使……畏菟丝**　《纲目》注此为徐之才文。此文《本草经集注》已有著录。

227　玄石[1]

味咸，温，无毒。主治大人小儿惊痫，女子绝孕，少腹寒痛[2]，少精、身重。服之令人有子。一名玄水石，一名处石。生太山之阳[3]，山阴有铜。铜者雌，玄者雄[4]。恶松脂、柏实、菌桂[5]。

【校注】

［1］玄石条见《新修》《千金翼》。

［2］**少腹寒痛**　武田本《新修》、《新修》作“少腹寒痛”，《千金翼》《大观》《政和》《证类》《品汇》《纲目》作“小腹冷痛”。

［3］**生太山之阳**　武田本《新修》、《新修》原作“生山阳”，据《千金翼》《大观》《政和》《证类》改。

［4］**山阴有铜。铜者雌，玄者雄**　武田本《新修》、《新修》作双行小字注文。《千金翼》、《大观》、《政和》、《证类》、玄《大观》、《大全》、《图经衍义》皆作大字正文。又，“玄者雄”，武田本《新修》、《新修》作“玄石者雄”，《千金翼》、《大观》、玄《大观》、《大全》、《政和》作“玄者雄”，《证类》《图经衍义》作“黑者雄”，《纲目》作“铁者雄”，本书从《大观》等为正。

［5］**恶松脂、柏实、菌桂**　《纲目》注此文为徐之才文。此文《本草经集注》已有著录。

228　理石[1]

味甘，大寒，无毒。主除营卫中去[2]来大热、结热，解烦毒，止消渴，及中风痿痹。一名肌石。如石膏顺理而细。生汉中及[3]卢山。采无时。滑石[4]为之使，畏[5]麻黄[6]。

〔《本经》原文〕

理石，味辛，寒。主身热，利胃，解烦，益精明目，破积聚，去三虫。一名立制石。生山谷。

【校注】

［1］理石条见《新修》《千金翼》。

［2］**去**　《新修》、武田本《新修》原脱“去”字，据《千金翼》《大观》《政和》《证类》补。

[3] **及** 《新修》原脱“及”字，据《千金翼》《大观》《政和》《证类》补。

[4] **滑石** 《新修》、武田本《新修》原作“消石”，《本草经集注》、《千金方》、《医心方》、《大观》、《政和》、《证类》作“滑石”。

[5] **畏** 《新修》、武田本《新修》、《本草经集注》、《千金方》、《医心方》作“畏”，《大观》、《政和》、《证类》、玄《大观》、《大全》、《品汇》、《纲目》作“恶”。

[6] **滑石为之使，畏麻黄** 《纲目》注此文为徐之才文。此文《本草经集注》已有著录。

229 长石[1]

味苦，无毒。主治胃中结气[2]，止消渴，下气，除胁肋肺间邪气。一名土石，一名直石，理如马齿，方而润泽玉色[3]。生长子及太山及[4]临淄[5]，采无时。

〔《本经》原文〕

长石，味辛，寒。主身热，四肢寒厥，利小便，通血脉，明目去翳眇，下三虫，杀蛊毒。久服不饥。一名方石。生山谷。

【校注】

[1] 长石条见《新修》、《御览》卷9。

[2] **胃中结气** 《纲目》注为《本经》文。《大观》《政和》《证类》《品汇》注此4字为《别录》文，森本、孙本、顾本皆不录此4字为《本经》文。按，此4字应为《别录》文。

[3] **玉色** 《新修》原作“王色”，据武田本《新修》、《千金翼》、《大观》、《政和》、《证类》改。

[4] **及** 武田本《新修》、《新修》有“及”字，其他各本无“及”字。

[5] **淄** 武田本《新修》、《新修》原作“菑”，据《千金翼》《大观》《政和》《证类》改。

230 绿青[1]

味酸，寒，无毒。主益气，治鼽鼻，止泄痢[2]。生山之阴穴中，色青白。

【校注】

[1] 绿青条见《新修》《千金翼》。又，“绿青”，《纲目》取此2字为《本经》文。《大观》《政和》《证类》《品汇》作墨字《别录》文。森本、孙本、顾本皆不取“绿青”为《本经》文。按，此2字应为《别录》文。

[2] **治鼽鼻，止泄痢** 《纲目》颠倒为“止泄痢，疗鼽鼻”。

231 铁落[1]

味甘，无毒。除胸膈中热气[2]，食不下，止烦[3]，去黑子。一名铁液，可以染皂。生牧羊平泽及枋[4]城，或析城[5]，采无时。

【校注】

[1] 铁落条见《新修》《千金翼》。

[2] **热气** 武田本《新修》、《新修》作“气余”，据《千金翼》《证类》改。

[3] **止烦** 武田本《新修》、《新修》原作“心烦”，据《千金翼》《大观》《政和》《证类》改。

[4] **枋** 武田本《新修》、《新修》作“枋”，其他各本作“祊”。

[5] **或析城** 武田本《新修》、《新修》原脱，据《千金翼》《大观》《政和》《证类》补。

232 生铁

微寒，主治下部及脱肛。

233 钢铁

味甘，平[1]，无毒。主治金创[2]，烦满热中，胸膈气塞[3]，食不化。一名跳铁。

【校注】

[1] **平** 武田本《新修》、《新修》有“平”字，其他各本无“平”字。

[2] **金创** 《新修》作“金创”，其他各本作“金疮”。

[3] **胸膈气塞** 武田本《新修》、《新修》原作“胸膈中气寒”，据《千金翼》《大观》《政和》《证类》改。

234 铁精

微温。主治惊悸，定心气，小儿风痫，阴㿉[1]，脱肛。

〔《本经》原文〕

铁精，平。主明目，化铜。铁落，味辛，平。主风热，恶疮，疡疽创痂，疥气在皮肤中。铁，主坚肌耐痛。生平泽。

【校注】

[1] **阴㿉** 武田本《新修》、《新修》原作“除颓”，据《千金翼》《大观》《政和》《证类》改。

235 铅丹[1]

止小便利[2]，除毒热脐挛，金疮溢血[3]。生蜀郡[4]。一名铅华，生于铅。

〔《本经》原文〕

铅丹，味辛，微寒。主吐逆胃反，惊痫癫疾，除热下气。炼化还成九光。久服通神明。生平泽。

【校注】

[1] 铅丹条见《新修》、《御览》卷9。

[2] **小便利** 《新修》原作“小使利”，据武田本《新修》、《千金翼》、《大观》、《政和》、《证类》改。又，“利”，《纲目》《食货典》脱漏。

[3] **溢血** 《品汇》《纲目》作“血溢”，其他各本作“溢血”。

[4] **生蜀郡** 《御览》作“生蜀都”，《纲目》作“出蜀郡”，其他各本作“生蜀郡”。又，《御览》《千金翼》《大观》《政和》《证类》将“生蜀郡”3字，列在“铅丹”条末，《新修》将此3字排在条文中间。

236 玉英[1]

味甘。主治风，疗[2]皮肤痒。一名石镜[3]，明白可作[4]镜。生山窍[5]。十二月采。

【校注】

[1] 玉英条见《新修》《千金翼》。

[2] **疗** 《新修》作“格”，据《千金翼》改。“疗”，《证类》、《大观》、《政和》、《大全》、成化本《政和》作“瘙”。

[3] **一名石镜** 《新修》脱“石”字，据《千金翼》《大观》《政和》《证类》补。

[4] **作** 《新修》原脱，据《千金翼》《大观》《政和》《证类》补。

[5] **一名石镜，明白可作镜。生山窍** 《纲目》《食货典》改为“生山窍中，明白可作镜，一名石镜”。

237 厉石华[1]

味甘，无毒。主益气，养神，止渴，除热[2]，强阴。生江南，如石华[3]，采无时。

【校注】

[1] 厉石华条见《新修》《千金翼》。

[2] **除热** 《新修》原作"阴热"，据《千金翼》、《大观》、《政和》、《证类》、玄《大观》、成化本《政和》改。

[3] **石华** 《新修》作"石华"，其他各本作"石花"。

238 石肺[1]

味辛，无毒。主疠咳寒久痿，益气，明目。生[2]水中，状如肺[3]，黑泽有赤文，出水即干。

【校注】

[1] 石肺条见《新修》、《御览》卷987。本条，《御览》引《本草经》作"石肺，一名石肝，黑泽有赤文，如复肝，置水中即干濡。主益气明目，生水中"。

[2] **生** 《新修》作"主"，据《千金翼》《御览》《大观》《政和》《证类》改。

[3] **状如肺** 《御览》作"如复肝"，《纲目》作"壮如覆肺"，其他各本无"复"字。

239 石肝[1]

味酸，无毒。主治身痒，令人色美。生常山，色如肝。

【校注】

[1] 石肝条见《新修》《千金翼》。

240 石脾[1]

味甘，无毒。主治胃寒热，益气，痒瘀[2]。令人有子。一名胃石，一名膏石[3]，一名消石。生隐蕃[4]山谷石间，黑如大豆，有赤文，色微黄，而轻薄如棋子，采无时。

【校注】

[1] 石脾条见《新修》、《御览》卷987。

[2] **痒瘀** 《新修》有"痒瘀"2字，其他各本无此2字。

[3] **一名胃石，一名膏石** 《御览》引《本草经》作"一名胃石，一名肾石"，其他各本作"一名胃石，一名膏石"。

[4] **蕃** 《新修》原作“番”，据《千金翼》《大观》《政和》《证类》改。

241 石肾[1]

味咸，无毒[2]。主治泄利。色如白珠。

【校注】

[1] 石肾条见《新修》《千金翼》。

[2] **味咸，无毒** 《纲目》作“味酸”2字，其他各本作“味咸无毒”4字。

242 遂石[1]

味甘，无毒。主治消渴，伤中，益气。生太山阴，采无时。

【校注】

[1] 遂石条见《新修》《千金翼》。又，“遂石”，《千金翼》误作“逐石”，其他各本作“遂石”。

243 白肌石[1]

味辛，无毒。主强筋骨，止渴[2]，不饥，阴热不足。一名肌石，一名洞石。生广焦国[3]卷山，青色润泽[4]。

【校注】

[1] 白肌石条见《新修》《千金翼》。

[2] **渴** 《新修》原作“消”，据《千金翼》《大观》《政和》《证类》改。

[3] **焦国** 《纲目》无此2字，其他各本有此2字。

[4] **青色润泽** 《新修》作“青色润泽”，其他各本作“青石间”。

244 龙石膏[1]

无毒。主治消渴，益寿。生杜陵，如铁脂中黄。

【校注】

[1] 龙石膏条见《新修》《千金翼》。又，《政和》将“龙石膏”条附入“白肌石”条中。

245　石耆[1]

味甘，无毒。主治咳逆气。生石间，色赤如铁脂，四月采。

【校注】

[1] 石耆条见《新修》《千金翼》。

246　终石[1]

味辛，无毒。主治阴痿痹，小便难，益精气。生陵阴，采无时。

【校注】

[1] 终石条见《新修》《千金翼》。

247　当归[1]

味辛，大温，无毒。主温中，止痛，除客血内塞，中风痓，汗不出，湿痹，中恶，客气虚冷，补五脏，生肌肉。生陇西。二月、八月采根，阴干。恶蔺茹[2]，畏菖蒲、海藻、牡蒙[3]。

〔《本经》原文〕

当归，味甘，温。主咳逆上气，温疟寒热，洗洗在皮肤中，妇人漏下绝子，诸恶创疡金创，煮饮之。一名干归。生川谷。

【校注】

[1] 当归条见《御览》卷989、《千金翼》。

[2] **蔺茹**　玄《大观》作“蔺茹”，其他各本作“蔺茹”。

[3] **恶蔺茹，畏菖蒲、海藻、牡蒙**　《纲目》注为徐之才文。此文《本草经集注》已有著录。

248　防风[1]

味辛，无毒[2]。主治胁痛、胁[3]风头面去来，四肢挛急，字乳金疮内痓。叶，主治中风热汗出[4]。一名茴草[5]，一名百枝，一名屏风，一名蔺根，一名百蜚。生沙苑及邯郸、琅邪、上蔡。二月、十月采根，暴干。得泽泻、藁本治风，得当归、芍药、阳起石、禹馀粮治妇人子脏风，恶[6]干姜、藜芦、白蔹、芫花，杀附子毒[7]。又，叉头者令人发狂，叉尾者发痼疾[8]。

〔《本经》原文〕

防风，味甘，温，无毒。主大风，头眩痛，恶风，风邪，目盲无所见，风行周身，骨节疼痹烦满。久服轻身。一名铜芸。生川泽。

【校注】

[1] 防风条见《御览》卷992、《千金翼》。

[2] **无毒** 此下《纲目》《草木典》注“烦满”2字为《别录》文。《大观》、玄《大观》、《大全》、成化本《政和》、《政和》、《证类》取此2字作白字《本经》文，《品汇》、森本、孙本、顾本、狩本、黄本、《图考长编》、《疏证》皆以“烦满”2字为《本经》文。按，此2字应为《本经》文，非《别录》文。又，孙本取“无毒”2字为《本经》文，其他各本取此2字为《别录》文。

[3] **胁** 《纲目》《草木典》无“胁”字，其他各本有“胁”字。

[4] **出** 此下《疏证》有“一名铜芸”4字作《别录》文，其他各本注此4字皆作《本经》文。

[5] **一名茴草** 《政和》作“一名因草”，其他各本作“一名茴草”。

[6] **恶** 《医心方》作“不欲”2字，其他各本作“恶”。

[7] **恶干姜、藜芦、白蔹、芫花，杀附子毒** 《纲目》《草木典》注此文为徐之才文。此文《本草经集注》已有著录。

[8] **叉头者……发痼疾** 此文出《证类》“防风”条“唐本注”引《别录》文。又，“发”字下，《纲目》有“人”字。

249 秦艽[1]

味辛，微温，无毒。治风无问久新，通身挛急。生飞乌。二月、八月采根，暴干。菖蒲为之使[2]。

〔《本经》原文〕

秦艽，味苦，平。主寒热邪气，寒湿风痹，肢节痛，下水，利小便。生山谷。

【校注】

[1] 秦艽条见《千金翼》、《大观》卷8。又，“艽”，《千金翼》作“胶”，其他各本作“艽”。

[2] **菖蒲为之使** 《纲目》《草木典》注为徐之才文。此文《本草经集注》已有著录。

250 黄芪[1]

无毒。主治妇人子脏风邪气，逐五脏间恶血，补丈夫虚损，五劳羸瘦，止渴，腹痛泄利，益气，利阴气。生[2]白水者冷，补。其茎、叶，治渴及筋挛，痈肿，疽疮。一名戴椹，一名独椹，一名芰草[3]，一名蜀脂，一名百本。生蜀郡、白水、汉中。二月、十月采，阴干。恶龟甲[4]。

〔《本经》原文〕

黄芪，味甘，微温。主痈疽久败疮，排脓止痛，大风癞疾，五痔鼠瘘，补虚，小儿百病。一名戴糁。生山谷。

【校注】

[1] 黄芪条见《御览》卷991、《千金翼》。

[2] **生** 《纲目》《草木典》无“生”字，其他各本有“生”字。

[3] **芰草** 《和名》作“艾草”，其他各本作“芰草”。

[4] **恶龟甲** 《纲目》《草木典》注为徐之才文。此文《本草经集注》已有著录。

251 吴茱萸[1]

大热，有小毒。主去痰冷，腹内绞痛，诸冷、实[2]不消，中恶，心腹痛，逆气，利五脏[3]。根白皮，杀蛲虫，治喉痹咳逆，止泄注[4]，食不消，女子经产余血，疗白癣。生上谷及宛朐。九月九日采，阴干[5]。蓼实[6]为之使，恶丹参、消石、白垩，畏紫石英[7]。

〔《本经》原文〕

吴茱萸，味辛，温。主温中下气，止痛，咳逆，寒热，除湿血痹，逐风邪，开腠理。根，杀三虫。一名藙。生山谷。

【校注】

[1] 吴茱萸条见《新修》、《御览》卷991。又，《御览》作“茱萸”，脱“吴”字，其他各本作“吴茱萸”。

[2] **实** 《品汇》《图考长编》作“食”。《纲目》作“饮食”，《新修》《千金翼》《大观》《政和》《证类》《疏经》作“实”。

[3] **去痰冷，腹内绞痛……利五脏** 《纲目》《草木典》作“利五脏，去痰冷逆气、饮食不消、心腹诸冷、绞痛、中恶、心腹痛”。

[4] **注** 《大观》、玄《大观》作“泄”，其他各本作“注”。

[5] **干** 此下《纲目》《草木典》有“陈久者良”4字，其他各本无此4字。

[6] **蓼实** 《疏证》作“参实”，其他各本作“蓼实”。

[7] **蓼实为之使……畏紫石英** 《纲目》《草木典》注为徐之才文。此文《本草经集注》已有

著录。

252 黄芩[1]

大寒，无毒。主治痰热，胃中热，小腹绞痛，消谷，利小肠，女子血闭、淋露、下血，小儿腹痛。一名空肠，一名内虚，一名黄文[2]，一名经芩，一名妬妇。其子，主肠澼脓血。生秭归[3]及宛朐。三月三日采根，阴干。得厚朴、黄连止腹痛。得五味子、牡蒙、牡蛎令人有子。得黄芪、白蔹、赤小豆治鼠瘘[4]。山茱萸、龙骨为之使，恶葱实，畏丹参[5]、牡丹、藜芦[6]。

〔《本经》原文〕

黄芩，味苦，平。主诸热黄疸，肠澼泄利，逐水，下血闭，恶疮疽蚀火疡。一名腐肠。生川谷。

【校注】

[1] 黄芩条见《御览》卷992、《千金翼》。

[2] **一名黄文**　《和名》作“一名黄久”，其他各本作“一名黄文”。

[3] **秭归**　《千金翼》作“秭归”，其他各本作“秭归”。又，《广雅疏证》王念孙注“秭归”2字为《本经》文。

[4] **得厚朴、黄连止腹痛……赤小豆治鼠瘘**　《图考长编》注为《别录》文。

[5] **丹参**　《本草经集注》作“丹参”，《千金方》《医心方》《大观》《政和》《证类》《纲目》《草木典》《疏证》作“丹沙”。

[6] **山茱萸、龙骨为之使……藜芦**　《纲目》《草木典》注为徐之才文。此文《本草经集注》已有著录。

253 黄连[1]

微寒，无毒。主治五脏冷热，久下泄澼、脓血，止消渴、大惊，除水，利骨，调胃，厚肠，益胆，治口疮。生巫阳及蜀郡、太山[2]。二月、八月采。黄芩、龙骨、理石[3]为之使，恶菊花、芫花、玄参、白鲜，畏款冬，胜乌头，解巴豆毒[4]。

〔《本经》原文〕

黄连，味苦，寒。主热气目痛，眦伤泣出，明目，肠澼腹痛下利，妇人阴中肿痛。久服令人不忘。一名王连。生川谷。

【校注】

[1] 黄连条见《御览》卷991、《千金翼》。

[2] **太山** 《广雅疏证》作“大山”，其他各本作“太山”，又，《纲目》《草木典》作“太山之阳”，其他各本无“之阳”2字。

[3] **理石** 《医心方》无“理石”2字。《本草经集注》《千金方》《大观》《政和》《证类》《纲目》《草木典》《疏证》皆有“理石”2字。

[4] **黄芩、龙骨……解巴豆毒** 《纲目》《草木典》注为徐之才文。此文《本草经集注》已有著录。

254 五味子[1]

无毒。主养五脏，除热，生阴中肌。一名会及，一名玄及[2]。生齐山及代郡。八月采实，阴干。苁蓉为之使，恶萎蕤，胜乌头[3]。

〔《本经》原文〕

五味子，味酸，温。主益气，咳逆上气，劳伤羸瘦，补不足，强阴，益男子精。生山谷。

【校注】

[1] 五味子条见《御览》卷990、《千金翼》。又，“五味子”，《医心方》《和名》《和名类聚钞》作“五味”，其他各本作“五味子”。

[2] **玄及** 《草木典》《图考长编》作“元及”，其他各本作“玄及”。此因避清康熙皇帝玄烨的“玄”字讳，改“玄”为“元”。

[3] **苁蓉为之使，恶萎蕤，胜乌头** 《纲目》《草木典》注为徐之才文。此文《本草经集注》已有著录。

255 决明子[1]

味苦、甘，微寒，无毒。主治唇口青。生龙门，石决明生豫章。十月十日采，阴干百日。蓍实为之使，恶大麻子[2]。

〔《本经》原文〕

决明子，味咸，平。主青盲，目淫，肤赤，白膜，眼赤痛泪出。久服益精光，轻身。生川泽。

【校注】

[1] 决明子条见《御览》卷988、《千金翼》。

[2] **蓍实为之使，恶大麻子** 《纲目》《草木典》注为徐之才文。此文《本草经集注》已有著录。

256 芍药[1]

味酸[2]，微寒，有小毒。主通顺血脉，缓中，散恶血，逐贼血，去水气，利膀胱、大小肠，消痈肿，时行寒热，中恶，腹痛，腰痛。一名白木[3]，一名余容，一名犁食，一名解仓[4]，一名铤[5]。生中岳及丘陵。二月、八月采根，暴干。须丸[6]为之使，恶石斛、芒硝，畏消石、鳖甲、小蓟[7]，反藜芦[8]。

〔《本经》原文〕

芍药，味苦，平。主邪气腹痛，除血痹，破坚积，寒热疝瘕，止痛，利小便，益气。生川谷。

【校注】

[1] 芍药条见《御览》卷990、《千金翼》。

[2] **酸** 此下《证类》、《政和》、成化本《政和》、《大全》有“平”字作墨字《别录》文，《图考长编》亦注“平”字为“别录”文。玄《大观》、《大观》取“平”字作白字《本经》文，《疏证》亦注为《本经》文，森本、孙本、顾本、狩本、黄本皆取“平”字为《本经》文，则“平”字为《本经》文则是。

[3] **白木** 《千金翼》《纲目》《渊鉴类函》《图考长编》《疏证》作“白术”，《和名》《大观》《政和》《证类》《品汇》作“白木”，本书从《和名》等为正。

[4] **一名解仓** 《和名》作“一名解食”，其他各本作“一名解仓”。《纲目》无此文。

[5] **铤** 《图考长编》作“铤”，其他各本作“铤”。

[6] **须丸** 《千金方》《疏证》作“雷丸”，其他各本作“须丸”。

[7] **小蓟** 《医心方》作“山蓟”，其他各本作“小蓟”。

[8] **须丸为之使……反藜芦** 《纲目》《草木典》注为徐之才文。此文《本草经集注》已有著录。“芦”字后，《医心方》有“恶葵菜”3字。

257 桔梗[1]

味苦，有小毒。主利五脏肠胃，补血气，除寒热风痹，温中，消谷，治喉咽痛，下蛊毒。一名利如，一名房图，一名白药，一名梗草[2]，一名荠苨[3]。生嵩高及宛朐。二、八月[4]采根，暴干。节皮[5]为之使，得牡蛎、远志治恚怒；得消石、石膏治伤寒。畏白及、龙眼[6]、龙胆[7]。

〔《本经》原文〕

桔梗，味辛，微温。主胸胁痛如刀刺，腹满肠鸣幽幽，惊恐悸气。生山谷。

【校注】

[1] 桔梗条见《御览》卷993、《千金翼》。

[2] **梗草** 《和名》作“便草”，其他各本作“梗草”。《急就篇》注云：“桔梗一名利如，一名梗草。”

[3] **荠苨** 《纲目》《草木典》注为《本经》文。《大观》、玄《大观》、《大全》、成化本《政和》、《政和》、《证类》、《图考长编》、《疏证》注为《别录》文。森本、孙本、顾本、狩本、黄本皆不取此2字为《本经》文。按，此2字应为《别录》文。

[4] **二、八月** 《大观》、玄《大观》、《草木典》作“二月”，脱“八”字，其他各本有“八”字。

[5] **节皮** 《医心方》作“秦皮”，其他各本作“节皮”。

[6] **龙眼** 《图考长编》作“猪肉”。《大观》、玄《大观》、《大全》、成化本《政和》、《政和》、《证类》、《千金方》、《本草经集注》、《疏证》作“龙眼”。

[7] **节皮为之使……龙胆** 《图考长编》注为《别录》文。

258 芎䓖[1]

无毒。主除脑中冷动，面上游风去来，目泪出，多涕唾，忽忽如醉，诸寒冷气，心腹坚痛，中恶，卒急肿痛，胁风痛[2]，温中内寒。一名胡穷，一名香果。其叶名蘼芜。生武功、斜谷、西岭。三月、四月采根，暴干。白芷为之使，恶黄连[3]。

〔《本经》原文〕

芎䓖，味辛，温。主中风入脑头痛，寒痹筋挛缓急，金疮，妇人血闭无子。生川谷。

【校注】

[1] 芎䓖条见《御览》卷990、《千金翼》。

[2] **胁风痛** 《图考长编》脱此3字，其他各本有此3字。

[3] **白芷为之使，恶黄连** 《本草经集注》作“白芷为之使，恶黄连”，《千金方》作“白芷为使”，《大观》《政和》《证类》《疏证》作“得细辛疗金疮止痛，得牡蛎疗头风吐逆。白芷为之使”。又，《纲目》《草木典》注“白芷为之使，恶黄连”为徐之才文。此文《本草经集注》已有著录。

259　藁本[1]

味苦，微温、微寒，无毒。主辟雾露润泽，治风邪𪿱[2]曳，金疮，可作沐药、面脂。实主风流四肢[3]。一名微茎。生崇山。正月、二月采根[4]，暴干，三十日成。恶蔺茹[5]。

〔《本经》原文〕

藁本，味辛，温。主妇人疝瘕，阴中寒肿痛，腹中急，除风头痛，长肌肤，悦颜色。一名鬼卿，一名地新。生山谷。

【校注】

[1] 藁本条见《千金翼》、《大观》卷8。

[2] **𪿱** 《草木典》作“𩨒”。

[3] **风流四肢** 《纲目》《草木典》作“风邪流入四肢”。

[4] **根** 《千金翼》作“干”，其他各本作“根”。

[5] **恶蔺茹** 《纲目》《草木典》注为徐之才文。此文《本草经集注》已有著录。

260　麻黄[1]

微温，无毒。主治五脏邪气缓急，风胁痛，字乳余疾，止好唾，通腠理，疏伤寒头痛[2]，解肌，泄邪恶气，消赤黑斑毒。不可多服，令人虚。一名卑相，一名卑盐。生晋地及河东。立秋采茎，阴干令青。厚朴为之使，恶辛夷、石韦[3]。

〔《本经》原文〕

麻黄，味苦，温。主中风伤寒头痛，温疟，发表出汗，去邪热气，止咳逆上气，除寒热，破癥坚积聚。一名龙沙。

【校注】

[1] 麻黄条见《御览》卷993、《千金翼》。

[2] **疏伤寒头痛** 《纲目》《草木典》脱此5字，其他各本有此5字。

[3] **厚朴为之使，恶辛夷、石韦** 《纲目》《草木典》注为徐之才文。此文《本草经集注》已有著录。

261　葛根[1]

无毒。主治伤寒中风头痛，解肌发表出汗，开腠理，疗金疮，止痛[2]，胁风痛。生根汁，大寒，治消渴，伤寒壮热。

白葛，烧以粉疮，止痛断血[3]。叶，主金疮，止血[4]。花，主消酒[5]。一名鹿藿。一名黄斤。生汶山。五月采根，暴干。杀野葛、巴豆、百药毒[6]。

〔《本经》原文〕

葛根，味甘，平。主消渴，身大热，呕吐，诸痹，起阴气，解诸毒。葛谷，主下利十岁已上。一名鸡齐根。生川谷。

【校注】

［1］葛根条见《御览》卷995、《千金翼》。

［2］**痛**　《纲目》《草木典》脱“痛”字，其他各本有“痛”字。

［3］**白葛，烧以粉疮，止痛断血**　《千金翼》有此文，其他各本无此文。

［4］**血**　此下《纲目》《草木典》有“挼（《纲目》作捼）傅之”3字。

［5］**消酒**　《疏证》作“消渴”，其他各本作“消酒”。

［6］**杀野葛、巴豆、百药毒**　《纲目》《草木典》注为徐之才文。此文《本草经集注》已有著录。

262　前胡[1]

味苦，微寒，无毒。主治痰满，胸胁中痞[2]，心腹结气，风头痛，去痰实[3]，下气。治伤寒寒热，推陈致新，明目，益精。二月、八月采根，暴干。半夏为之使，恶皂荚，畏藜芦[4]。

【校注】

［1］前胡条见《千金翼》、《大观》卷8。

［2］**痞**　《大观》作“痝”，其他各本作“痞”。

［3］**实**　《纲目》《草木典》脱“实”字，其他各本有“实”字。

［4］**半夏为之使，恶皂荚，畏藜芦**　《纲目》《草木典》注为徐之才文。此文《本草经集注》已有著录。

263　知母[1]

无毒。主治伤寒久疟烦热，胁下邪气，膈中恶[2]，及风汗内疸[3]。多服令人泄。一名女雷，一名女理，一名儿草，一名鹿列，一名韭逢，一名儿踵草，一名东根[4]，一名水须，一名沈燔，一名薚。生河内。二月、八月采根，暴干。

〔《本经》原文〕

知母，味苦，寒。主消渴热中，除邪气，肢体浮肿，下水，补不足，益气。一名蚳母，一名连母，一名野蓼，一名地参，一名水参，一名水浚，一名货母，一名蝭母。生川谷。

【校注】

［1］知母条见《千金翼》、《大观》卷8。

［2］**胁下邪气，膈中恶** 《图考长编》在“恶”字下衍“心”字，并断句为“胁下邪气膈中、恶心”。

［3］**内疸** 《草木典》作“内疽”。

［4］**东根** 《和名》作“两木根”，其他各本作“东根”。又，“根”字下，《纲目》《草木典》有“野蓼”2字注为《别录》文。《大观》、玄《大观》、《大全》、成化本《政和》、《证类》、《图考长编》、《疏证》作《本经》文。森本、孙本、顾本、狩本、黄本皆取此2字为《本经》文。按，此2字应为《本经》文，非《别录》文。

264 大青[1]

味苦，大寒，无毒。主治时气头痛，大热，口疮。三月[2]、四月采茎，阴干。

【校注】

［1］大青条见《千金翼》、《大观》卷8。

［2］**月** 《千金翼》《大观》《续疏》有“月”字，《政和》《证类》《纲目》《草木典》《图考长编》无“月”字。

265 贝母[1]

味苦，微寒，无毒[2]。主治腹中结实，心下满，洗洗恶风寒，目眩、项直，咳嗽上气，止烦热渴，出汗，安五脏，利骨髓。一名药实，一名苦华[3]，一名苦菜，一名商草[4]，一名勒母[5]，一名莔[6]。生晋地。十月采根，暴干。厚朴、白薇为之使，恶桃花，畏秦椒[7]、礜石、莽草，反乌头[8]。

〔《本经》原文〕

贝母，味辛，平。主伤寒烦热，淋沥邪气，疝瘕，喉痹，乳难，金创，风痉。一名空草。

【校注】

［1］贝母条见《千金翼》、《大观》卷8。

[2] **无毒** 《政和》、成化本《政和》、《疏证》注为《本经》文，其他各本注为《别录》文。

[3] **一名苦华** 《和名》作“一名苦华”，其他各本作“一名苦花”。

[4] **商草** 《纲目》《草木典》作“空草”，其他各本作“商草”。

[5] **一名勒母** 《和名》《千金翼》《急就篇》注作“一名勒母”，其他各本作“一名勤母”。

[6] **一名蒇** 《和名》有“一名蒇”3字，其他各本无此3字。

[7] **秦椒** 《本草经集注》作“秦椒”，《医心方》《千金方》《大观》《政和》《证类》作“秦艽”。

[8] **厚朴、白薇为之使……反乌头** 《纲目》《草木典》注为徐之才文。此文《本草经集注》已有著录。“反”，《草木典》作“及”。

266 栝楼根[1]

无毒。主除肠胃中痼热，八疸，身面黄，唇干口燥，短气，通月水，止小便利[2]。一名果赢，一名天瓜，一名泽姑。实，名黄瓜，治胸痹，悦泽人面。茎叶，治中热伤暑。生洪农及山阴地，入土[3]深者良，生卤地者有毒。二月、八月采根，暴干，三十日成。枸杞为之使，恶干姜，畏牛膝、干漆。反乌头[4]。

〔《本经》原文〕

栝楼根，味苦，寒。主消渴，身热，烦满大热，补虚安中，续绝伤。一名地楼。生川谷。

【校注】

[1] 栝楼根条见《御览》卷992、《千金翼》。本条，唐代文献所引略异。如《毛诗注疏》孔颖达引本草作“栝楼如瓜，叶形两两拒值，蔓延，青黑色，六月花，七月实如瓜瓣是也”。《急就篇》颜师古注作“栝楼，一名果赢。一名王瓜，亦曰天瓜”。

[2] **通月水，止小便利** 《纲目》《草木典》颠倒为“止小便利，通月水”。

[3] **入土** 《政和》误作“入上”，《纲目》《草木典》作“根入土”。

[4] **枸杞为之使……反乌头** 《纲目》《草木典》注为徐之才文。此文《本草经集注》已有著录。

267 丹参[1]

无毒。主养血，去[2]心腹痼疾[3]、结气，腰脊强，脚痹，除风邪留热。久服利人。一名赤参[4]，一名木羊乳。生桐柏山[5]及太山。五月采根，暴干。畏咸水，反藜芦[6]。

〔《本经》原文〕

丹参，味苦，微寒。主心腹邪气，肠鸣幽幽如走水，寒热积聚，破癥除瘕，止烦满，益气。一名郄蝉草。生川谷。

【校注】

[1] 丹参条见《千金翼》、《大观》卷7。

[2] **去** 《续疏》作“主”。

[3] **痛疾** 《草木典》作“痛疾”。

[4] **赤参** 《急就篇》引王应麟注作“丹参，一名赤参，花紫根赤”。

[5] **山** 《纲目》《草木典》脱“山“字。

[6] **畏咸水，反藜芦** 《纲目》《草木典》注为徐之才文。此文《本草经集注》已有著录。

268 厚朴[1]

大温，无毒。主温中，益气，消痰，下气，治霍乱及腹痛，胀满，胃中冷逆，胸中呕逆[2]不止，泄痢，淋露，除惊，去留热，止烦满，厚肠胃。一名厚皮，一名赤朴。其树名榛[3]，其子名逐杨[4]。治鼠瘘，明目，益气。生交趾、宛朐[5]。三月、九月、十月[6]采皮，阴干。干姜为之使，恶泽泻、寒水石、消石[7]。

〔《本经》原文〕

厚朴，味苦，温。主中风伤寒，头痛，寒热惊悸，气血痹，死肌，去三虫。

【校注】

[1] 厚朴条见《新修》、《御览》卷989。

[2] **呕逆** 《新修》作“呕逆”，其他各本脱“逆”字。

[3] **榛** 《和名》作“榛”，其他各本作“榛”。

[4] **逐杨** 《新修》作“逐杨”，其他各本作“逐折”。

[5] **生交趾、宛朐** 《御览》作“生山谷，生文山”，其他各本作“生交趾，宛朐”。

[6] **三月、九月、十月** 《新修》《千金翼》《纲目》《草木典》作“三月、九月、十月”。《大观》作“三月九月”，玄《大观》、《大全》、成化本《政和》、《政和》、《证类》、《图考长编》、《疏证》作“三九十月”。

[7] **干姜为之使，恶泽泻、寒水石、消石** 《纲目》《草木典》注为徐之才文。此文《本草经集注》已有著录。

269 竹叶[1]

芹竹叶[2]大寒，无毒。主除烦热，风痉[3]，喉痹，呕逆[4]。根，消毒。生益州。

【校注】

[1] 竹叶条见《新修》、《御览》卷962。

[2] **芹竹叶** 《新修》《和名》作“芹竹叶”，其他各本作“董竹叶”。又，《初学记》引本草作“竹叶一名升斤，竹花一名草华”。

[3] **风痓** 《新修》作“风痓”，其他各本作“风痉”。

[4] **呕逆** 《新修》作“呕逆”，其他各本作“呕吐”。

270 淡竹叶

味辛，平，大寒。主治胸中淡热[1]，咳逆上气。其[2]沥，大寒，治暴中风，风痹[3]，胸中大热，止烦闷[4]。其[5]皮茹，微寒，主治呕啘，温气寒热，吐血，崩中，溢筋[6]。

【校注】

[1] **淡热** 《新修》作“淡热”，其他各本作“痰热”。

[2] **其** 《新修》有“其”字，其他各本无“其”字。

[3] **风痹** 《新修》原脱“风”字，据《千金翼》、《大观》、玄《大观》、《大全》、成化本《政和》、《政和》、《证类》补。

[4] **闷** 此下《纲目》《草木典》有“消渴、劳复”4字，其他各本无此4字。

[5] **其** 《新修》有“其”字，其他各本无“其”字。

[6] **溢筋** 《纲目》《草木典》脱此2字，其他各本有“溢筋”2字。

271 苦竹叶及沥

治口疮，目痛明目[1]，通[2]利九窍[3]。竹笋，味甘，无毒。主消渴，利水道，益气，可久食[4]。干笋烧服，治五痔血[5]。

〔《本经》原文〕

竹叶，味苦，平。主咳逆上气，溢筋急，恶疡，杀小虫。根，作汤益气，止渴，补虚下气。汁，主风痓。实，通神明，轻身益气。

【校注】

[1] **目痛明目** 《新修》原作“明眼痛”，据《大观》《政和》《证类》改。

[2] **通** 《新修》有“通”字，其他各本无“通”字。

[3] **苦竹叶及沥，治口疮，目痛明目，通利九窍** 《千金翼》脱此文。

[4] **食** 《图经衍义》作“服”，其他各本作“食”。

[5] **干笋烧服，治五痔血** 《新修》有此文，其他各本无此文。又，《和名类聚钞》卷4引本草作“笋竹，味甘，无毒，烧而服之”。

272 玄参[1]

味咸，无毒。主治暴中风、伤寒，身热支满，狂邪、忽忽不知人，温疟洒洒，血瘕[2]，下寒血，除胸中气，下水，止烦渴，散颈下核，痈肿，心腹痛，坚癥，定五脏。久服补虚，明目[3]，强阴，益精。一名玄台[4]，一名鹿肠，一名正马，一名咸，一名端。生河间及宛朐。三月、四月采根，暴干。恶黄芪、干姜、大枣、山茱萸，反藜芦[5]。

〔《本经》原文〕

玄参，味苦，微寒。主腹中寒热积聚，女子产乳余疾，补肾气，令人目明。一名重台。生川谷。

【校注】

[1] 玄参条见《御览》卷991、《千金翼》。又，“玄参”，《草木典》《图考长编》《续疏》作“元参”。

[2] **温疟洒洒，血瘕** 《图考长编》断句为“温疟，洒洒血瘕”。

[3] **明目** 《图考长编》作“令人明目”，其他各本无“令人”2字。

[4] **玄台** 《草木典》《图考长编》《续疏》作“元台”。清代康熙皇帝（1662—1772）名玄烨，为避“玄”字讳，时人改“玄”为“元”。

[5] **恶黄芪、干姜、大枣、山茱萸，反藜芦** 《纲目》《草木典》注为徐之才文。此文《本草经集注》已有著录。

273 沙参[1]

无毒。主治胃痹[2]，心腹痛，结热，邪气，头痛，皮间邪热，安五脏[3]，补中[4]。一名苦心，一名志取，一名虎须，一名白参，一名识美，一名文希[5]。生河内及宛朐、般阳续山。二月、八月采根，暴干。恶防己，反藜芦[6]。

〔《本经》原文〕

沙参，味苦，微寒。主血积惊气，除寒热，补中益肺气。久服利人。一名知母。生川谷。

【校注】

[1] 沙参条见《御览》卷991、《千金翼》。

[2] **胃痹** 《草木典》《续疏》《经疏》作“胸痹”，其他各本作“胃痹”。

[3] **脏** 此下《纲目》《草木典》注“久服利人”4字为《别录》文。《大观》、玄《大观》、《大全》、成化本《政和》、《政和》、《证类》、《品汇》、《图考长编》、《续疏》作《本经》文，森本、孙本、顾本、狩本、黄本皆取此4字为《本经》文，非《别录》文。

[4] **补中** 《纲目》《草木典》脱漏“补中”2字，其他各本有此2字。

[5] **文希** 《和名》作“久希”，其他各本作“文希”。

[6] **恶防己，反藜芦** 《纲目》《草木典》注为徐之才文。此文《本草经集注》已有著录。

274 苦参[1]

无毒。养肝胆气，安五脏，定志，益精，利九窍，除伏热，肠澼，止渴，醒酒，小便黄赤，治恶疮下部慝[2]，平胃气，令人嗜食，轻身[3]。一名地槐，一名菟槐，一名骄槐[4]，一名白茎，一名虎麻，一名岑茎[5]，一名禄白，一名陵郎。生汝南及田野。三月、八月、十月采根，暴干。玄参为之使，恶贝母，漏芦、菟丝[6]，反藜芦[7]。

〔《本经》原文〕

苦参，味苦，寒。主心腹结气，癥瘕积聚，黄疸，溺有余沥，逐水，除痈肿，补中，明目止泪。一名水槐，一名苦蘵。生山谷及田野。

【校注】

[1] 苦参条见《御览》卷991、《千金翼》。又，本条《急就篇》王应麟注作“苦参一名苦识，一名地槐，叶似槐，花黄白。齐中大夫病龋齿，仓公为苦参汤”。

[2] **治恶疮下部慝** 《图考长编》作“疮恶下部慝”，《千金翼》作“疗恶疮下部慝疮”。

[3] **平胃气，令人嗜食，轻身** 《纲目》《草木典》移在“安五脏”之下。

[4] **骄槐** 《千金翼》作“桥槐”，其他各本作“骄槐”。

[5] **岑茎** 《品汇》《纲目》作“芩茎”，《千金翼》作“禄茎”，其他各本作“岑茎”。

[6] **菟丝** 玄《大观》作“菟终”，其他各本作“菟丝”。

[7] **玄参为之使……反藜芦** 《纲目》注为徐之才文。此文《本草经集注》已有著录。

275 续断[1]

味辛，无毒。主治崩[2]中漏血，金疮血内漏，止痛，生肌肉，及踠伤、恶血、腰痛，关节缓急。一名接骨，一名南草，一名槐[3]。生常山。七月、八月采，阴干。地黄为之使，恶雷丸[4]。

〔《本经》原文〕

续断，味苦，微温。主伤寒，补不足，金创，痈伤，折跌，续筋骨，妇人乳难。久服益气力。一名龙豆，一名属折。生山谷。

【校注】

[1] 续断条见《御览》卷989、卷994，《千金翼》。本条，《纲目》注“龙豆”2字为《别录》文。《大观》、玄《大观》、《大全》、成化本《政和》、《政和》、《证类》作白字《本经》文。《图考长编》、森本、孙本、顾本、狩本、黄本皆取“龙豆”2字为《本经》文。按，此2字应为《本经》文，非《别录》文。又，《草木典》将“龙豆”2字注为郑樵《通志·昆虫草木略》文。

[2] **崩** 此上《纲目》《草木典》有“妇人”2字，其他各本无“妇人”2字。

[3] **一名槐** 《纲目》脱“一名槐”3字，《和名》作“一名槐生”，其他各本作“一名槐”，并无“生”字。《和名》所以有“生”字，可能录下文“生常山”的“生”字所致。

[4] **地黄为之使，恶雷丸** 《纲目》《草木典》注为徐之才文。此文《本草经集注》已有著录。

276 枳实[1]

味酸，微寒[2]，无毒。主除胸胁淡澼[3]，逐停水，破结实，消胀满、心下急、痞痛、逆气胁风痛，安[4]胃气，止溏泄，明目。生河内。九月、十月采，阴干。

〔《本经》原文〕

枳实，味苦，寒。主大风在皮肤中，如麻豆苦痒，除寒热结，止利，长肌肉，利五脏，益气轻身。生川泽。

【校注】

[1] 枳实条见《新修》、《御览》卷992。本条，《通志略》引《考工记》曰：“橘逾淮而北为枳。”

[2] **微寒** 《新修》原脱，据《千金翼》、《大观》、《政和》、《证类》、玄《大览》、成化本《政和》、《大全》补。

[3] **淡澼** 《新修》作“淡澼”，其他各本作“痰澼”。

[4] **安** 《图考长编》作“和”，其他各本作“安”。

277 山茱萸[1]

微温，无毒。主治肠胃风邪，寒热，疝瘕，头脑风[2]、风气去来，鼻塞，目黄，耳聋，面皰，温中[3]下气，出汗，强阴，益精，安五脏[4]，通九窍，止小便利。久服明目，强力，长年。一名鸡足，一名思益[5]，一名寇实。生汉中[6]及琅邪、宛朐、东海承县。九月、十月采实，阴干。蓼实为之使，恶桔梗、防风、防己[7]。

〔《本经》原文〕

山茱萸，味酸，平。主心下邪气寒热，温中，逐寒湿痹，去三虫。久服轻身。一名蜀枣。生山谷。

【校注】

[1] 山茱萸条见《新修》、《御览》卷991。

[2] **头脑风** 《新修》作“头脑风”，其他各本作“头风”，脱“脑”字。

[3] **温中** 《纲目》《草木典》脱“温中”2字。

[4] **安五脏** 《新修》原脱“五”字，据《千金翼》《大观》《政和》《证类》补。

[5] **一名思益** 《新修》《和名》有“一名思益”4字，其他各本脱此4字。

[6] **汉中** 《新修》原作“漢中”，据《千金翼》《大观》《政和》《证类》改。

[7] **蓼实为之使，恶桔梗、防风、防己** 《纲目》《草木典》注为徐之才文。此文《本草经集注》已有著录。

278 桑根白皮[1]

无毒。主去肺[2]中水气，止唾血[3]，热渴，水肿，腹满，胪胀，利水道，去寸白，可以缝金[4]创[5]。采无时，出土上者杀人[6]。续断、桂心、麻子为之使[7]。叶汁[8]解蜈蚣毒。

【校注】

[1] 桑根白皮条见《新修》、《御览》卷955。

[2] **肺** 《新修》原作“脉”字，据《千金翼》、《大观》、《政和》、《证类》、玄《大观》改。

[3] **止唾血** 其他各本无“止”字，《新修》有“止”字。

[4] **金** 《新修》原脱，据《千金翼》《大观》《政和》《证类》补。

[5] **创** 《新修》作“创”，其他各本作“疮”。

[6] **出土上者杀人** 《御览》引《本草经》曰：“桑根旁行出土上者名伏蛇，治心痛。”又，《御览》引《神农本草》曰：“桑根白皮，是今桑树根上白皮，常以四月采，或采无时，出见地上名马领，勿取，毒杀人。”其他各本作“出土上者杀人”。

[7] **续断、桂心、麻子为之使** 《纲目》《草木典》注为徐之才文。此文《本草经集注》已有著录。

[8] **叶汁** 《品汇》作“叶汁，有小毒”，其他各本作“汁”。

279 桑耳

味甘，有毒。黑者，主治月水不调。其黄熟陈白者，止久泄，益气不饥。其[1]金色者，治癖饮[2]，积聚，腹痛，金疮。一名桑菌，一名木薂[3]。生犍为。六月多雨时采木耳[4]，即暴干。

〔《本经》原文〕

桑根白皮，味甘，寒。主伤中，五劳六极，羸瘦，崩中脉绝，补虚益气。叶，主除寒热，出汗。桑耳黑者，主女子漏下赤白汁，血病癥瘕积聚，阴痛，阴阳寒热，无子。五木耳名檽，益气不饥，轻身强志。生山谷。

【校注】

[1] **其** 《新修》原脱，《千金翼》《大观》《政和》《证类》补。

[2] **癖饮** 《新修》原作“澼癖饮”，据《千金翼》《大观》《政和》《证类》改。

[3] **木薂** 《新修》作“木薂”，《和名》作“木㚣”，其他各本作“木麦”。

[4] **木耳** 《新修》有“木耳”2字，其他各本无此2字。

280 松萝[1]

味甘，无毒。主治淡热[2]，温疟，可为吐汤，利水道。生熊[3]耳山松树上。五月采，阴干。

〔《本经》原文〕

松萝，味苦，平。主瞋怒邪气，止虚汗，头风，女子阴寒肿痛。一名女萝。生山谷。

【校注】

[1] 松萝条见《新修》《千金翼》。又，“松萝”下，《纲目》有“女萝”注为《别录》文。《大观》、玄《大观》、《大全》、成化本《政和》、《政和》、《证类》取“女萝”2字作白字《本经》文，《图考长编》、孙本、森本、顾本、狩本、黄本皆取“女萝”为《本经》文。按，此2字应为《本经》文，非《别录》文。本条，《通志略》将“松萝”并在“寄生”条中。

[2] **淡热** 《新修》作“淡热”，其他各本作“痰热”。

[3] **生熊** 《证类》、《政和》、成化本《政和》、《大全》取此2字作白字《本经》文，《大观》、玄《大观》取此2字作墨字《别录》文，《图考长编》亦注为《别录》文，森本、孙本、顾本、狩本、黄本皆不取此2字为《本经》文。按，此2字应为《别录》文，非《本经》文。

281 白棘[1]

无毒。主决刺结[2]，治丈夫[3]虚损，阴痿，精自出，补肾气，益精髓。一名棘刺[4]。生雍州。

〔《本经》原文〕

白棘，味辛，寒。主心腹痛，痈肿溃脓，止痛。一名棘针。生川谷。

【校注】

[1] 白棘条见《新修》《千金翼》。

[2] **决刺结** 《纲目》《草木典》注为《本经》文。《大观》、玄《大观》、《大全》、成化本《政和》、《政和》、《证类》、《品汇》、《图考长编》作《别录》文，森本、孙本、顾本、狩本、黄本皆不取此3字为《本经》文。按，此3字应为《别录》文。

[3] **丈夫** 《新修》原作“大夫”，据《千金翼》《大观》《政和》《证类》改。

[4] **刺** 此下《纲目》有“棘针”2字作《别录》文。《大观》、玄《大观》、《大全》、成化本《政和》、《政和》、《证类》作白字《本经》文，《图考长编》、森本、孙本、顾本、狩本、黄本皆取此2字为《本经》文。按，此2字应为《本经》文，非《别录》文。

282 棘刺花[1]

味苦，平，无毒[2]。主治金创[3]内漏，明目[4]。冬至后百廿日采之。实，主明目[5]，心腹痿痹，除热[6]，利小便。生道旁。四月采。一名菥蓂，一名马朐[7]，一名刺原。又有枣针，治腰痛、喉痹不通[8]。

【校注】

[1] 棘刺花条见《新修》《千金翼》。

[2] **平，无毒** 《新修》原作“无毒，平”，据《千金翼》《大观》《政和》《证类》改。

[3] **金创** 《新修》作“金创”，其他各本作“金疮”。

[4] **明目** 《新修》有“明目”2字，其他各本无“明目”2字。

[5] **明目** 《新修》原脱“目”字，据《千金翼》《大观》《政和》《证类》补。《纲目》《草木典》脱“明目”2字。

[6] **除热** 《新修》原脱“除”字，据《千金翼》《大观》《政和》《证类》补。

[7] **马朐** 《新修》原脱“马”字，据《千金翼》《和名》《大观》《政和》《证类》补。

[8] **喉痹不通** 《新修》原作“喉痛了”，据《千金翼》《大观》《政和》《证类》改。

283 狗脊[1]

味甘，微温，无毒。主治失溺不节，男子[2]脚弱腰痛，风邪，淋露，少气，目暗，坚脊，利俯仰，女子伤中，关节重。一名强膂，一名扶盖，一名扶筋[3]。生常山。二月、八月采根[4]暴干。萆薢为之使，恶败酱[5]。

〔《本经》原文〕

狗脊，味苦，平。主腰背强，关机缓急，周痹寒湿膝痛，颇利老人。一名百枝。生川谷。

【校注】

[1] 狗脊条见《御览》卷990、《千金翼》。

[2] **男子** 《纲目》《草木典》作"男女"，其他各本作"男子"。

[3] **一名扶盖，一名扶筋** 《和名》作"一名快盖，一名快筋"，其他各本作"一名扶盖，一名扶筋"。

[4] **根** 《千金翼》脱"根"字，其他各本有"根"字。

[5] **萆薢为之使，恶败酱** 《纲目》《草木典》注徐之才文。此文《本草经集注》已有著录。

284 萆薢[1]

味甘，无毒。主治伤中恚怒，阴痿失溺，关节老血，老人五缓[2]。一名赤节。生真定。二月、八月采根，暴干。薏苡为之使，畏葵根、大黄、柴胡、牡蛎[3]、前胡[4]。

〔《本经》原文〕

萆薢，味苦，平。主腰背痛强，骨节风寒湿周痹，恶疮不瘳，热气。生山谷。

【校注】

[1] 萆薢条见《千金翼》、《大观》卷8。

[2] **关节老血，老人五缓** 《纲目》《草木典》作"老人五缓，关节老血"。

[3] **牡蛎** 《草木典》脱此2字。

[4] **薏苡为之使……前胡** 《纲目》《草木典》注为徐之才文。此文《本草经集注》已有著录。

285 菝葜[1]

味甘[2]，平，温，无毒。主治腰背寒痛，风痹，益血气，止小便利。生山野。二月、八月采根，暴干。

【校注】

[1] 菝葜条见《千金翼》、《大观》卷8。

［2］**甘**　此下《纲目》有“酸”字，其他各本无“酸”字。

286　石韦[1]

味甘，无毒。主止烦，下气，通膀胱满，补五劳，安五脏，去恶风，益精气。一名石皮，用之[2]去黄毛，毛[3]射人肺，令人咳，不可治。生华阴，不闻水及人者，良。二月采叶，阴干。杏人[4]为之使，得菖蒲良[5]。

〔《本经》原文〕

石韦，味苦，平。主劳热邪气，五癃闭不通利小便水道。一名石韀。生山谷石上。

【校注】

［1］石韦条见《千金翼》、《大观》卷8。

［2］**用之**　《纲目》《草木典》作“凡用”。

［3］**毛**　《纲目》《草木典》脱“毛”字。

［4］**杏人**　《本草经集注》《医心方》作“杏仁”，《千金方》《大观》《政和》《证类》《纲目》《草木典》《疏证》作“滑石、杏仁”。

［5］**杏人为之使，得菖蒲良**　《纲目》《草木典》注为徐之才文。此文《本草经集注》已有著录。

287　通草[1]

味甘，无毒。主治脾疸，常欲眠[2]，心烦，哕出音声，治耳聋，散痈肿、诸结不消及金疮，恶疮，鼠瘘，踒折，齆鼻，息肉，堕胎，去三虫。一名丁翁，生石城及山阳。正月采枝，阴干。

〔《本经》原文〕

通草，味辛，平。主去恶虫，除脾胃寒热，通利九窍血脉关节，令人不忘。一名附支。生山谷。

【校注】

［1］通草条见《御览》卷992、《千金翼》。按，今日所讲的“通草”，即是五加科植物通脱木，古代本草所讲的“通草”，乃是木通。所以本条正名虽是“通草”，而条文内容是木通。《纲目》《草木典》《图考长编》仍沿旧例。《品汇》已改旧例，在“木通”条即以“木通”为正名，在“通脱木”条即用“通草”为正名。

［2］**脾疸，常欲眠**　《医心方》作“脾痹，恒欲眠”，其他各本作“脾疸，常欲眠”。

288　瞿麦[1]

味辛，无毒。主养肾气，逐膀胱邪逆，止霍乱，长毛发。一名大菊，一名大兰。生太山。立秋采实[2]，阴干。蘘草、牡[3]丹为之使，恶桑螵蛸[4]。

〔《本经》原文〕

瞿麦，味苦，寒。主关格诸癃结，小便不通，出刺，决痈肿，明目去翳，破胎堕子，下闭血。一名巨句麦。生川谷。

【校注】

[1] 瞿麦条见《千金翼》、《大观》卷8。

[2] **实**　《纲目》《草木典》脱“实”字。

[3] **牡**　玄《大观》作“牧”，误。

[4] **桑螵蛸**　《证类》原脱“桑”字，据《本草经集注》补。又，“蘘草、牡丹为之使，恶桑螵蛸”，《纲目》《草木典》注为徐之才文。此文《本草经集注》已有著录。

289　败酱[1]

味咸，微寒，无毒。主除痈肿，浮肿，结热，风痹，不足，产后疾痛[2]。一名鹿首，一名马草，一名泽败。生江夏。八月采根，暴干。

〔《本经》原文〕

败酱，味苦，平。主暴热火疮赤气，疥瘙疽痔，马鞍热气。一名鹿肠。生川谷。

【校注】

[1] 败酱条见《御览》卷992、《千金翼》。本条，《御览》引《本草经》作“败酱，似桔梗，其臭如败豆酱”，其他各本无此文。

[2] **产后疾痛**　《千金翼》作“产后腹痛”，《疏证》作“产后产痛”，《草木典》作“产后痛”，其他各本作“产后疾痛”。

290　秦皮[1]

大寒，无毒。主治男子少精，妇人带下，小儿痫[2]，身热，可作洗目汤。久服[3]皮肤光泽，肥大，有子。一名岑皮，一名石檀。生庐江[4]及宛朐[5]。二月、八月采皮，阴干。大戟为之使，恶吴茱萸[6]。

〔《本经》原文〕

秦皮，味苦，微寒。主风寒湿痹，洗洗寒气，除热，目中青翳白膜。久服，头不白轻身。生川谷。

【校注】

[1] 秦皮条见《新修》、《御览》卷992。

[2] **小儿痫** 《纲目》作“小儿风痫”，其他各本无“风”字。

[3] **久服** 《品汇》《图考长编》无“久服”2字，从措辞来看，“久服”2字是《本经》文和《别录》文的共用词。今录《别录》文时，则“久服”2字不应省去。

[4] **庐江** 《新修》原作“肤江”，据《千金翼》《大观》《政和》《证类》改。

[5] **宛朐** 《纲目》《草木典》在“朐”字下衍“水旁”2字，其他各本无此2字。

[6] **吴茱萸** 《新修》原脱“吴”字，据《千金方》、玄《大观》、《大观》、《大全》、《政和》补。又，“大戟为之使，恶吴茱萸”，《纲目》《草木典》注为徐之才文。此文《本草经集注》已有著录。

291 白芷[1]

无毒。主治风邪，久渴，吐呕，两胁满，风痛[2]，头眩，目痒。可作膏药面脂，润颜色[3]。一名白茝，一名蒚，一名莞，一名苻蓠[4]，一名泽芬。叶名蒿麻[5]。可作浴汤。生河东下泽。二月、八月采根，暴干。当归为之使，恶旋覆花[6]。

〔《本经》原文〕

白芷，味辛，温。主女人漏下赤白，血闭阴肿，寒热，风头侵目泪出，长肌肤润泽，可作面脂。一名芳香。生川谷。

【校注】

[1] 白芷条见《御览》卷983、《千金翼》。

[2] **风痛** 《纲目》《草木典》脱此2字，其他各本有此2字。

[3] **面脂，润颜色** 《纲目》《草木典》脱此5字，其他各本有此5字。

[4] **苻蓠** 《毛诗注疏》孔颖达引本草作“白蒲，一名苻蓠，楚谓之莞”，通检各本，皆无“白蒲”之名。

[5] **一名泽芬。叶名蒿麻** 《图考长编》断句为“一名泽芬叶，一名蒿麻”。又，“蒿麻”，《纲目》《品汇》作“蒿麻药”，其他各本无“药”字。

[6] **当归为之使，恶旋覆花** 《纲目》《草木典》注为徐之才文。此文《本草经集注》已有著录。

292 杜蘅[1]

味辛，温，无毒。主治风寒咳逆[2]，香人衣体。生山谷。三月三日采根，热洗，暴干。

【校注】

[1] 杜蘅条见《千金翼》、《大观》卷8。

[2] **逆** 此下《纲目》《草木典》有“作浴汤”3字，其他各本无此3字。

293 杜若[1]

无毒。主治眩倒、目𥇒𥇒，止痛，除口臭气。久服令人不忘[2]。一名杜莲，一名白莲，一名白苓[3]，一名若芝。生武陵及宛朐。二月、八月采根，暴干。得辛夷、细辛良，恶柴胡、前胡[4]。

〔《本经》原文〕

杜若，味辛，微温。主胸胁下逆气，温中，风入脑户，头肿痛，多涕泪出。久服益精，明目轻身。一名杜衡。生川泽。

【校注】

[1] 杜若条见《千金翼》、《大观》卷7。

[2] **令人不忘** 《纲目》《草木典》注为《本经》文，《大观》、玄《大观》、《大全》、成化本《政和》、《政和》、《证类》、《品汇》、《图考长编》、《续疏》取此4字为《别录》文，森本、孙本、狩本、黄本、顾本皆不取此4字为《本经》文。按，此4字应为《别录》文。

[3] **苓** 《和名》作“芥”，其他各本作“苓”。

[4] **得辛夷、细辛良，恶柴胡、前胡** 《纲目》《草木典》注为徐之才文。此文《本草经集注》已有著录。

294 蘖木[1]

无毒。主治惊气在皮间，肌肤热赤起，目热赤痛[2]，口疮。久服通神。根，名檀桓[3]，治心腹百病，安魂魄，不饥渴。久服轻身，延年通神[4]。生汉中及永昌[5]。恶干漆[6]。

〔《本经》原文〕

蘗木，味苦，寒。主五脏肠胃中结热，黄疸，肠痔，止泄利，女子漏下赤白，阴伤蚀疮。一名檀桓。生山谷。

【校注】

［1］蘗木条见《新修》《千金翼》。

［2］**肌肤热赤起，目热赤痛**　《千金翼》断句为“肌肤热赤。起目热赤痛”，《图考长编》断句为“肌肤热。赤起目热赤痛”。

［3］**根，名檀桓**　武田本《新修》、《新修》作“根名檀桓”，其他各本作“根”，缺“名檀桓”3字。

［4］**根，治心腹百病……延年通神**　《纲目》《草木典》注为《本经》文。《大观》、玄《大观》、《大全》、成化本《政和》、《政和》、《证类》、《品汇》、《图考长编》取此20字为《别录》文，森本、孙本、顾本、狩本、黄本皆不取此20字为《本经》文。按，此20字应为《别录》文。

［5］**永昌**　武田本《新修》、《新修》原脱，据《千金翼》、《大观》、玄《大观》、《大全》、成化《政和》、《政和》、《证类》补。

［6］**恶干漆**　《纲目》《草木典》注为徐之才文。此文《本草经集注》已有著录。

295　木兰[1]

无毒。主治中风、伤寒，及痈疽、水肿，去臭气。一名杜兰，皮似桂而香[2]。生零陵及[3]太山。十二月采皮，阴干。

〔《本经》原文〕

木兰，味苦，寒。主身大热在皮肤中，去面热赤皰酒皶，恶风癞疾，阴下痒湿，明耳目。一名林兰。生山谷。

【校注】

［1］木兰条见《新修》《千金翼》。

［2］**皮似桂而香**　《纲目》《草木典》列在“太山”之后。

［3］**及**　武田本《新修》、《新修》原作“生”，据《千金翼》《大观》《政和》《证类》改。

296　白薇[1]

味咸，大寒，无毒。主治伤中淋露，下水气，利阴气，益精。一名白幕，一名薇草，一名春草[2]，一名骨美。久服利人。生平原。三月三日采根，阴干。恶黄芪[3]、干姜、干漆、山茱萸、大枣[4]。

〔《本经》原文〕

白薇，味苦，平。主暴中风身热肢满，忽忽不知人，狂惑邪气，寒热酸疼，温疟洗洗，发作有时。生川谷。

【校注】

[1] 白薇条见《千金翼》、《大观》卷8。

[2] **春草** 《纲目》注为《本经》文，其他各本注为《别录》文。

[3] **芪** 《大观》《政和》《证类》《千金方》《疏证》《纲目》在“芪”字下有“大黄，大戟”4字。《本草经集注》《医心方》无此4字。

[4] **恶黄芪、干姜、干漆、山茱萸、大枣** 《纲目》《草木典》注为徐之才文。此文《本草经集注》已有著录。

297 菜耳实[1]

味苦。叶，味苦、辛，微寒，有小毒。主治膝痛[2]，溪毒。一名葹，一名常思[3]。生安陆及六安[4]田野，实熟时采。

〔《本经》原文〕

菜耳实，味甘，温。主风头寒痛，风湿周痹，四肢拘挛痛，恶肉死肌。久服益气，耳目聪明，强志轻身。一名胡菜，一名地葵。生川谷。

【校注】

[1] 菜耳实条见《千金翼》、《大观》卷8。本条，《群芳谱》以“蓍耳”为正名。

[2] **膝痛** 《政和》作“膝痛”，《品汇》作“膝痛”，其他各本作“膝痛”。又，《纲目》《草木典》注“膝痛”2字为陈藏器文，其他各本注为《别录》文。

[3] **一名常思** 《和名》作“一名常思菜”，其他各本无“菜”字。

[4] **六安** 《草木典》作“大安”，其他各本作“六安”。

298 茅根[1]

无毒。主下五淋，除客热在肠胃，止渴，坚筋，妇人崩中。久服利人。一名地菅[2]，一名地筋，一名兼杜。生楚地田野。六月采根。

〔《本经》原文〕

茅根，味甘，寒。主劳伤虚羸，补中益气，除瘀血血闭寒热，利小便。其苗，主下水。一名兰根，一名茹根。生山谷。

【校注】

[1] 茅根条见《千金翼》、《大观》卷8。又,《纲目》《草木典》以“白茅”为正名。

[2] **地菅** 《政和》《品汇》作“地管”,其他各本作“地菅”。

299 百合[1]

无毒。主除浮肿,胪胀[2],痞满,寒热,通身疼痛,及乳难喉痹肿[3],止涕泪。一名重葙[4],一名重迈[5],一名摩罗[6],一名中逢花,一名强瞿。生荆州。二月、八月采根,暴干。

〔《本经》原文〕

百合,味甘,平。主邪气腹胀,心痛,利大小便,补中益气。生川谷。

【校注】

[1] 百合条见《千金翼》、《大观》卷8。本条,《通志略》以“强瞿”为正名。

[2] **胪胀** 《千金翼》作“臚胀”,其他各本作“胪胀”。

[3] **喉痹肿** 《千金翼》作“喉痹肿”,其他各本作“喉痹”,无“肿”字。

[4] **一名重葙** 《和名》作“一名重匡”,《千金翼》作“一名重葙”,其他各本作“一名重箱”。

[5] **一名重迈** 《和名》《千金翼》有此4字,其他各本无此4字。

[6] **一名摩罗** 《和名》“一名磨累”,其他各本作“一名摩罗”。

300 酸浆[1]

寒,无毒。生荆楚及人家田园中。五月采,阴干。

〔《本经》原文〕

酸浆,味酸,平。主热烦满,定志益气,利水道,产难吞其实立产。一名醋浆。生川泽。

【校注】

[1] 酸浆条见《千金翼》、《大观》卷8。又,“浆”,孙本、黄本作“酱”。

301 淫羊藿[1]

无毒。主坚筋骨,消瘰疬,赤痈,下部有疮,洗出虫。丈夫久服,令人无子[2]。生上郡[3]阳山。署预为之使。

〔《本经》原文〕

淫羊藿，味辛，寒。主阴痿绝伤，茎中痛，利小便，益气力，强志。一名刚前。生山谷。

【校注】

[1] 淫羊藿条见《御览》卷993、《千金翼》。

[2] **无子** 《大观》作“有子”，其他各本作“无子”。

[3] **上郡** 《续疏》作“下郡”，其他各本作“上郡”。

302 蠡实[1]

温，无毒。主止心烦满，利大小便，长肌肤[2]肥大[3]。

花叶

治喉痹，多服令人溏泄[4]。一名荔实。生河东。五月采实，阴干。

〔《本经》原文〕

蠡实，味甘，平。主皮肤寒热，胃中热气，风寒湿痹，坚筋骨，令人嗜食。久服轻身。花、叶，去白虫。一名剧草，一名三坚，一名豕首。生川谷。

【校注】

[1] 蠡实条见《御览》卷992、《千金翼》。又，本条，《御览》以“豕首”为正名。又，郭璞注《尔雅》引《本草经》曰：“彘卢，一名诸兰，今江东呼稀首。”

[2] **肌肤** 《千金翼》作“肌肉”，其他各本作“肌肤”。

[3] **止心烦满，利大小便，长肌肤肥大** 《品汇》列入“花叶”之后。

[4] **多服令人溏泄** 《品汇》脱此文。

303 栀子[1]

大寒，无毒。主治目热赤痛[2]，胸[3]心大小肠大热，心中烦闷，胃中热气[4]。一名越桃[5]。生南阳。九月采实，暴干。

〔《本经》原文〕

栀子，味苦，寒。主五内邪气，胃中热气，面赤酒皰皶鼻，白癞，赤癞疮疡。一名木丹。生川谷。

【校注】

[1] 栀子条见《新修》、《御览》卷959。本条，玄《大观》有“皰皻鼻白癞赤癞疮疡”9字，作墨字《别录》文。柯逢时《大观本草札记》亦注此9字原来是墨字，后改为白字。其他各本不注此9字为《别录》文。故本书亦不注此9字为《别录》文。

[2] **目热赤痛** 《纲目》《疏证》作“目赤热痛”，其他各本作“目热赤痛”。

[3] **胸** 《新修》原作“胸中”，据《千金翼》《大观》《政和》《证类》改。

[4] **胃中热气** 《纲目》《疏证》脱此文。

[5] **桃** 此下《御览》有“支子叶两头尖，如樗蒲形，剥其子如玺而黄赤”，其他各本无此文。

304 槟榔[1]

味辛，温，无毒。主消谷，逐水，除淡澼[2]，杀三虫，去伏尸[3]，治寸白。生南海。

【校注】

[1] 槟榔条见《新修》《千金翼》。

[2] **淡澼** 《新修》作“淡澼”，其他各本作“痰癖”。

[3] **去伏尸** 《新修》作“去伏尸”，其他各本无“去”字。

305 合欢[1]

无毒。生益州[2]。

〔《本经》原文〕

合欢，味甘，平。主安五脏，利心志，令人欢乐无忧。久服轻身明目得所欲。生山谷。

【校注】

[1] 合欢条见《新修》、《御览》卷960。

[2] **生益州** 《御览》引《本草经》作“生益州”，又，《御览》引《神农本草》作“合欢生豫州河内川谷，其树似狗骨树”，其他各本无此文。

306 卫矛[1]

无毒。主治中恶，腹痛，去白虫，消皮肤风毒肿，令[2]阴中解[3]。生霍山。八月采，阴干。

〔《本经》原文〕

卫矛，味苦，寒。主女子崩中下血，腹满汗出，除邪，杀鬼毒蛊注。一名鬼箭。生山谷。

【校注】

[1] 卫矛条见《新修》、《御览》卷993。又，本条，《纲目》《草木典》《续疏》有“鬼箭”2字注为《别录》文。《大观》、玄《大观》、《大全》、成化本《政和》、《政和》、《证类》取此2字作白字《本经》文，《图考长编》、森本、孙本、顾本、狩本、黄本皆取此2字为《本经》文，非《别录》文。

[2] **令** 此下《品汇》衍“从”字，其他各本无“从”字。

[3] **解** 《新修》原作“鲜”，据《千金翼》《大观》《政和》《证类》改。

307 紫葳[1]

无毒。茎叶，味苦，无毒。治痿蹷，益气。一名陵苕，一名芙华[2]，一名陵时[3]。生西海及山阳。

〔《本经》原文〕

紫葳，味酸，微寒。主妇人产乳余疾，崩中，癥瘕血闭，寒热羸瘦，养胎。生川谷。

【校注】

[1] 紫葳条见《新修》、《御览》卷992。

[2] **芙华** 《新修》、《御览》、《千金翼》、玄《大观》卷13、《大观》作“芙华”。《和名》、《证类》、《政和》、成化本《政和》、《大全》、《品汇》、《纲目》、《草木典》、《图考长编》、《疏证》等作“茇华”。又，《草木典》注“茇华”为《本经》文。

[3] **一名陵时** 《尔雅》郭璞注云：“本草一名陵时。”《毛诗注疏》孔颖达疏云：“本草陵时，一名陵苕。”《尔雅疏》邢昺曰：“苕，一名陵苕，本草一名陵时。”今本草无“陵时”之名，据此以补之。

308 芜荑[1]

平，无毒。逐寸白，散腹[2]中温温喘息[3]。生晋山。三月采实，阴干。

〔《本经》原文〕

芜荑，味辛。主五内邪气，散皮肤骨节中淫淫温行毒，去三虫，化食。一名无姑，一名蕨蘠。生川谷。

【校注】

[1] 芫荑条见《新修》、《御览》卷992。

[2] **腹** 《新修》《御览》作“腹”，其他各本作“肠”。

[3] **息** 《新修》原作“出”，据《千金翼》《大观》《政和》《证类》改。又，《图考长编》在“息”字下有“一名蔽蕵”4字注为《别录》文，《大观》、玄《大观》、《大全》取此4字作墨字《别录》文。但《政和》、《证类》、成化本《政和》取此4字作白字《本经》文，森本、孙本、顾本、狩本、黄本皆取此4字为《本经》文。按，此4字应为《本经》文，非《别录》文。

309 紫草[1]

无毒。主治腹肿[2]胀满痛，以合膏，治小儿疮及面皶。生砀山及楚地。三月采根，阴干。

〔《本经》原文〕

紫草，味苦，寒。主心腹邪气，五疸，补中益气，利九窍，通水道，一名紫丹，一名紫芙。生山谷。

【校注】

[1] 紫草条见《御览》卷996、《千金翼》。又，“紫草”，《尔雅疏》邢昺作“茈草”。此下《纲目》有“紫丹”2字注为《别录》文。《大观》、玄《大观》、《大全》、成化本《政和》、《政和》、《证类》取此2字作白字《本经》文。《图考长编》、森本、孙本、顾本、狩本、黄本皆取此2字为《本经》文。按，此2字应为《本经》文，非《别录》文。本条，《御览》引本草有“紫草一名地血”，其他各本无此文。又，《和名类聚钞》引本草有“紫草一名紫蒨”。按，“紫蒨”是“紫菀”的别名，非“紫草”的别名。

[2] **腹肿** 《纲目》《草木典》脱“腹”字，其他各本有“腹”字。又，《纲目》《草木典》在“肿”字上有“通水道”3字注为《别录》文。《大观》、玄《大观》、《大全》、成化本《政和》、《政和》、《证类》取此3字作白字《本经》文，《品汇》、《图考长编》、森本、孙本、顾本、狩本、黄本皆录此3字为《本经》文。按，此3字应为《本经》文，非《别录》文。

310 紫菀[1]

味辛，无毒。主治咳唾脓血，止喘悸，五劳体虚，补不足，小儿惊痫。一名紫蒨，一名青苑。生[2]房陵及真定、邯郸。二月、三月[3]采根，阴干。款冬为之使，恶天雄、瞿麦、雷丸、远志，畏茵陈蒿[4]。

〔《本经》原文〕

紫菀，味苦，温。主咳逆上气，胸中寒热结气，去蛊毒，痿蹶，安五脏。生山谷。

【校注】

[1] 紫菀条见《千金翼》、《大观》卷8。

[2] **生** 此下《纲目》《草木典》有“汉中”2字，其他各本无此2字。

[3] **三月** 《草木典》作“三日”，其他各本作“三月”。

[4] **款冬为之使……畏茵陈蒿** 《纲目》《草木典》注为徐之才文。此文《本草经集注》已有著录。

311 白鲜[1]

味咸，无毒。主治四肢不安，时行腹中大热、饮水、欲走、大呼[2]，小儿惊痫，妇人产后余痛。生上谷及宛朐。四月、五月采根，阴干。恶桑螵蛸[3]、桔梗、茯苓、萆薢[4]。

〔《本经》原文〕

白鲜，味苦，寒。主头风，黄疸，咳逆，淋沥，女子阴中肿痛，湿痹死肌，不可屈伸，起止行步。生川谷。

【校注】

[1] 白鲜条见《御览》卷991、《千金翼》。又，“白鲜”，《千金方》作“白鲜皮”，《尔雅》作“白鲜根皮”，其他各本无“皮”字。

[2] **时行腹中大热、饮水、欲走、大呼** 《纲目》断句为“时行腹中大热饮水，欲走大呼”。又，玄《大观》将“欲走”2字移在“产后”之下，成为“产后欲走余痛”。

[3] **桑螵蛸** 《医心方》作“螵蛸”，脱漏“桑”字。

[4] **恶桑螵蛸、桔梗、茯苓、萆薢** 《纲目》《草木典》注为徐之才文。此文《本草经集注》已有著录。

312 白兔藿[1]

无毒。主治风痓，诸大毒不可入口者，皆消除之。又去血，可末着痛上，立消[2]。毒入腹者，煮饮之即解[3]。生交州。

〔《本经》原文〕

白兔藿，味苦，平。主蛇虺、蜂虿、猘狗、菜肉蛊毒，鬼注。一名白葛。生山谷。

【校注】

[1] 白兔藿条见《千金翼》、《大观》卷7。

[2] **消** 《纲目》《草木典》《图考长编》作“清”，其他各本作“消”。

[3] **风疰，诸大毒不可入口者……煮饮之即解** 《纲目》《草木典》注为《本经》文。《大观》、玄《大观》、成化本《政和》、《政和》、《证类》、《品汇》、《图考长编》皆取此33字为《别录》文。狩本、黄本、森本、孙本、顾本皆不取此33字为《本经》文。按，此33字应为《别录》文，非《本经》文。

313 营实[1]

微寒，无毒。久服轻身益气。根，止泄利腹痛，五脏客热，除邪逆气，疽癞[2]，诸恶疮，金疮，伤挞，生肉复肌。一名牛勒，一名蔷蘼[3]，一名山棘[4]。生零陵及蜀郡。八月、九月采，阴干。

〔《本经》原文〕

营实，味酸，温。主痈疽恶疮，结肉跌筋，败疮热气，阴蚀不瘳，利关节。一名蔷薇，一名蔷麻，一名牛棘。生川谷。

【校注】

[1] 营实条见《御览》卷998、《千金翼》。又，“营实”，《御览》作“蔷薇”，其他各本作“营实”。又，《记纂渊海》引本草作“蔷薇，其子名荣实”。本条，《群芳谱》《通志略》以“蔷薇”为正名。

[2] **疽癞** 《草木典》作“疸癞”，其他各本作“疽癞”。

[3] **蔷蘼** 《和名》作“芦蘼”，其他各本作“墙蘼”。

[4] **山棘** 《渊鉴类函》引本草作“山枣”，其他各本作“山棘”。

314 薇衔[1]

微寒，无毒。主暴癥，逐水，治痿蹶。久服轻身，明目。一名承膏，一名承肌[2]，一名无心，一名无颠。生汉中及宛朐、邯郸。七月采茎、叶，阴干。得秦皮良[3]。

〔《本经》原文〕

薇衔，味苦，平。主风湿痹历节痛，惊痫吐舌，悸气贼风，鼠瘘痈肿。一名麋衔。生川泽。

【校注】

[1] 薇衔条见《千金翼》、《大观》卷7。又，本条，《群芳谱》引《别录》作“薇衔，生汉中川

泽及宛朐邯郸，七月采茎叶，阴干”。

[2] **肌** 《和名》作“肥”，其他各本作“肌”。

[3] **得秦皮良** 《纲目》《草木典》注为徐之才文。此文《本草经集注》已有著录。

315 井中苔及萍[1]

大寒。主治漆疮，热疮，水肿。井中蓝，杀野葛、巴豆诸毒。

【校注】

[1] 井中苔及萍条见《千金翼》、《大观》卷9。

316 王孙[1]

无毒。主治百病，益气。吴名白功草，楚名王孙，齐名长孙，一名黄孙，一名黄昏[2]，一名海孙，一名蔓延。生海西及汝南城郭垣下。

〔《本经》原文〕

王孙，味苦，平。主五脏邪气，寒湿痹，四肢疼酸，膝冷痛。生川谷。

【校注】

[1] 王孙条见《御览》卷993、《千金翼》。

[2] **黄昏** 《急就篇》颜师古注作“牡蒙，一名黄昏”，又，王应麟注作“本草吴名白功草，楚名王孙，齐名长生，一名黄孙，一名海孙，一名蔓延”。

317 爵床[1]

无毒。生汉中及田野[2]。

〔《本经》原文〕

爵床，味咸，寒。主腰脊痛不得著床，俯仰艰难，除热。可作浴汤。生川谷。

【校注】

[1] 爵床条见《御览》卷991、《千金翼》。又，“爵床”，《御览》作“爵麻”，其他各本作“爵床”。

[2] **野** 此下《图考长编》衍“井中苔及萍”及“井中蓝”等条文。又，《大观》、玄《大观》“爵床”条有“味咸寒”3字作墨字《别录》文，其他各本作《本经》文。

318 白前[1]

味甘，微温[2]，无毒。主治胸胁逆气，咳嗽上气[3]。

【校注】

[1] 白前条见《千金翼》、《大观》卷9。

[2] **微温** 《大观》《政和》《证类》在“温”字下注云：“臣禹锡等谨案《蜀本》云‘微寒’。”

[3] **气** 此下《纲目》《草木典》有“呼吸欲绝”4字。按，《大观》《政和》《证类》在“白前”条下引《新修》云：“主上气冲喉中，呼吸欲绝。”则此4字似出《新修》，非出于《别录》。

319 百部根[1]

微温[2]，有小毒[3]。主治咳嗽[4]上气[5]。

【校注】

[1] 百部根条见《千金翼》、《大观》卷9。

[2] **微温** 《大观》《政和》《证类》引《蜀本》注作“微寒”。

[3] **有小毒** 《千金翼》有此3字，其他各本无此3字。

[4] **咳嗽** 《草木典》作“咳喘”，其他各本作“咳嗽”。

[5] **气** 此下《纲目》《草木典》有“火炙酒渍饮之”6字，其他各本无此6字。

320 王瓜[1]

无毒[2]。主治诸邪气，热结，鼠瘘，散痈肿、留血，妇人带下不通，下乳汁，止小便数不禁，逐四肢骨节中水，治马骨刺人疮。生鲁地田野，及人家垣墙间。三月采根，阴干。

〔《本经》原文〕

王瓜，味苦，寒。主消渴内痹，瘀血月闭，寒热酸疼，益气愈聋。一名土瓜。生平泽。

【校注】

[1] 王瓜条参考《千金翼》、《大观》卷9。

[2] **毒** 此下《图考长编》有“主聋”2字注为《别录》文。《大观》、玄《大观》、《大全》、成化本《政和》、《政和》、《证类》取此2字作白字《本经》文，《品汇》、《纲目》、《草木典》、《疏

证》、森本、孙本、顾本、狩本、黄本皆注为《本经》文。按，此2字应为《本经》文，非《别录》文。

321　荠苨[1]

味甘，寒[2]。主解百药毒。

【校注】

[1] 荠苨条见《千金翼》、《大观》卷9。

[2] **寒**　此下《千金翼》有“无毒”2字，其他各本无此2字。

322　高良姜[1]

大温[2]。主治暴冷，胃中冷逆，霍乱腹痛。

【校注】

[1] 高良姜条见《千金翼》、《大观》卷9。又，“高良姜”，《医心方》《和名》作“高凉姜”，其他各本作“高良姜”。

[2] **温**　此下《千金翼》有“无毒”2字，其他各本无此2字。

323　马先蒿[1]

味苦[2]，无毒。生南阳。

〔《本经》原文〕

马先蒿，味平。主寒热鬼注，中风湿痹，女子带下病，无子。一名马屎蒿。生川泽。

【校注】

[1] 马先蒿条见《千金翼》、《大观》卷9。

[2] **味苦**　森本、顾本以“味苦”2字为《本经》文，狩本、黄本、孙本不取此2字为《本经》文，《大观》、玄《大观》、《大全》、成化本《政和》、《政和》、《证类》、《图考长编》作《别录》文。本书从《大观》等为正。

324　蜀羊泉[1]

无毒。主治龋齿[2]，女子阴中内伤，皮间实积。一名羊泉，一名羊饴。生蜀郡。

〔《本经》原文〕

蜀羊泉，味苦，微寒。主头秃恶疮热气，疥瘙痂癣虫。生川谷。

【校注】

[1] 蜀羊泉条见《千金翼》、《大观》卷9。

[2] **龋齿** 《政和》、成化本《政和》、《证类》取此2字作白字《本经》文，《品汇》、孙本、黄本取此2字为《本经》文，但《大观》、玄《大观》、《大全》、《纲目》、《草木典》、《图考长编》取此2字为《别录》文，森本、顾本、狩本不取此2字为《本经》文。本书从《大观》等为正。

325 积雪草[1]

无毒。生荆州。

〔《本经》原文〕

积雪草，味苦，寒。主大热，恶疮痈疽，浸淫赤熛皮肤赤，身热。生川谷。

【校注】

[1] 积雪草条见《千金翼》、《大观》卷9。

326 恶实[1]

味辛，平，无毒[2]。主明目，补中，除风伤。根茎，治伤寒、寒热、汗出，中风，面肿，消渴、热中，逐水。久服轻身耐老，生鲁山平泽。又，恶实，一名牛蒡，一名鼠黏草[3]。

【校注】

[1] 恶实条见《千金翼》、《大观》卷9。又，《品汇》以“鼠黏子”为正名。《草木典》以“牛蒡”为正名。

[2] **无毒** 《千金翼》有此2字，其他各本无此2字。

[3] **恶实，一名牛蒡，一名鼠黏草** 此文出《证类》“恶实”条“唐本注”引《别录》文。又，《医心方》引文同。

327 莎草根[1]

味甘，微寒，无毒。主除胸中热，充皮毛。久服利人[2]，益气，长须眉。一名蒿，一名侯莎，其实名缇。生田野，二月、八月采。

【校注】

[1] 莎草根条见《千金翼》、《大观》卷9。“莎草根”《医心方》《和名》作“莎草”，《品汇》作“香附子”，《纲目》作“莎草香附子”，其他各本作“莎草根”。

[2] **利人** 《千金翼》、《大观》、玄《大观》、《证类》、《续疏》作“利人”，《品汇》、《政和》、成化本《政和》、《大全》、《纲目》、《草木典》、《图考长编》、《乘雅》作“令人”。本书从《大观》等为正。

328 大小蓟根[1]

味甘，温。主养精，保血[2]。大蓟，主治女子赤白沃[3]，安胎，止吐血、衄鼻[4]，令人肥健。五月采。

【校注】

[1] 大小蓟根条见《千金翼》、《大观》卷9。本条，《通志略》以“蓟”为正名，不作“大小蓟根”。

[2] **养精，保血** 《纲目》《草木典》作“保精养血”。

[3] **赤白沃** 《草木典》作“赤白带”，其他各本作“赤白沃”。

[4] **衄鼻** 《纲目》作“鼻衄”，其他各本作“衄鼻”。

329 垣衣[1]

味酸，无毒。主治黄疸，心烦，咳逆，血气，暴热[2]在肠胃[3]，金疮内塞。久服补中益气，长肌[4]，好颜色。一名昔邪，一名乌韭，一名垣嬴，一名天韭，一名鼠韭。生古垣墙阴[5]或屋上。三月三日采，阴干。

又，垣衣，主暴风口噤，金疮、酒渍服之效[6]。

【校注】

[1] 垣衣条见《千金翼》、《大观》卷9。

[2] **暴热** 《图考长编》作“暴风热”，其他各本无“风”字。

[3] **胃** 此下《纲目》《草木典》有“暴风口噤”4字，其他各本无此4字。

[4] **肌** 此下《纲目》《草木典》有“肉”字，其他各本无“肉”字。

[5] **阴** 此下《草木典》有“青苔衣也”4字，其他各本无此4字。

[6] **主暴风……之效** 此文出《证类》“垣衣”条“唐本注”。又，《纲目》无“效”字。

330　艾叶[1]

味苦，微温，无毒。主灸百病，可作煎，止下痢，吐血[2]，下部䘌疮，妇人漏血，利阴气，生肌肉，辟风寒，使人有子。一名冰台[3]，一名医草。生田野。三月三日采，暴干。作煎，勿令见风。

又，艾，生寒熟热。主下血，衄血，脓血痢，水煮及丸散任用[4]。

【校注】

[1] 艾叶条见《千金翼》、《大观》卷9。

[2] **止下痢，吐血**　《纲目》《草木典》作"止吐血、下痢"。

[3] **冰台**　《千金翼》作"水台"，其他各本作"冰台"。又，《急就篇》颜师古注云："艾一名冰台。"

[4] **艾，生寒……任用**　此文出《证类》"艾叶"条"唐本注"引《别录》文。

331　牡蒿[1]

味苦，温，无毒。主充肌肤，益气，令人暴肥，血脉满盛，不可久服。生田野，五月、八月[2]采。

【校注】

[1] 牡蒿条见《千金翼》、《大观》卷30。又，"牡蒿"，《新修》原作"杜蒿"，据《和名》、《千金翼》、《大观》、《政和》、《证类》、《大观》、《大全》、成化本《政和》改。

[2] **八月**　《新修》原脱，据《千金翼》《大观》《政和》《证类》补。

332　假苏[1]

无毒。一名姜芥。生汉中。

〔《本经》原文〕

假苏，味辛，温。主寒热鼠瘘，瘰疬生疮，破结聚气，下瘀血，除湿痹。一名鼠蓂。生川泽。

【校注】

[1] 假苏条见《新修》《千金翼》。又，《品汇》以"荆芥"为正名。按，《大观》、《政和》、《证类》、《大全》、成化本《政和》、玄《大观》"假苏"条注有掌禹锡按《蜀本》引《吴氏本草》

名荆芥。盖“荆芥”一名是出于《吴普本草》。

333 水萍[1]

味酸，无毒。主下气。以沐浴，生毛发。一名水白，一名水苏。生雷泽[2]。三月采，暴干。

〔《本经》原文〕

水萍，味辛，寒。主暴热身痒，下水气，胜酒，长须发，止消渴。久服轻身。一名水华。生池泽。

【校注】

[1] 水萍条见《御览》卷1000、《千金翼》。本条，《古今合璧事类备要》别集卷56引本草作“大者曰蘋，茎长三四寸，亦叶叶相对而生，浮在水中，亦无根著”。其他各本无此文。又，《通志略》将“水萍”并在“藻”条中。

[2] **泽** 《御览》在“泽”字下，有“水上”2字，其他各本无此2字。

334 海藻[1]

味咸，无毒。主治皮间积聚暴㿉，留气结热[2]，利小便。一名薄。生东海，七月七日[3]采，暴干。反甘草[4]。

〔《本经》原文〕

海藻，味苦，寒。主瘿瘤气，颈下核，破散结气，痈肿癥瘕坚气，腹中上下鸣，下十二水肿。一名落首。生池泽。

【校注】

[1] 海藻条见《御览》卷992、《千金翼》。又，本条，《尔雅》卷下郭璞引本草作“薚，海藻，药草也，一名海萝，如乱发，生海中”。其他各本无此文。又，《尔雅疏》卷8邢昺云：“案本草一名薚。”

[2] **皮间积聚暴㿉，留气结热** 《纲目》《图考长编》断句为“皮间积聚，暴㿉留气结热”。

[3] **七日** 《千金翼》脱“七日”2字，其他各本有“七日”2字。

[4] **反甘草** 《纲目》《草木典》注为徐之才文。此文《本草经集注》已有著录。

335 昆布[1]

味咸，寒，无毒。主治十二种水肿，瘿瘤聚结气，瘘疮。生东海。

【校注】

[1] 昆布条见《御览》卷992、《千金翼》。又，“昆布”，《御览》作“纶布”，其他各本作“昆布”。

336 荭草[1]

味咸，微寒，无毒。主治消渴，去热，明目，益气。一名鸿藹[2]。如马蓼而大，生水傍，五月采实。

【校注】

[1] 荭草条见《千金翼》、《大观》卷9。

[2] **一名鸿藹** 《和名》作“一名鸿蕰”，其他各本作“一名鸿藹”。

337 陟厘[1]

味甘，大温，无毒。主治心腹大寒，温中消谷，强胃气，止泄痢。生江南池泽。

【校注】

[1] 陟厘条见《千金翼》、《大观》卷9。“陟厘”，《和名类聚钞》作“陟釐”，其他各本作“陟厘”。

338 干姜[1]

大热，无毒。主治寒冷腹痛，中恶，霍乱，胀满，风邪诸毒，皮肤间结气，止唾血。生姜，味辛，微温。主治伤寒头痛、鼻塞，咳逆上气，止呕吐。生犍为及荆州、扬州。九月采。秦椒为之使，杀半夏、莨菪毒，恶黄芩[2]、天鼠矢[3]。

又，生姜，微温，辛，归五脏。去痰，下气，止呕吐，除风邪寒热。久服小志少智，伤心气[4]。

〔《本经》原文〕

干姜，味辛，温。主胸满咳逆上气，温中，止血，出汗，逐风湿痹，肠澼下利。生者尤良。久服去臭气，通神明。生川谷。

【校注】

[1] 干姜条见《千金翼》、《大观》卷8。

[2] **恶黄芩** 《本草经集注》作“恶黄芩”，其他各本作“恶黄芩、黄连”。

[3] **天鼠矢** 《医心方》《本草经集注》作“天鼠矢”，其他各本作“天鼠粪”。又，“秦椒为之使，杀半夏、莨菪毒，恶黄芩、天鼠矢”，《纲目》《草木典》注为徐之才文。此文《本草经集注》已有著录。

[4] **生姜，微温……伤心气** 此文出《新修》“韮”条注引《别录》文。

339 薰草[1]

味甘，平，无毒。主治明目，止泪，治泄精，去臭恶气，伤寒头痛，上气，腰痛。一名蕙草。生下湿地，三月采，阴干，脱节者良[2]。

【校注】

[1] 薰草条见《新修》《千金翼》。

[2] **良** 此下《纲目》《草木典》有“又曰：蕙实，生鲁山平泽”9字，其他各本无此9字。按，此9字原是“有名无用”蕙实条之文。《纲目》《草木典》将“蕙实”条并在“薰草”条中，故此9字亦随文并入“薰草”条中。又，《急就篇》王应麟注云：“本草薰草一名蕙。”石户谷勉《中国北部之药草》云：“零陵香及薰草，此药物收载于陶弘景《名医别录》中品，本称为薰草，以后因其于零陵地方，故亦称零陵香，零陵在今广西省全州附近。”《通志略》云：“兰即蕙，蕙即薰，薰即零陵香，楚辞云，滋兰九畹，植蕙百亩，互言也，古方谓之薰草，故《名医别录》出薰草条。”又云：“《别录》云薰草一名蕙草。”

340 船虹[1]

味酸，无毒。主下气，止烦满[2]。可做浴汤，药色黄。生蜀郡，立秋取。

【校注】

[1] 船虹条见《新修》《千金翼》。

[2] **满** 《纲目》《草木典》《群芳谱》作“渴”，其他各本作“满”。

341 婴桃[1]

味辛，平，无毒。主止泄肠澼，除热，调中，益脾气，令人好色[2]美志。一名牛桃[3]，一名英豆。实大如麦，多毛。四月采，阴干。

【校注】

[1] 婴桃条见《新修》《千金翼》。又，"婴桃"，《纲目》作"山婴桃"，其他各本无"山"字。本条，《初学记》引本草作"樱桃，味甘，主调中，益脾气，令人好颜色，美志气。一名牛桃，一名麦英"。

[2] **好色**　《纲目》《草木典》作"好颜色"，其他各本无"颜"字。

[3] **牛桃**　《纲目》作"朱桃"，其他各本作"牛桃"。

342　五色符[1]

味苦，微温。主治咳逆，五脏邪气，调中，益气，明目，杀虱[2]。青符、白符、赤符、黑符、黄符[3]，各随色补其脏。白符一名女木。生巴郡[4]山谷。

【校注】

[1] 五色符条见《新修》《千金翼》。

[2] **杀虱**　《纲目》《草木典》《群芳谱》作"杀虫"，其他各本作"杀虱"。

[3] **黄符**　《新修》原脱，据《千金翼》、《大观》、《政和》、《证类》、玄《大观》、《大全》、成化本《政和》补。

[4] **郡**　《纲目》《草木典》《群芳谱》脱"郡"字，其他各本有"郡"字。

〔附〕龙脑香及[1]膏香[2]

味辛、苦，微寒，一云温，平，无毒。主治心腹邪气，风湿积聚，耳聋，明目，去目赤肤翳[3]。出婆律国，形似白松脂，作杉木气，明净者善；久经风日，或如雀屎者不佳。云合粳米炭[4]、相思子贮之，则不耗。膏，主耳聋。

又，龙脑治妇人难产，取龙脑研末少许，以新汲水调服，立差[5]。

【校注】

[1] **及**　《和名》作"乃"，其他各本作"及"。

[2] 龙脑香及膏香条见《新修》、《御览》卷981。

[3] **肤翳**　《新修》脱，据《千金翼》《证类》补。

[4] **粳米炭**　《新修》作"粳米"，《御览》作"粳米灰"，《千金翼》《大观》《政和》《证类》作"糯米炭"。

[5] **以新汲水调服，立差**　《纲目》《草木典》作"新汲水服立下"。《大观》、玄《大观》、成化本《政和》、《大全》、《政和》、《证类》作"以新汲水调服，立差"。又，"龙脑治妇人……立差"，此文出《海药本草》引《别录》文。

343 石剧[1]

味甘无毒。主渴消[2]中[3]。

【校注】

[1] 石剧条见《新修》《千金翼》。

[2] **消** 《新修》原脱“消”字，据《千金翼》《大观》《政和》《证类》补。

[3] **主渴消中** 《纲目》《群芳谱》作“止消渴”，《草木典》作“止消渴中”。

344 路石[1]

味甘，酸，无毒。主治心腹，止汗生肌[2]，酒[3]痂，益气，耐寒，实骨髓。一名陵石。生草石上，天雨独干，日出独濡，花黄，茎赤黑。三岁一实，实[4]赤如麻子。五月、十月采茎叶，阴干。

【校注】

[1] 路石条见《新修》《千金翼》。

[2] **肌** 《新修》原作“肤”，据《千金翼》《大观》《政和》《证类》改。

[3] **酒** 《纲目》作“润”，其他各本作“酒”。

[4] **实** 《新修》有“实”字，其他各本无“实”字。

345 旷石[1]

味甘，平[2]，无毒。主益气，养神，除热，止渴。生江南，如石草。

【校注】

[1] 旷石条见《新修》《千金翼》。

[2] **平** 《新修》原脱，据《千金翼》《大观》《政和》《证类》补。

346 败石[1]

味苦，无毒。主治渴、痹。

【校注】

[1] 败石条见《新修》《千金翼》。

347 越砥[1]

味甘，无毒。主治目盲，止痛[2]，除热瘙[3]。

【校注】

[1] 越砥条见《新修》《千金翼》。又，《纲目》将“越砥”条作金石类，排在金石部。又，“越砥”，《千金翼》作“越砥石”，其他各本无“石”字。又，玄《大观》作“越砡”。

[2] **痛** 此下《新修》原衍“阴”字，据《千金翼》《证类》删。

[3] **目盲，止痛，除热瘙** 《纲目》注为《本经》文。《大观》、玄《大观》、《大全》、成化本《政和》、《政和》、《证类》作墨字《别录》文，森本、孙本、顾本、狩本、黄本皆不取此7字作《本经》文。按，此7字应为《别录》文。“瘙”，《新修》作“瘥”，据《千金翼》《证类》改。

348 夏台[1]

味甘。主百疾，济绝气。

【校注】

[1] 夏台条见《新修》《千金翼》。

349 鬼目[1]

味酸，平，无毒。主明目。一名来甘。实赤如五味，十月采。

【校注】

[1] 鬼目条见《新修》《千金翼》。

350 马唐[1]

味甘，寒。主调中，明耳目。一名羊麻，一名羊粟。生下湿[2]地，茎有节，节[3]生根，五月采。

【校注】

[1] 马唐条见《新修》《千金翼》。

[2] **湿** 《新修》原脱“湿”字，据《千金翼》《大观》《政和》《证类》补。

[3] **节** 《新修》有“节”字，其他各本无“节”字。

351 羊乳[1]

味甘，温，无毒。主治头眩[2]痛，益[3]气，长肌肉。一名地黄。三月采，立夏后母死。

【校注】

[1] 羊乳条见《新修》《千金翼》。本条，《群芳谱》作“其根多白汁，故俚人呼为羊婆奶，即《别录》所谓羊乳”。

[2] **眩** 《纲目》《草木典》作“肿”，其他各本作“眩”。

[3] **益** 《新修》原脱，据《千金翼》《大观》《政和》《证类》补。

352 犀洛[1]

味甘，无毒。主治癃[2]。一名星洛，一名泥洛。

【校注】

[1] 犀洛条见《新修》《千金翼》。

[2] **癃** 此下《纲目》《草木典》《群芳谱》有“疾”字。

353 雀翘[1]

味咸。主益气，明目。一名去母，一名更生[2]。生蓝中，叶细黄，茎赤有刺。四月实，实[3]兑[4]黄中黑。五月采，阴干。

【校注】

[1] 雀翘条见《新修》《千金翼》。

[2] **一名去母，一名更生** 《纲目》《草木典》排在“雀翘”条末。

[3] **实** 《新修》有“实”字，其他各本无“实”字。

[4] **兑** 《纲目》作“锐”，其他各本作“兑”。

354 鸡涅[1]

味甘，平，无毒。主明目，目[2]中寒风，诸不足，水腹[3]，邪气，补中，止泄痢，女子白沃[4]。一名阴洛。生鸡山，采无时。

【校注】

[1] 鸡涅条见《新修》《千金翼》。

[2] **目** 《纲目》、《政和》、成化本《政和》、《草木典》脱漏“目”字。

[3] **水腹** 《新修》、《千金翼》、玄《大观》作“水腹”，其他各本作“水肿”。

[4] **女子白沃** 《新修》作“女子白沃”，其他各本作“疗女子白沃”。

355 相乌[1]

味苦。主治阴痿。一名乌葵[2]，如兰香，赤茎。生山阳，五月十五日采，阴干。

【校注】

[1] 相乌条见《新修》《千金翼》。又，“相乌”，《和名》作“相马”，其他各本作“相乌”。

[2] **乌葵** 《群芳谱》作“鸟葵”，其他各本作“乌癸”。

356 神护草[1]

可使独守，叱咄人，寇盗不敢入门。生常山北共[2]，八月采[3]。

【校注】

[1] 神护草条见《新修》《千金翼》。

[2] **共** 《新修》有“共”字，其他各本无“共”字。

[3] **生常山北共，八月采** 《纲目》《草木典》排在“神护草”之后。

357 黄护草[1]

无毒。主治痹，益气，令人嗜食。生陇西。

【校注】

[1] 黄护草条见《新修》《千金翼》。

358 天雄草[1]

味甘，温，无毒。主益气，阴痿。生山泽中，状如兰，实如大豆，赤色。

【校注】

[1] 天雄草条见《新修》《千金翼》。

359 益决草[1]

味辛，温，无毒。主治咳逆肺伤[2]。生山阴，根如细辛。

【校注】

[1] 益决草条见《新修》《千金翼》。
[2] 伤 《新修》原作“肠”，据《千金翼》《大观》《政和》《证类》改。

360 异草[1]

味甘，无毒，主治痿痹，寒热，去黑子。生蔿木上，叶如葵，茎傍[2]有角，汁白。

【校注】

[1] 异草条见《新修》《千金翼》。
[2] 傍 《新修》原作“温”，据《千金翼》《大观》《政和》《证类》改。

361 勒草[1]

味甘，无毒。主治瘀血，止精，溢盛气。一名黑草。生山谷，如瓜蒌。

【校注】

[1] 勒草条见《新修》《千金翼》。又，玄《大观》作“勒早”，其他各本作“勒草”。

362 英草华[1]

味辛，平[2]，无毒。主治痹气，强阴，治面劳疽[3]，解烦，坚筋骨，治风头。

可作沐药。生蔓木上。一名鹿英。九月采，阴干。

【校注】

[1] 英草华条见《新修》《千金翼》。

[2] 平 《新修》原脱，据《千金翼》《大观》《政和》《证类》补。

[3] 面劳疸 《纲目》《草木典》作“女劳疸”，其他各本作“面劳疸”。

363 吴葵华[1]

味咸，无毒。主理心[2]气不足。

【校注】

[1] 吴葵华条见《新修》《千金翼》。

[2] 心 《千金翼》《证类》作“心心”，其他各本只作“心”。

〔附〕北荇华[1]

味苦，无毒。主治气脉溢。一云芹华。

【校注】

[1] 北荇华条见《千金翼》。本条除《千金翼》见录外，其他各本无。但是《证类》卷3“紫葳”条陶隐居注引《博物志》作“郝晦行华草于太行山北”。又，《群芳谱》卷97引《博物志》云：“钩吻草与荇华相似。”

364 隩华[1]

味甘，无毒。主治上气，解烦，坚筋骨。

【校注】

[1] 隩华条见《新修》《千金翼》。

365 节华[1]

味苦，无毒。主治伤中，痿痹，溢肿。皮，主治脾中客热[2]气[3]。一名山节，一名达节[4]，一名通柒。十月采，暴干。

【校注】

[1] 节华条见《新修》《千金翼》。“节华”，《群芳谱》作“节草”。

[2] **热** 《新修》原脱，据《千金翼》《大观》《政和》《证类》补。

[3] **主治伤中，痿痹，溢肿。皮，主治脾中客热气** 《纲目》断句为“主伤中痿痹，溢肿皮，主脾中客热气”。

[4] **一名达节** 《和名》作“一名达华”，其他各本作“一名达节”。

366 新雉木[1]

味苦，香，温，无毒。主治风头[2]，眩痛，可作沐药。七月采，阴干，实如桃。

【校注】

[1] 新雉木条见《新修》《千金翼》。

[2] **头** 《新修》有“头”字，其他各本无“头”字。

367 合新木[1]

味辛，平，无毒。解心烦，止疮痛[2]。生辽东。

【校注】

[1] 合新木条见《新修》《千金翼》。

[2] **解心烦，止疮痛** 《新修》原作“解烦心，上疗痛”，据《千金翼》《大观》《政和》《证类》改。

368 俳蒲木[1]

味甘，平，无毒。主少气，止烦。生山陵[2]。叶如柰，实赤，三核[3]。

【校注】

[1] 俳蒲木条见《新修》《千金翼》。

[2] **山陵** 《新修》作“山陵”，其他各本作“陵谷”。

[3] **三核** 《纲目》《群芳谱》作“三棱”，其他各本作“三核”。

369 遂阳木[1]

味甘，无毒。主益气。生山中[2]。如白杨叶，三月实，十月熟赤，可食。

【校注】

[1] 遂阳木条见《新修》《千金翼》。

[2] **中** 《新修》原脱，据《千金翼》《大观》《政和》《证类》补。

370 获皮[1]

味苦。止消渴，去[2]白虫。益气。生江南。如松叶，有别[3]刺，实赤黄。十月采。

【校注】

[1] 获皮条见《新修》《千金翼》。“获皮”，《新修》原作“萩皮”，据《千金翼》《大观》《政和》《证类》改。

[2] **去** 《纲目》《草木典》脱“去”字。

[3] **别** 《千金翼》脱“别”字，其他各本有“别”字。

371 蕙实[1]

味辛。主明目，补中。根茎中汤[2]，治伤寒，寒热，出汗，中风，面肿，消渴，热中，逐水[3]。生鲁山平泽。

【校注】

[1] 蕙实条见《新修》《千金翼》。

[2] **汤** 《新修》《千金翼》作“汤”，其他各本作“涕”。

[3] **逐水** 《新修》原作“遂水”，据《千金翼》《大观》《政和》《证类》改。

372 白并[1]

味苦，无毒。主治肺咳上气，行五脏，令百病不起。一名王萧[2]，一名箭悍。叶如小竹，根黄白皮[3]。生山陵[4]。三月[5]、四月采根，曝干。

【校注】

[1] 白并条见《新修》《千金翼》。

[2] **王萧** 《新修》《和名》作“玉箫”，据《千金翼》《证类》改。

[3] **白皮** 《新修》作“白皮”，其他各本作“皮白”。

[4] **一名王萧……生山陵** 《纲目》作“一名王富，一名箭竿，生山陵。叶如小竹，根黄白”。

[5] **月** 《新修》原脱，据《千金翼》《大观》《政和》《证类》补。

373 赤涅[1]

味甘，无毒。主治疰，崩中，止血，益气。生蜀郡山[2]石阴地湿处。采无时。

【校注】

[1] 赤涅条见《新修》《千金翼》。

[2] **山** 《纲目》作“出”，其他各本作“山”。

374 黄秫[1]

味苦，无毒。主止心烦，汗出[2]。生如桐，根黄[3]。

【校注】

[1] 黄秫条见《新修》《千金翼》。

[2] **主止心烦，汗出** 《新修》作“主止心烦汗出”，其他各本作“主心烦止汗出”。

[3] **黄** 《新修》有“黄”字，其他各本无“黄”字。

375 黄白支[1]

生山陵。三月[2]、四月采根，曝干。

【校注】

[1] 黄白支条见《新修》《千金翼》。

[2] **月** 《新修》原脱，据《千金翼》《大观》《政和》《证类》补。

376 紫蓝[1]

味咸，平[2]，无毒。主食肉得毒，能消除之。

【校注】

[1] 紫蓝条见《新修》《千金翼》。

[2] **平** 《新修》有“平”字，其他各本无“平”字。

377 累根[1]

主缓筋，令不痛。

【校注】

[1] 累根条见《新修》《千金翼》。

378 良达[1]

主治齿痛，止渴，轻身。生山阴，茎蔓延，大如葵，子滑小[2]。

【校注】

[1] 良达条见《新修》《千金翼》。

[2] **大如葵，子滑小** 《千金翼》断句为“大如葵，子滑小”，《纲目》断句为“大如葵子，滑小”。

379 委蛇[1]

味甘，平，无毒。主治消渴，少气，令人耐寒。生人家园中，大枝长须，多叶两两[2]相值，子如芥子。

【校注】

[1] 委蛇条见《新修》《千金翼》。

[2] **两两** 《新修》作“两两”。《千金翼》、《大观》、玄《大观》、《大全》、成化本《政和》、《政和》、《证类》、《品汇》、《纲目》作“而两两”。

380 麻伯[1]

味酸，无毒。主益气，出汗。一名君莒[2]，一名衍草，一名道止，一名自死。生平陵，如兰，叶黑厚，白裹[3]茎，实赤黑[4]。九月采根。

【校注】

[1] 麻伯条见《新修》《千金翼》。

[2] **君莒** 《和名》《草木典》作“局莒”，其他各本作“君莒”。

[3] **裹** 《千金翼》《品汇》《纲目》《草木典》作“裹”，其他各本作“里”。

[4] **如兰，叶黑厚，白裹茎，实赤黑** 《千金翼》断句为“如兰，叶黑厚白裹茎，实亦黑”。

381 类鼻[1]

味酸，温，无毒。主治痿痹。一名类重。生田中高地，叶如天[2]名精、美[3]根。五月采。

【校注】

[1] 类鼻条见《新修》《千金翼》。

[2] **天** 《新修》原脱，据《千金翼》《大观》《政和》《证类》补。

[3] **美** 《纲目》作“叶”。

382 逐[1]折[2]

杀鼠，益气，明目。一名百合。厚实，生木[3]间，茎黄，七月实黑如大豆。

【校注】

[1] **逐** 《新修》原作“遂”，据《千金翼》《大观》《政和》《证类》改。

[2] 逐折条见《新修》《千金翼》。

[3] **木** 《千金翼》作“禾”，其他各本作“木”。

383 并苦[1]

主治咳逆上气，益肺气，安五脏。一名蜮[2]薰，一名玉荆[3]。三月采，阴干。

【校注】

[1] 并苦条见《新修》《千金翼》。

[2] **蜮** 音或。

[3] **一名玉荆** 《新修》《和名》作“一名王荆”，据《千金翼》《证类》改。

384 索干[1]

味苦，无毒。主易耳。一名马耳。

【校注】

[1] 索干条见《新修》《千金翼》。又，“索干”，《纲目》《群芳谱》作“索千”，《千金翼》作“索十”，其他各本作“索干”。

385 疥柏[1]

味辛，温，无毒。主轻身，治痹。五月采，阴干[2]，生上党[3]。

【校注】

[1] 疥柏条见《新修》《千金翼》。又，“疥柏”，《新修》《和名》作“疥柏”，《千金翼》、《大观》、玄《大观》、《大全》、成化本《政和》、《政和》、《证类》、《品汇》、《纲目》作“疥拍腹”。

[2] **阴干** 《新修》原脱，据《千金翼》、《大观》、《政和》、《证类》、玄《大观》、《大全》、成化本《政和》补。

[3] **生上党** 《新修》原脱，据《千金翼》补。

386 常更[1]之生[2]

味苦，平，无毒。主明目。实有刺，大如稻米[3]。

【校注】

[1] **更** 《新修》《和名》作“更”，其他各本作“吏”。《证类》注云：“《蜀本》作常更之生。”

[2] 常更之生条见《新修》《千金翼》。

[3] **米** 《纲目》《草木典》作“梁”，其他各本作“米”。

387 城里赤柱[1]

味辛，平。治妇人漏血，白沃，阴蚀，湿痹，邪气，补中，益气。生晋平阳。

【校注】

[1] 城里赤柱条见《新修》《千金翼》。又，“柱”，《和名》作“桂”，其他各本作“柱”。

388 凫葵[1]

味甘，冷，无毒。主消渴，去热淋，利小便。生水中，即荇菜也。一名接余。五月采[2]。

【校注】

[1] 凫葵条见《千金翼》、《大观》卷9。又，《大观》“凫葵”条“唐本注”云：“凫葵南人名猪莼，堪食，‘有名未用’条中载也。”掌禹锡云：“今据‘唐本注’云‘有名未用条中载也’，而寻‘有名未用’条中，即无凫葵、猪莼，盖经《开宝详定》已删去也。”又，玄《大观》、《大全》、成化本《政和》、《政和》、《证类》所注与《大观》相同。据此可知凫葵是出自“有名无用”中。

[2] **五月采** 《千金翼》有“五月采”3字，其他各本无此3字。

〔附〕白菀[1]

一名织女菀，一名茆。生汉中川谷，或山阳。正月、二月采，阴干。

【校注】

[1] 白菀条见《大观》卷9、《证类》。又，《大观》“女菀”条“唐本注”云：“白菀即女菀，更无别者，‘有名未用’中浪出一条。”又，掌禹锡注：“据‘有名未用’中，无白菀者，盖唐修本草时删去尔。”又，玄《大观》、《大全》、成化本《政和》、《政和》、《证类》所注皆相同，据此可知“有名未用”类中，应有白菀。

389 零羊角[1]

味苦，微寒，无毒。主治伤寒，时气寒热，热[2]在肌肤，温[3]风注毒伏在骨间，除郁[4]，惊梦，狂越，僻谬[5]，及食噎不通。久服强筋骨，轻身[6]，起阴，益气[7]，利丈夫。生石城山及华阴山[8]，采无时。

〔《本经》原文〕

零羊角，味咸，寒。主明目，益气，起阴，去恶血注下，辟蛊毒恶鬼不祥，安心气，常不魇寐。生川谷。

【校注】

[1] 零羊角条见《新修》、《御览》卷988。又，“零羊角”，武田本《新修》、《新修》、《和名》作“零羊角”，其他各本作“羚羊角”。

[2] **热** 武田本《新修》、《新修》原脱，据《千金翼》《大观》《政和》《证类》补。

[3] **温** 《纲目》《禽虫典》作“湿”，其他各本作“温”。

[4] **郁** 《新修》作“郁”，其他各本作“邪气”2字。

[5] **除郁，惊梦，狂越，僻谬** 《纲目》《禽虫典》移在“主治”之后。

[6] **久服强筋骨，轻身** 《政和》、《证类》、成化本《政和》、《大全》取此7字皆作《别录》文，《纲目》亦注为《别录》文，孙本、黄本、顾本亦不取此7字为《本经》文。但《大观》、玄

《大观》取此7字作白字《本经》文，《品汇》、森本、狩本、《续疏》皆取此7字为《本经》文。本书从《政和》等为正，取此7字为《别录》文。

[7] **起阴，益气** 《千金翼》脱“起阴益气”4字，其他各本有此4字。

[8] **生石城山及华阴山** 《纲目》《禽虫典》作“出石城及华阴山谷”。《新修》作“生石坡山，生华阴山”。其他各本作“生石城山及华阴山”。

390 羖羊角[1]

味苦，微寒，无毒。主治百节中结气，风头痛[2]及蛊毒、吐血，妇人产后余痛[3]。烧之杀鬼魅，辟虎狼[4]。生河西。取无时，勿使中湿，湿即[5]有毒。菟丝为之使。羊髓，味甘，温，无毒。主治男女伤中，阴气不足[6]，利血脉，益经气，以酒服之。

【校注】

[1] 羖羊角条见《新修》《千金翼》。

[2] **痛** 武田本《新修》、《新修》原脱，据《千金翼》、《大观》、《政和》、《证类》、玄《大观》、《大全》、成化本《政和》补。

[3] **痛** 《千金翼》作“疾”，其他各本作“痛”。

[4] **烧之杀鬼魅，辟虎狼** 《纲目》《禽虫典》作“烧之，辟恶鬼虎狼”。又，《纲目》《禽虫典》注此文为《本经》文。《大观》、玄《大观》、《大全》、成化本《政和》、《政和》、《证类》、《品汇》注为《别录》文，森本、孙本、顾本、狩本、黄本皆不取此文为《本经》文。按，此文应为《别录》文。

[5] **湿即** 武田本《新修》、《新修》原脱“湿即”2字，据《千金翼》、《大观》、《政和》、《证类》、玄《大观》、《大全》、成化本《政和》补。

[6] **主治男女伤中，阴气不足** 《纲目》《禽虫典》作“主治男子女人伤中，阴阳气不足”。

391 青羊胆

治青盲，明目。

392 羊肺

补肺，治咳嗽[1]。

【校注】

[1] **嗽** 武田本《新修》、《新修》原作“味”，据《千金翼》《大观》《政和》《证类》改。

393 羊心

止忧恚隔气。

394 羊肾

补肾气[1]，益精髓。

【校注】

[1] **气** 此下《纲目》《禽虫典》有“虚弱”2字，其他各本无此2字。

395 羊齿

治小儿羊痫，寒热[1]。三月三日取之[2]。

【校注】

[1] **羊痫，寒热** 武田本《新修》、《新修》原作“痒痫寒”，据《千金翼》、《大观》、《政和》、《证类》、玄《大观》、《大全》、成化本《政和》改。

[2] **之** 武田本《新修》、《新修》有“之”字，其他各本无“之”字。

396 羊肉

味甘，大热，无毒。主缓中[1]，字乳余疾，及头脑[2]大风汗出，虚劳寒冷，补中[3]益气，安心止惊。

【校注】

[1] **缓中** 《纲目》《禽虫典》作“暖中”，其他各本作“缓中”。

[2] **脑** 《新修》原作“悤”，据武田本《新修》、《千金翼》、《大观》、《政和》、《证类》、玄《大观》、《大全》、成化本《政和》改。

[3] **补中** 武田本《新修》、《新修》原作“补寒”，据《千金翼》《大观》《政和》《证类》改。

397 羊骨

热，治虚劳，寒中，羸瘦。

398　羊屎

燔之，治小儿泄痢，肠鸣惊痫。

〔《本经》原文〕

羖羊角，味咸，温。主青盲明目，杀疥虫，止寒泄，辟恶鬼虎狼，止惊悸。久服，安心益气轻身。生川谷。

399　犀角[1]

味咸、酸[2]，微寒，无毒。主治伤寒，温疫，头痛，寒热，诸毒气。久服[3]骏健[4]。生永昌及益州。松脂为之使，恶雚菌、雷丸[5]。

〔《本经》原文〕

犀角，味苦，寒。主百毒蛊注，邪鬼瘴气，杀钩吻、鸩羽、蛇毒，除邪，不迷惑魇寐。久服轻身。生山谷。

【校注】

[1] 犀角条见《新修》、《御览》卷988。

[2] **咸、酸**　武田本《新修》、《新修》作"咸酸"，其他各本作"酸咸"。

[3] **久服**　《纲目》《禽虫典》作"令人"，其他各本作"久服"。

[4] **骏健**　《品汇》《续疏》注为《本经》文。《大观》、玄《大观》、《大全》、成化本《政和》、《政和》、《证类》、《纲目》、《禽虫典》注为《别录》文，森本、孙本、顾本、狩本、黄本皆不取此2字为《本经》文。按，此2字应为《别录》文。

[5] **松脂为之使，恶雚菌、雷丸**　《纲目》《禽虫典》注为徐之才文。此文《本草经集注》已有著录。

400　牛角䚡[1]

燔之，味苦，无毒。水牛角[2]，治时气寒热头痛。髓，味甘，温，无毒。主安五脏，平三焦，温骨髓，补中[3]，续绝伤[4]，益气，止泄利，消渴，以酒[5]服之[6]。胆，味苦，大寒。除心腹热渴，利[7]口焦燥，益目精。心，治虚忘[8]。肝，主明目[9]。肾，主补肾气，益精。齿，治小儿牛痫。肉，味甘[10]，平，无毒。治消渴，止啘泄[11]，安中益气，养脾胃，自死者不良。屎，寒，治水肿，恶气，用[12]涂门户著壁者，燔之，治鼠瘘，恶疮[13]。黄犍牛、乌牯牛溺，治水肿，腹胀，脚满，利小便。

又，牛鼻中木卷，治小儿痫。草卷烧灰[14]，主治小儿鼻下疮[15]。

〔《本经》原文〕

牛角鰓，下闭血瘀血疼痛，女人带下血。髓，补中，填骨髓。久服增年。胆，可丸药。

【校注】

[1] 牛角鰓条见《新修》《千金翼》。

[2] **水牛角** 《纲目》《禽虫典》作“水牛者燔之”。又，“角”字下，《品汇》有“味苦冷无毒”5字。

[3] **温骨髓，补中** 《纲目》《禽虫典》脱此5字，其他各本有此5字。

[4] **伤** 《大全》、《大观》、成化本《政和》、《政和》、《证类》无“伤”字，《新修》《千金翼》《品汇》《纲目》《图经衍义》皆有“伤”字。

[5] **酒** 武田本《新修》、《新修》原误作“滴”，据《千金翼》《大观》《政和》《证类》改。

[6] **益气，止泄利，消渴，以酒服之** 《纲目》《禽虫典》作“益气力，止泄利，去消渴，皆以清酒暖服之”。

[7] **利** 《纲目》《禽虫典》作“止下痢及”4字。

[8] **忘** 此下《纲目》《禽虫典》有“补心”2字。

[9] **肝，主明目** 武田本《新修》、《新修》原脱，据《千金翼》、《大观》、《政和》、《证类》、玄《大观》、《大全》、成化本《政和》补。又，此文，《纲目》《禽虫典》作“肝补肝明目”。

[10] **味甘** 《千金翼》作“味咸”，其他各本作“味甘”。

[11] **止啘泄** “止”，武田本《新修》、《新修》原作“上”，据《千金翼》《大观》《政和》《证类》改。“啘”，《大观》、《千金翼》、玄《大观》、《图经衍义》作“吐”。

[12] **用** 武田本《新修》、《新修》原作“白”，据《千金翼》《大观》《政和》《证类》改。

[13] **用涂门户著壁者，燔之，治鼠瘘，恶疮** 《纲目》《禽虫典》作“干者燔之，敷鼠瘘恶疮”。

[14] **烧灰** 武田本《新修》、《新修》作“烧灰”，《大观》《政和》《证类》作“烧之为屑”。

[15] **牛鼻中……鼻下疮** 此文出《新修》“牛角鰓”条注引《别录》文。

401 白马茎[1]

味甘，无毒。主治小儿惊痫。阴干百日。

悬蹄

止衄血，内漏，龋齿。生云中。

白马蹄[2]

治妇人漏[3]下，白崩。

赤马蹄

治赤崩并温[4]。

齿

治小儿马痫[5]。

鬐头膏[6]

主生发。鬐毛[7]，主女子崩中赤白。

心

治喜忘。肺，治寒热，小儿[8]茎痿。肉味辛、苦，冷[9]。主除[10]热下气，长筋，强腰脊，壮健，强意利志[11]，轻身不饥。脯，治寒热痿痹。屎，名马通，微温。治妇人崩中，止渴，及[12]吐下血[13]，鼻衄，金创[14]，止血[15]。头骨[16]，治喜眠，令人不睡[17]。溺，味辛，微寒。治消渴，破癥坚积聚，男子伏梁积疝，妇人瘕疾[18]。铜器承饮之[19]。

又，马毛，主小儿惊痫[20]。

〔《本经》原文〕

白马茎，味咸，平。主伤中脉绝，阴不起，强志，益气，长肌肉肥健，生子。眼，主惊痫，腹满，疟疾，当杀用之。悬蹄，主惊邪，瘈疭，乳难，辟恶气鬼毒蛊注不祥。生平泽。

【校注】

[1] 白马茎条见《新修》《千金翼》。

[2] **蹄** 此下《品汇》衍“味甘平热无毒”6字，其他各本无此6字。

[3] **漏** 武田本《新修》、《新修》作“漏”，其他各本作“痿”。

[4] **赤崩并温** 武田本《新修》、《新修》作“赤崩并温”，其他各本作“妇人赤崩”。

[5] **小儿马痫** 武田本《新修》、《新修》、《千金翼》、《大观》、《纲目》作“小儿马痫”。《政和》、《证类》、《大全》、成化本《政和》、《品汇》作“小儿惊痫”。又,《纲目》《禽虫典》在“痫”字下,衍“水磨服”3字,其他各本无此3字。又,《纲目》《禽虫典》在“马齿”条下,有“马眼主惊痫腹满疟疾”9字作《别录》文。《大观》、玄《大观》、《大全》、成化本《政和》、《政和》、《证类》作《本经》文,《品汇》、森本、孙本、顾本、狩本、黄本皆取此文为《本经》文,按,此9字应为《本经》文,非《别录》文。

[6] **骨** 此下《品汇》有“平”字,其他各本无“平”字。

[7] **毛** 此下《纲目》《禽虫典》有“小儿惊痫”4字,其他各本无此4字。

[8] **小儿** 《品汇》脱此2字,其他各本有此2字。

[9] **冷** 此下《品汇》衍“有毒”2字,其他各本无此2字。

[10] **除** 武田本《新修》、《新修》作“除”,《纲目》《禽虫典》作“伤中”2字。其他各本脱漏“除”字。

[11] **强意利志** 武田本《新修》、《新修》作“强意利志”,其他各本作“强志”2字,并无“意利”2字。

[12] **及** 武田本《新修》、《新修》原作“利”,据《千金翼》《大观》《政和》《证类》改。

[13] **及吐下血** 《纲目》《禽虫典》作“止吐血下血”。

[14] **金创** 《千金翼》作“金疮”,其他各本作“金创”。

[15] **止血** 《疏证》脱“止”字。

[16] **骨** 此下《品汇》衍“微寒”2字,其他各本无此2字。

[17] **睡** 此下《纲目》《禽虫典》有“烧灰水服方寸匕,日三夜一,作枕一良”15字,其他各本无此15字。

[18] **瘕疾** 《纲目》《禽虫典》作“瘕积”,其他各本作“瘕疾”。

[19] **之** 武田本《新修》、《新修》原脱,据《千金翼》、《大观》、《政和》、《证类》、《大全》、玄《大观》、成化本《政和》补。

[20] **马毛,主小儿惊痫** 此文出《新修》“白马茎”条注引《别录》文。

402 牡狗阴茎[1]

无毒[2]。六月[3]上伏取,阴干百日。胆[4]。主[5]痂疡,恶疮。心,治忧恚气,除邪。脑,主头风痹痛,疗[6]下部䘌疮,鼻中息肉[7]。齿[8],治癫痫,寒热,卒风痱[9],伏日取之。头骨[10],主金创[11],止血。四脚蹄[12],煮饮之,下乳汁[13]。白狗血,味咸[14],无毒。治癫疾发作。肉,味咸、酸,温。主安五脏,补绝伤,轻身益气。屎中骨,治寒热,小儿惊痫。

又,狗骨灰,主下痢,生肌,傅马疮。乌狗血,主产难横生,血上荡[15]心者[16]。

〔《本经》原文〕

牡狗阴茎，味咸，平。主伤中，阴痿不起，令强热大，生子，除女子带下十二疾。一名狗精。胆，主明目。

【校注】

[1] 牡狗阴茎条见《新修》《千金翼》。

[2] **毒** 此下《纲目》《禽虫典》有“狗精”2字注为《别录》文。《大观》、玄《大观》、《大全》、成化本《政和》、《政和》、《证类》作白字《本经》文，森本、孙本、顾本皆取此2字为《本经》文。按，此2字应为《本经》文，非《别录》文。

[3] **月** 此下《新修》原衍“之”字，据《千金翼》《大观》《政和》《证类》删。

[4] **胆** 此下《品汇》衍“苦平”2字，其他各本无此2字。

[5] **主** 此下《大观》、玄《大观》有“明目”2字作墨字《别录》文，《品汇》亦注为《别录》文。《政和》、成化本《政和》、《大全》、《证类》取此2字作白字《本经》文，森本、孙本、顾本、狩本、黄本皆取此2字为《本经》文。按，此2字应为《本经》文，非《别录》文。

[6] **痛，疗** 武田本《新修》、《新修》有此2字，其他各本无此2字。

[7] **下部䘌疮，鼻中息肉** 《纲目》《禽虫典》颠倒为“鼻中息肉，下部䘌疮”。又，《千金翼》脱“肉”字。

[8] **齿** 此下《品汇》衍“性平”2字，其他各本无此2字。

[9] **疿** 《新修》作“沸”，据《千金翼》《证类》改。

[10] **骨** 此下《品汇》衍“性平”2字，其他各本无此2字。

[11] **金创** 武田本《新修》、《新修》作“金创”，其他各本作“金疮”。

[12] **蹄** 武田本《新修》、《新修》原脱，据《千金翼》《大观》《政和》《证类》补。又，《品汇》在“蹄”字下，衍“性平”2字，其他各本无此2字。

[13] **四脚蹄，煮饮之，下乳汁** 《纲目》《禽虫典》作“蹄肉，煮汁，能下乳汁”。

[14] **咸** 此下《品汇》衍“性温”2字，其他各本无此2字。

[15] **荡** 武田本《新修》、《新修》作“荡”，《大观》《政和》《证类》作“抢”。

[16] **者** 《纲目》《禽虫典》作“和酒服之”。又，“狗骨灰……血上荡心者”，此文《新修》注引《别录》文。

403 鹿茸[1]

味酸，微温，无毒。主治虚劳洒洒如虐，羸瘦，四肢酸疼，腰脊痛，小便利[2]。泄精，溺血，破留血[3]在腹，散石淋痈肿，骨中热疽，养骨，安胎，下气[4]，杀鬼精物，不可近阴，令痿。久服耐老[5]。四月、五月解角时取，阴干，使时燥[6]。麻勃为之使[7]。

角[8]

味咸[9]，无毒。除少[10]腹血痛，腰痛[11]折伤恶血，益气。七月取[12]。杜仲为之使。

髓

味甘，温。治丈夫女子伤中脉绝，筋急[13]，咳逆。以酒服之[14]。肾，平。主治肾气。肉，温。补中，强五脏，益气力。生者治口僻，割薄之[15]。

〔《本经》原文〕

鹿茸，味甘，温。主漏下恶血，寒热惊痫，益气强志，生齿不老。角，主恶疮痈肿，逐邪恶气，留血在阴中。

【校注】

[1] 鹿茸条见《新修》、《御览》卷988。又，《政和》"鹿茸"条全注为《别录》文。《大观》《证类》对白字《本经》文和墨字《别录》文是分别标记的。

[2] **小便利** 《纲目》《禽虫典》作"小便数利"。

[3] **破留血** 《纲目》《禽虫典》作"破瘀血"。

[4] **骨中热疽，养骨，安胎，下气** 武田本《新修》、《新修》作"骨中热疽，养骨，安胎，下气"。《千金翼》《大观》《政和》《证类》《续疏》作"骨中热，疽痒。骨，安胎，下气"。《品汇》作"骨中热，疽痒。骨味甘微热，无毒，主安胎，下气"。《纲目》作"骨中热，疽痒，安胎，下气"。

[5] **不可近阴，令痿。久服耐老** 《纲目》《禽虫典》颠倒为"久服耐老，不可近丈夫阴令痿"。

[6] **使时燥** 《续疏》作"使自燥"。

[7] **麻勃为之使** 《纲目》注为《甄权本草》文。按，此文《本草经集注》已有著录。"麻"，玄《大观》作"马"。

[8] **角** 此下《纲目》《禽虫典》有"恶疮痈肿，逐邪恶气，留血在阴中"13字注为《别录》文。《大观》、《大全》、玄《大全》、成化本《政和》、《证类》作白字《本经》文，《品汇》、森本、孙本、狩本、黄本、顾本、《续疏》皆取此13字为《本经》文。按，此13字应为《本经》文，非《别录》文。

[9] **咸** 此下《品汇》衍"微温"2字。

[10] **少** 武田本《新修》、《新修》、《纲目》作"少"，《千金翼》《大观》《政和》《证类》《品汇》《续疏》作"小"。

[11] **血痛，腰痛** 武田本《新修》、《新修》作"血痛腰痛"，《千金翼》、玄《大观》、《大全》、成化本《政和》、《政和》、《证类》、《品汇》、《续疏》作"血急痛，腰脊痛"，《纲目》《禽虫典》作"血痛，腰脊痛"。

[12] **七月取** 武田本《新修》、《新修》作"七月取"，其他各本作"七月采"。

[13] **筋急** 武田本《新修》、《新修》作"筋急"，其他各本作"筋急痛"。

[14] **以酒服之** 武田本《新修》、《新修》作"以酒服之"，其他各本作"以酒和服之良"。

[15] **肉，温……割薄之** 《纲目》《禽虫典》作“肉，甘，温，无毒。补中，益气力，强五脏，生者疗中风口僻，割片薄之”。“割”，《新修》作“剉”，据《千金翼》《大观》《政和》《证类》改。

404 麈骨[1]

微温。主治虚损，泄精。肉，温补益五脏。髓[2]，益气力，悦泽人面。

【校注】

[1] 麈骨条见《新修》《千金翼》。

[2] **髓** 此下《纲目》《禽虫典》衍“脑”字。

405 虎骨[1]

主除邪恶气，杀鬼疰毒，止惊悸，治恶疮，鼠瘘，头骨尤良。膏，治狗啮疮。爪[2]，辟恶魅。肉[3]，治恶心欲呕，益气力[4]。

又，屎，治恶疮。其眼睛[5]，治癫[6]。其屎中骨灰[7]，治火疮。牙，治丈夫阴头疮及疽瘘。鼻，治癫疾，小儿[8]痫也[9]。

【校注】

[1] 虎骨条见《新修》《千金翼》。

[2] **爪** 此下《纲目》有“系小儿臂”4字。

[3] **肉** 此下《品汇》有“味酸平无毒”5字。

[4] **力** 此下《纲目》有“止多唾”3字。

[5] **眼睛** 武田本《新修》、《新修》原作“眼精”，据《大观》、《大全》、玄《大观》、成化本《政和》、《政和》、《证类》改。《纲目》《禽虫典》脱“眼”字。

[6] **癫** 此下《纲目》有“疾”字。

[7] **灰** 武田本《新修》、《新修》作“灰”。《大观》、玄《大观》、《大全》、《政和》、成化本《政和》、《纲目》、《禽虫典》、《证类》作“为屑”。

[8] **儿** 此下《大观》、《大全》、玄《大观》、成化本《政和》、《政和》、《证类》有“惊”字。

[9] **屎，治恶疮……小儿痫也** 此文出《新修》“虎骨”条注引《别录》文。

406 豹肉[1]

味酸，平，无毒[2]。主安五脏，补绝伤，轻身益气，久服[3]，利人。

【校注】

[1] 豹肉条见《新修》《千金翼》。

[2] **无毒** 武田本《新修》、《新修》原脱，据《千金翼》、《大观》、《政和》、《证类》、玄《大观》、成化本《政和》补。

[3] **益气，久服** 武田本《新修》、《新修》原脱，据《千金翼》《大观》《政和》《证类》补。“久服”，《纲目》《禽虫典》作“冬食”。

407 狸骨[1]

味甘，温，无毒。主治风疰、尸疰、鬼疰，毒气在[2]皮中淫跃如针刺者[3]，心腹痛走无常处，及鼠瘘恶疮。头骨尤良。肉亦[4]治诸疰。阴茎，治[5]月水不通，男子阴癞。烧之，以东流水服之[6]。

【校注】

[1] 狸骨条见《新修》、《御览》卷912。

[2] **在** 武田本《新修》、《新修》原脱，据《千金翼》《大观》《政和》《证类》补。

[3] **主治风疰……跃如针刺者** 《御览》作“主风湿鬼毒气，皮中如针刺”。“者”，《纲目》《禽虫典》作“著”。

[4] **亦** 武田本《新修》、《新修》有“亦”字，其他各本无“亦”字。

[5] **治** 此下《纲目》《禽虫典》有“女人”2字，其他各本无此2字。

[6] **烧之，以东流水服之** 《纲目》《禽虫典》作“烧灰，东流水服”。

408 兔头骨[1]

平，无毒[2]。主治头眩痛癫疾。骨[3]，治热中消渴[4]。脑治[5]冻疮。肝治目暗。肉[6]味辛，平，无毒。主补中益气。

【校注】

[1] 兔头骨条见《新修》《千金翼》。

[2] **无毒** 武田本《新修》、《新修》原脱，据《千金翼》《证类》补。

[3] **骨** 此下《品汇》衍“味甘”2字。

[4] **渴** 此下《纲目》有“煮汁服”3字。

[5] **治** 《纲目》《禽虫典》作“涂”。

[6] **肉** 武田本《新修》、《新修》作“完”，据《千金翼》《大观》《政和》《证类》改。

409 雉肉[1]

味酸，微寒[2]，无毒。主补中，益气力，止泄痢，除蚁瘘。

【校注】

[1] 雉肉条见《新修》《千金翼》。又，“雉肉”，武田本《新修》、《新修》作“雉完”，据《千金翼》《大观》《政和》《证类》改。

[2] **雉肉味酸，微寒** 玄《大观》误刻为白字《本经》文。

410 鹰矢白[1]

主治伤挞灭瘢[2]。

【校注】

[1] 鹰矢白条见《新修》《千金翼》。

[2] **伤挞灭瘢** 《纲目》《禽虫典》注为《本经》文，《大观》、玄《大观》、《大全》、成化本《政和》、《政和》、《证类》取此4字作《别录》文。按，此4字应为《别录》文。又，“瘢”，《纲目》《禽虫典》作“痕”。

411 雀卵[1]

味酸，温，无毒。主下气，男子阴痿不起，强之令热，多精有子。脑[2]，治耳聋[3]。

头血，治雀盲。雄雀矢[4]，治目痛，决痈疖[5]，女子带下，溺不利，除疝瘕。五月取之良[6]。

又，雀矢和男首子乳，如[7]薄泥，点目中胬[8]肉，赤脉贯瞳[9]子上者，即消[10]。

【校注】

[1] 雀卵条见《新修》《千金翼》。

[2] **脑** 此下《品汇》衍“平”字，其他各本无“平”字，又，玄《大观》将“脑头血”3字刻为白字《本经》文。

[3] **脑，治耳聋** 《纲目》《禽虫典》注为孟诜《食疗本草》文。

[4] **矢** 此下《品汇》衍“温”字。

[5] **疖** 《纲目》《禽虫典》作“疽”。

[6] **五月取之良** 《纲目》《禽虫典》脱此5字。

[7] **如** 武田本《新修》、《新修》原作“知”，据《大观》、《政和》、《证类》、玄《大观》、《大全》、成化本《政和》改。

[8] **弩** 武田本《新修》、《新修》原作“怒”，据《大观》、《政和》、《证类》、玄《大观》、《大全》、成化本《政和》改。

[9] **瞳** 《新修》原作“上金”，据武田本《新修》、《大观》、《政和》、《证类》改。

[10] **雀矢……即消** 此文出《新修》“雀卵”条注引《别录》文。

412 鹳骨[1]

味甘，无毒。主治鬼蛊[2]，诸疰毒，五尸，心腹疾。

【校注】

[1] 鹳骨条见《新修》、《御览》卷925。《禽虫典》对“鹳骨”条注为《本经》文，其他各本注为《别录》文。

[2] **蛊** 《御览》作“虫”，其他各本作“蛊”。

413 雄鹊肉[1]

味甘，寒，无毒。主治石淋，消结热。可烧作灰，以石投中散解者，是雄也[2]。

【校注】

[1] 雄鹊肉条见《新修》《千金翼》。

[2] **散解者，是雄也** 武田本《新修》、《新修》原作“解者雄也”，据《千金翼》《证类》改。

414 伏翼[1]

无毒。主痒痛[2]，治淋[3]，利水道。生太山及人家屋间。立夏后采阴干。苋实、云实为之使。

〔《本经》原文〕

伏翼，味咸，平。主目瞑明目，夜视有精光。久服，令人喜乐，媚好无忧。一名蝙蝠。生川谷。

【校注】

[1] 伏翼条见《千金翼》、《大观》卷19。

[2] **痒痛** 《品汇》《纲目》《禽虫典》注为《本经》文，《大观》、玄《大观》、《大全》、成化本《政和》、《政和》、《证类》作墨字《别录》文，森本、孙本、顾本、狩本、黄本皆不取此2字为《本经》文。按，此2字应为《别录》文。

[3] **淋** 《纲目》《禽虫典》作“五淋”。

415 蝟皮[1]

无毒。主治腹痛，疝积，亦烧为灰[2]，酒服之。生楚山田野。取无时，勿使中湿。得酒良，畏桔梗、麦门冬[3]。

〔《本经》原文〕

蝟皮，味苦，平。主五痔阴蚀、下血赤白、五色血汁不止，阴肿，痛引腰背，酒煮杀之。生川谷。

【校注】

[1] 蝟皮条见《千金翼》、《大观》卷21。

[2] **亦烧为灰** 《纲目》《禽虫典》作“烧灰”2字。

[3] **得酒良，畏桔梗、麦门冬** 《纲目》注为《甄权本草》文。此文《本草经集注》已有著录。

416 石龙子[1]

有小毒[2]。一名山龙子，一名守宫，一名石蜴。生平阳及荆山山石间。五月取，著石上令干。恶硫黄、斑蝥、芜荑[3]。

〔《本经》原文〕

石龙子，味咸，寒。主五癃邪结气，破石淋，下血，利小便水道。一名蜥蜴。生川谷。

【校注】

[1] 石龙子条见《千金翼》、《大观》卷21。

[2] **毒** 此下《纲目》《禽虫典》有“五癃邪结气，利小便水道，破石淋下血”15字注为《别录》文。《大观》、玄《大观》、《大全》、成化本《政和》、《政和》、《证类》作白字《本经》文，《品汇》、森本、孙本、顾本、狩本、黄本皆取此15字为《本经》文。按，此15字应为《本经》文，非《别录》文。

[3] **恶硫黄、斑蝥、芜荑** 《纲目》《禽虫典》注为徐之才文。此文《本草经集注》已有著录。

417　露蜂房[1]

味咸，有毒。主治蜂毒[2]，毒肿。一名百穿，一名蜂勦。生牂牁。七月七日采，阴干。恶干姜、丹参、黄芩、芍药、牡蛎[3]。

又合乱发、蛇皮三味合烧灰，酒服方寸匕，日二，治诸恶疽、附骨痈，根在脏腑，历节肿出，疔肿恶脉诸毒皆差[4]。

〔《本经》原文〕

露蜂房，味苦，平。主惊痫瘈疭，寒热邪气，癫疾，鬼精蛊毒，肠痔。火熬之良。一名蜂肠。生山谷。

【校注】

[1] 露蜂房条见《千金翼》、《大观》卷21。

[2] **蜂毒**　《品汇》作“风毒”，其他各本作“蜂毒”。

[3] **恶干姜、丹参、黄芩、芍药、牡蛎**　《纲目》《禽虫典》注为徐之才文。此文《本草经集注》已有著录。

[4] **合乱发……皆差**　此文出《证类》“露蜂房”条“唐本注”。

418　樗鸡[1]

有小毒。主治腰痛，下气，强阴多精，不可[2]近目。生河内樗树上。七月采，暴干。

〔《本经》原文〕

樗鸡，味苦，平。主心腹邪气，阴痿，益精强志，生子，好色，补中轻身。生川谷。

【校注】

[1] 樗鸡条见《千金翼》、《大观》卷21。又，“鸡”字下，《纲目》《禽虫典》有“味苦平”3字作《别录》文。《大观》、玄《大观》、《大全》、成化本《政和》、《政和》、《证类》取此3字作白字《本经》文，森本、孙本、顾本、狩本、黄本皆取此3字为《本经》文。按，此3字应为《本经》文，非《别录》文。

[2] **可**　玄《大观》作“生”，其他各本作“可”。

419　蚱蝉[1]

味甘[2]，无毒。主治惊悸，妇人乳难，胞衣不出，又堕胎[3]。五月采，蒸干之，勿令蠹。

又，壳名枯蝉，一名伏蜟，主小儿痫，女人生子不出，灰服之，主久痢[4]。

〔《本经》原文〕

蚱蝉，味咸，寒。主小儿惊痫夜啼，癫病寒热。生杨柳上。

【校注】

[1] 蚱蝉条见《千金翼》、《大观》卷21。

[2] **甘** 玄《大观》、《续疏》在“甘”字下，有“寒”字注为《别录》文。《大观》、《政和》、成化本《政和》、《大全》、《证类》、森本、孙本、顾本、狩本、黄本皆注“寒”字为《本经》文。按，“寒”字，应为《本经》文，非《别录》文。

[3] **胎** 此下《纲目》《续疏》有“生杨柳上”4字作《别录》文。《大观》、玄《大观》、《大全》、成化本《政和》、《政和》、《证类》、森本、孙本、顾本、狩本、黄本取此4字皆作《本经》文。按，此4字应为《本经》文，非《别录》文。

[4] **壳名枯蝉……主久痢** 此文出《证类》“蚱蝉”条“唐本注”引《别录》文。又，“主小儿痫，女人生子不出，灰服之，主久痢”，《纲目》《禽虫典》作“主治小儿惊痫，妇人生产不下，烧灰水服，治久痢”。

420 白僵蚕[1]

味辛，平，无毒。主治女子崩中赤白，产后余痛[2]，灭诸疮瘢痕。生颍川。四月取自死者，勿令中湿，湿有毒，不可用。

又，末之，封疔肿，根当自出，极效[3]。

〔《本经》原文〕

白僵蚕，味咸。主小儿惊痫夜啼，去三虫，灭黑皯，令人面色好，男子阴疡病。生平泽。

【校注】

[1] 白僵蚕条见《千金翼》、《大观》卷21。

[2] **余痛** 《千金翼》作“余病”，《纲目》《禽虫典》作“腹痛”，其他各本作“余痛”。

[3] **末之，封疔肿，根当自出，极效** 此文出《证类》“白僵蚕”条“唐本注”引《别录》文。《纲目》《禽虫典》对此文作“为末，封疔肿，拔根极效”。

421 桑螵蛸[1]

味甘，无毒。主治男子虚损，五脏气微，梦寐失精，遗溺。久服益气，养神。

螳螂子也，二月、三月采，当火炙，不尔令人泄。得龙骨治泄精，畏旋覆花[2]。

〔《本经》原文〕

桑螵蛸，味咸，平。主伤中，疝瘕，阴痿，益精生子，女子血闭腰痛，通五淋，利小便水道。一名蚀肬。生桑枝上，采蒸之。

【校注】

[1] 桑螵蛸条见《千金翼》、《大观》卷20、《续疏》、《乘雅》卷3、《经疏》卷20。又，《纲目》《禽虫典》在"桑螵蛸"条有"生桑枝上，采蒸"作《别录》文。《续疏》取"生桑枝上"4字作《本经》文，取"采蒸"2字作《别录》文。《大观》、玄《大观》、《大全》、成化本《政和》、《政和》、《证类》取"生桑枝上，采蒸"6字作白字《本经》文，森本、孙本、顾本、狩本、黄本皆取此6字为《本经》文。按，此6字应为《本经》文，非《别录》文。

[2] **得龙骨治泄精，畏旋覆花** 《纲目》《禽虫典》注为徐之才文。此文《本草经集注》已有著录。

422 䗪虫[1]

有毒。一名土鳖。生河东，及沙中，人家墙壁下土中湿处。十月取[2]暴干。畏皂荚、菖蒲[3]。

〔《本经》原文〕

䗪虫，味咸，寒。主心腹寒热洗洗，血积癥瘕，破坚，下血闭，生子大良。一名地鳖。生川泽。

【校注】

[1] 䗪虫条见《千金翼》、《大观》卷21。

[2] **取** 《千金翼》有"取"字，其他各本无"取"字。

[3] **畏皂荚、菖蒲** 《纲目》《禽虫典》注为徐之才文。此文《本草经集注》已有著录。

423 蛴螬[1]

微寒，有毒。主治吐血在胸腹不去，及破骨踒折，血结，金疮内塞，产后中寒，下乳汁。一名蟦[2]齐，一名敦[3]齐。生河内及人家积粪草中。取无时，反行者良。蜚虻[4]为之使，恶附子[5]。

〔《本经》原文〕

蛴螬，味咸，微温。主恶血血瘀（《御览》作血痹）痹气破折，血在胁下坚满痛，月闭，目中淫肤、青翳、白膜。一名蟦蛴。生平泽。

【校注】

[1] 蛴螬条见《御览》卷948、《千金翼》。

[2] **肥** 《大观》、玄《大观》、《大全》、成化本《政和》、《政和》、《证类》、《疏证》作“肥”，《千金翼》《品汇》《纲目》作“蜰”。

[3] **敎** 《千金翼》《通志略》作“勃”，其他各本作“敎”。

[4] **蜚虻** 《本草经集注》《医心方》作“蜚寅”，《千金方》作“蜚虫”，《大观》、玄《大观》、《大全》、成化本《政和》、《政和》、《证类》、《纲目》、《禽虫典》作“蜚蠊”。

[5] **蜚虻为之使，恶附子** 《纲目》《禽虫典》注为徐之才文。此8字《本草经集注》已有著录。

424 蛞蝓[1]

无毒。一名土蜗，一名附蜗。生太山及阴地沙石垣下[2]。八月取。

〔《本经》原文〕

蛞蝓，味咸，寒。主贼风㖞僻，轶筋及脱肛，惊痫挛缩。一名陵蠡。生池泽。

【校注】

[1] 蛞蝓条见《经疏》、《千金翼》、《大观》卷21。本条，《通志略》作“蜗牛曰蛞蝓，曰陵蠡，曰土蜗，曰附蜗……凡嬴之类皆负壳，唯此能脱壳而行，头有两角，故曰蜗牛”。按，本书另有“蜗牛”条。

[2] **垣下** 玄《大观》作“坦下”，其他各本作“垣下”。

425 海蛤[1]

味咸，无毒。主治阴痿。生东海。蜀漆为之使，畏狗胆、甘遂、芫花[2]。

〔《本经》原文〕

海蛤，味苦，平。主咳逆上气，喘息烦满，胸痛寒热。一名魁蛤。

【校注】

[1] 海蛤条见《御览》卷988、《千金翼》。

[2] **蜀漆为之使，畏狗胆、甘遂、芫花** 《纲目》《禽虫典》注为徐之才文。此文陶弘景《本草

经集注》已有著录。

426 文蛤[1]

味咸，平，无毒。主治咳逆胸痹，腰痛胁急，鼠瘘，大孔出血[2]，崩中漏下[3]。生东海，表有文[4]，取无时。

〔《本经》原文〕

文蛤，主恶疮蚀，五痔。

【校注】

[1] 文蛤条见《御览》卷942、卷988，《千金翼》。

[2] **大孔出血** 《御览》作“大口尽血”，其他各本作“大孔出血”。

[3] **崩中漏下** 《纲目》《禽虫典》作“女人崩中漏下”，其他各本无“女人”2字。

[4] **表有文** 《御览》作“表文”，《艺文类聚》作“文蛤，表有文”。

427 鲤鱼胆[1]

无毒。肉，味甘[2]，治咳逆上气，黄疸，止渴。生者[3]，治水肿脚满，下气。骨，治女子带下赤白。齿，治石淋。生九江，取无时。

〔《本经》原文〕

鲤鱼胆，味苦，寒。主目热赤痛，青盲，明目。久服，强悍益志气。生池泽。

【校注】

[1] 鲤鱼胆条见《千金翼》、《大观》卷20。本条，玄《大观》有“肉、骨、齿”3字作白字《本经》文，其他各本作《别录》文。

[2] **甘** 此下《纲目》《禽虫典》有“煮食”2字，其他各本无此2字。

[3] **生者** 《医心方》作“生煮”，其他各本作“生者”。又，《纲目》《禽虫典》脱“生者”2字。

428 蠡鱼[1]

无毒。主治五痔[2]，有疮者不可食，令人瘢白[3]。生九江，取无时。

又，蠡鱼肠及肝，主久败疮中虫[4]。

〔《本经》原文〕

蠡鱼，味甘，寒。主湿痹，面目浮肿，下大水。一名鲖鱼。生池泽。

【校注】

[1] 蠡鱼条见《千金翼》、《大观》卷20。又，“蠡鱼”，《纲目》《禽虫典》《初学记》作“鳢鱼”，其他各本作“蠡鱼”。

[2] **五痔** 《纲目》《禽虫典》注为《本经》文。《大观》、玄《大观》、《大全》、成化本《政和》、《政和》、《证类》、《品汇》、《续疏》注为《别录》文，森本、孙本、顾本、狩本、黄本皆不取此2字为《本经》文。按，此2字应为《别录》文。

[3] **令人瘢白** 《医心方》作“令瘢白”。

[4] **蠡鱼肠……疮中虫** 此文出《证类》“蠡鱼”条“唐本注”引《别录》文。

429 龟甲[1]

味甘，有毒。主治头疮难燥，女子阴疮[2]及惊恚气，心腹痛不可久立，骨中寒热，伤寒劳复，或肌体寒热欲死，以作汤良。久服益气资智，亦使人能食。生南海及湖水中，采无时，勿令中湿，中湿即[3]有毒。恶沙参、蜚蠊[4]。

〔《本经》原文〕

龟甲，味咸，平。主漏下赤白，破癥瘕痎疟，五痔阴蚀，湿痹四肢重弱，小儿囟不合。久服，轻身不饥。一名神屋。生池泽。

【校注】

[1] 龟甲条见《千金翼》、《大观》卷20。本条，玄《大观》有“疟五痔”作墨字《别录》文，其他各本取此3字为《本经》文。

[2] **头疮难燥，女子阴疮** 《纲目》《禽虫典》作“烧灰治小儿头疮难燥，女子阴疮”。《纲目》《禽虫典》并将此文排在“亦使人能食”之下。

[3] **即** 《续疏》无“即”字，其他各本有“即”字。

[4] **恶沙参、蜚蠊** 《纲目》注为徐之才文。此文《本草经集注》已有著录。

430 鳖甲[1]

无毒。主治温疟，血瘕，腰痛，小儿胁下坚。肉，味甘，治伤中，益气，补不足。生丹阳，取无时。恶矾石[2]。

〔《本经》原文〕

鳖甲，味咸，平。主心腹癥瘕，坚积寒热，去痞息肉，阴蚀痔恶肉。生池泽。

【校注】

[1] 鳖甲条见《千金翼》、《大观》卷21。

[2] **恶矾石** 《纲目》《禽虫典》注为徐之才文。此文《本草经集注》已有著录。

431 鮀鱼甲[1]

有毒。主治五邪涕泣时惊，腰中重痛，小儿气癃，眦溃[2]。肉，治少气吸吸，足不立地。生南海，取无时。蜀漆为之使，畏狗胆、芫花、甘遂[3]。

〔《本经》原文〕

鮀鱼甲，味辛，微温。主心腹癥瘕，伏坚积聚，寒热，女子崩中下血五色，小腹阴中相引痛，疮疥死肌。生池泽。

【校注】

[1] 鮀鱼甲条见《千金翼》、《大观》卷21。又，“鮀鱼甲”，《和名》《医心方》作“鳝鱼甲”。《本草经集注》作“鳝甲”，其他各本作“鮀鱼甲”。又，《纲目》《禽虫典》以“龟甲”为正名。

[2] **眦溃** 《千金翼》作“皆溃”，其他各本作“眦溃”。

[3] **蜀漆为之使，畏狗胆、芫花、甘遂** 《纲目》《禽虫典》为《日华子》文。此文《本草经集注》已有著录。

432 乌贼鱼骨[1]

无毒。主治惊气入腹，腹痛环脐，阴中寒肿[2]，令[3]人有子，又止疮多脓汁，不燥。肉，味酸，平，主益气强志。生东海，取无时。恶白蔹、白及、附子[4]。

〔《本经》原文〕

乌贼鱼骨，味咸，微温。主女子漏下赤白，经汁血闭，阴蚀肿痛，寒热癥瘕，无子。生池泽。

【校注】

[1] 乌贼鱼骨条见《千金翼》、《大观》卷21。

[2] **阴中寒肿** 《纲目》《禽虫典》作“丈夫阴中肿痛”，其他各本作“阴中寒肿”。

[3] **寒肿，令** 《大全》、成化本《政和》、《政和》、《证类》注为《本经》文。《大观》、玄《大观》、《品汇》、《纲目》、《禽虫典》、《续疏》作《别录》文，森本、孙本、顾本、狩本、黄本皆不取此3字为《本经》文。按，此3字应为《别录》文。

[4] **恶白蔹、白及、附子** 《纲目》注为徐之才文。此文《本草经集注》已有著录。

433 蟹[1]

有毒。解结散血，愈漆疮，养筋益气。爪，主破胞，堕胎。生伊洛诸水中，取无时。杀莨菪毒[2]。

〔《本经》原文〕

蟹，味咸，寒。主胸中邪气，热结痛，㖞僻面肿，败漆，烧之致鼠。生池泽。

【校注】

[1] 蟹条见《御览》卷942、《千金翼》。本条，《蟹谱》引本草作“蟹蝑，味咸，性寒，有毒。主胸中邪气、热结痛、㖞偏、面肿，解结，散血，愈漆疮，养筋，益气，取黄以涂久疽疮无不差者。又杀莨菪毒。其爪大主破胞，堕胎”。

[2] **杀莨菪毒** 《本草经集注》《医心方》作“杀莨菪毒”，其他各本作“杀莨菪毒、漆毒”。

434 鳗鲡鱼[1]

味甘，有毒。主治五痔，疮瘘，杀诸虫[2]。

【校注】

[1] 鳗鲡鱼条见《千金翼》、《大观》卷21。本条，《和名类聚钞》引本草作“鳗鲡鱼，似蛇无鳞甲，其气辟蠹虫”。

[2] **主治五痔，疮瘘，杀诸虫** 《纲目》《禽虫典》未注《别录》的出典。

435 原蚕蛾[1]

雄者，有小毒。主益精气，强阴道，交接[2]不倦，亦止精。屎，温，无毒。主治肠鸣，热中，消渴，风痹，瘾疹。

【校注】

[1] 原蚕蛾条见《千金翼》、《大观》卷21。

[2] **交接** 《禽虫典》作“交精”。

436 雄黄虫[1]

主明目，辟兵不祥，益气力。状如蠮[2]螉。

【校注】

[1] 雄黄虫条见《新修》《千金翼》。

[2] **蠮** 《新修》作“蟓”，其他各本作“蠮”。

437 天社虫[1]

味甘，无毒。主治绝孕[2]，益气。状如蜂[3]，大腰，食草木叶。三月采。

【校注】

[1] 天社虫条见《新修》《千金翼》。

[2] **孕** 《新修》原作“字”，据《千金翼》《大观》《政和》《证类》改。

[3] **状如蜂** 《新修》作“状如蜂”，《纲目》作“虫状如犬”，《千金翼》《大观》《政和》《证类》《品汇》作“如蜂”，无“状”字。

438 蜗离[1]

味甘，无毒。主烛馆，明目[2]。生江夏[3]。

【校注】

[1] 蜗离条见《新修》《千金翼》。又，“蜗离”，《品汇》《纲目》《禽虫典》作“蜗蠃”，其他各本作“蜗篱”。

[2] **目** 此下《纲目》《禽虫典》有“下水”2字，其他各本无此2字。按，《大观》“蜗篱”条陈藏器注中有“主明目下水”，则“下水”2字系出陈藏器，不是出于《别录》。

[3] **夏** 此下《纲目》《禽虫典》有“溪水中，小于田螺，上有棱”10字，其他各本无此10字，按，《大观》“蜗篱”条陈藏器注中有“小于田螺，上有棱，生溪水中”。则此10字是出于陈藏器，非出于《别录》。

439 梗鸡[1]

味甘[2]，无毒。治痹。

【校注】

[1] 梗鸡条见《新修》《千金翼》。又，“梗鸡”，《和名》作“桔鸡”，其他各本作“梗鸡”。

[2] **甘** 《新修》原脱，据《千金翼》《大观》《政和》《证类》补。

440 梅实[1]

无毒。止[2]下痢，好唾，口干。生汉中，五月采[3]，火干。

又，梅根，疗风痹，出土者杀人。梅实，利筋脉，去痹[4]。

〔《本经》原文〕

梅实，味酸，平。主下气，除热烦满，安心，肢体痛，偏枯不仁，死肌，去青黑志恶疾。生川谷。

【校注】

[1] 梅实条见《新修》《千金翼》。

[2] **止** 武田本《新修》、《新修》作“心”，据《千金翼》、《大观》、玄《大观》、《政和》、《证类》、《大全》、成化本《政和》改。

[3] **五月采** 《纲目》《草木典》作“五月采实”。

[4] **梅根……去痹** 此文出《新修》注引《别录》文。

441 榧实[1]

味甘，无毒[2]。主治五痔[3]，去三虫，蛊毒，鬼注[4]。生永昌。

【校注】

[1] 榧实条见《新修》《千金翼》。本条，《和名类聚钞》引本草作“柏实，一名榧子”。按，本书“柏实”条无此文。

[2] **无毒** 《新修》《医心方》原脱，据《千金翼》、《大观》、《政和》、《证类》、玄《大观》、《大全》、成化本《政和》补。

[3] **主治五痔** 《纲目》《草木典》作“常食治五痔”。

[4] **注** 此下，《纲目》《草木典》有“恶毒”2字。

442 柿[1]

味甘，寒，无毒[2]。主通鼻耳气，肠澼[3]不足。

又，火柿，主杀毒，疗金疮，火疮，生肉，止痛。软熟柿，解酒热毒，止口干，压胃间热[4]。

【校注】

[1] 柿条见《新修》《千金翼》。

[2] **寒，无毒** 武田本《新修》、《新修》作“无毒，寒”，据《千金翼》、《大观》、《政和》、《证类》、玄《大观》、《大全》、成化本《政和》改。

[3] **澼** 《纲目》《草木典》《图考长编》作“胃”，其他各本作“澼”。

[4] **火柿……压胃间热** 此文出《新修》“柿”条注引《别录》文。

443 木瓜实[1]

味酸，温，无毒。主治湿痹邪气[2]，霍乱，大吐下，转筋不止。其枝亦可煮用[3]。

【校注】

[1] 木瓜实条见《新修》《千金翼》。

[2] **邪气** 《纲目》《草木典》《图考长编》作“脚气”，其他各本作“邪气”。

[3] **其枝亦可煮用** 《纲目》《草木典》作“枝叶皮根煮汁饮，并止霍乱、吐下、转筋，疗脚气”。又，“用”，《千金翼》作“用之”。

444 甘蔗[1]

味甘，平，无毒。主下气，和中补[2]脾气，利大肠。

【校注】

[1] 甘蔗条见《新修》《千金翼》。本条，《一切经音义》引本草作“甘蔗，能下气，治中，利大肠，止渴，去烦热，解酒毒”。

[2] **补** 武田本《新修》、《新修》、《医心方》作“补”，其他各本作“助”。

445 芋[1]

味辛，平，有毒。主宽肠胃，充肌肤，滑中。一名土芝[2]。

【校注】

[1] 芋条见《新修》、《御览》卷975。

[2] **土芝** 《医心方》作“云芝”。《渊鉴类函》《艺文类聚钞》作“芋，土芝”。又，“芝”字后，《御览》有“八月采”3字。

446 乌芋[1]

味苦、甘，微寒，无毒。主治消渴，痹热，热中[2]，益气。一名藉姑，一名水萍。二月生叶，叶如芋。三月三日采根，曝干。

【校注】

[1] 乌芋条见《新修》、《千金翼》、《草木典》卷114、《通志略》卷52。本条，《纲目》《草木典》在“慈姑”条下引《别录》曰：“藉姑，三月三日采根，暴干。”此文原出“乌芋”条，非“慈姑”条。

[2] **热中** 武田本《新修》、《新修》作“热中”。《千金翼》、《大观》、玄《大观》、《大全》、成化本《政和》、《图经衍义》、《政和》、《证类》及其他各本作“温中”。似热中为宜。

447 蓼实[1]

无毒。叶归舌[2]。除大小肠邪气，利中，益志。生雷泽[3]。

〔《本经》原文〕

蓼实，味辛，温。主明目，温中，耐风寒，下水气，面目浮肿，痈疡。马蓼，去肠中蛭虫，轻身。生川泽。

【校注】

[1] 蓼实条见《新修》《千金翼》。

[2] **归舌** 《千金翼》作“归于舌”，其他各本作“归舌”。

[3] **泽** 《新修》原脱，据《千金翼》《大观》《政和》《证类》《大全》补。又，玄《大观》“蓼实”条有“主明目，浮肿痈疡，肠中蛭虫，轻身”作墨字《别录》文，其他各本作《本经》文。

448 葱实[1]

无毒。葱白，平[2]。主治寒伤，骨肉痛[3]，喉痹不通，安胎，归目[4]，除肝[5]邪气，安中，利五脏，益目精[6]、杀百药毒。葱根，主治伤寒头痛。葱汁，平，温[7]。主溺血[8]，解藜芦毒[9]。

〔《本经》原文〕

葱实，味辛，温。主明目，补中不足。其茎，可作汤，主伤寒寒热，出汗，中风面目肿。

【校注】

[1] 葱实条见《新修》《千金翼》。本条，《和名类聚钞》引本草作“葱，荤菜，又浅青色，茎冷，叶热也”。

[2] **平** 《疏证》注为《本经》文，其他各本注为《别录》文。

[3] **骨肉痛** 《纲目》《草木典》《疏证》作“骨肉碎痛”，其他各本无“碎”字。

[4] **归目** 《千金翼》作“归于目”，其他各本无“于”字。

[5] **肝** 此下《纲目》《草木典》《疏证》有“中”字。

[6] **益目精** 《纲目》《草木典》作“益目睛”3字，并将此3字移在“归目”之下。“精”，《新修》作“精”，其他各本作“睛”。

[7] **温** 《新修》原脱，据《千金翼》《证类》补。

[8] **主溺血** 《图考长编》作“止溺血”。

[9] **解藜芦毒** 《纲目》《草木典》作“饮之，解藜芦及桂毒”。

449 薤[1]

味苦[2]，无毒。归骨[3]，菜芝也[4]。除寒热，去水气，温中，散结[5]，利病人[6]。

诸疮中风寒水肿以涂之[7]。生鲁山。

〔《本经》原文〕

薤，味辛，温。主金疮疮败，轻身不饥耐老。生平泽。

【校注】

[1] 薤条见《新修》《千金翼》。本条，《和名类聚钞》卷9引本草作“薤，荤菜，味辛苦无毒者也”。《尔雅疏》卷8引本草作“韰，本草谓之菜芝”。

[2] **苦** 此下《政和》、成化本《政和》、《证类》、《疏证》有“温”字注为《别录》文。《大全》、玄《大观》、《大观》作白字《本经》文、《图考长编》、孙本、顾本、狩本、黄本皆取“温”为《本经》文。按，“温”字应为《本经》文，非《别录》文。又，《疏证》在“苦”字后有“滑”字，其他各本无“滑”字。

[3] **归骨** 《新修》《纲目》作“归骨”，其他各本作“归于骨”。

[4] **菜芝也** 《疏证》无“菜芝也”3字，其他各本有此3字。

[5] **散结** 《纲目》《草木典》《乘雅》《疏证》作“散结气”，其他各本作“散结”。

[6] **利病人** 《纲目》《草木典》《疏证》作“作羹食，利病人”，其他各本无“作羹食”3字。

[7] **水肿以涂之** 《纲目》《草木典》《乘雅》《疏证》作“水气肿捣涂之”，其他各本作“水肿以涂之”。

450 韭[1]

味辛，酸[2]，温，无毒[3]。归心[4]，安五脏，除胃中热，利病人，可久食。子，主治梦[5]泄精，溺白[6]。根，主养发。

【校注】

[1] 韭条见《新修》《千金翼》。本条，《和名类聚钞》卷9引本草作“韭，菜名一种而久者，故谓之韭，味辛酸温无毒者也”。

[2] **酸** 《新修》作“酸”，其他各本作“微酸”。

[3] **毒** 此下《新修》衍“师”字，据《千金翼》《大观》《政和》《证类》删。

[4] **归心** 《千金翼》作“归于心”。

[5] **梦** 此下《纲目》《草木典》有“中”字。

[6] **溺白** 《纲目》《草木典》作“溺血”。

451 白蘘荷[1]

微温。主治中蛊及疟[2]。

【校注】

[1] 白蘘荷条见《新修》、《千金翼》（并在“韭”条下）。

[2] **疟** 此下《纲目》《草木典》有“捣汁服”3字。

452 菾菜[1]

味甘、苦，大寒。主治时行壮热[2]，解风热毒[3]。

【校注】

[1] 菾菜条见《新修》《千金翼》。

[2] **壮热** 《新修》原作“杜热”，据《千金翼》《大观》《政和》《证类》改。

[3] **毒** 此下《纲目》《草木典》有“捣汁饮之便瘥”6字，其他各本无此6字。

453 苏[1]

味辛，温。主下气，除寒中[2]，其子[3]尤良。

【校注】

[1] 苏条见《新修》《千金翼》。又，“苏”，《品汇》作“紫苏”，其他各本作“苏”。

[2] **中** 《纲目》在“苏子”条文内作“温中”。

[3] **其子** 《新修》脱“其”字，据《千金翼》《证类》补。

454 水苏[1]

无毒[2]。主治吐血[3]、衄血、血崩。一名鸡苏，一名劳祖，一名芥苴，一名瓜苴[4]，一名道华[5]。生九真，七月采。

〔《本经》原文〕

水苏，味辛，微温。主下气杀谷，除饮食，辟口臭，去毒，辟恶气。久服通神明，轻身耐老。生池泽。

【校注】

[1] 水苏条见《新修》、《御览》卷977。本条，《御览》《齐民要术》《群芳谱》均以“芥葅”为正名，以“水苏”为别名。

[2] **毒** 此下《政和》有“下气杀谷除饮食”作墨字《别录》文。《大观》、《纲目》、森本作《本经》文。《图考长编》、孙本、顾本取“下气”2字为《本经》文。本书从《大观》等为正。

[3] **吐血** 《新修》原脱“吐”字，据《千金翼》《大观》《政和》《证类》补。

[4] **瓜苴** 《新修》作“瓜苴”，其他各本作“芥葅”。

[5] **一名道华** 《新修》有“一名道华”4字，其他各本无此4字。

455 香薷[1]

味辛，微温。主[2]治霍乱、腹痛、吐下，散水肿。

【校注】

[1] 香薷条见《新修》《千金翼》。

[2] **主** 《大全》作“生”，其他各本作“主”。

456 大豆黄卷[1]

无毒。主治五脏[2]胃气结积，益气，止毒[3]，去黑皯，润泽[4]皮毛。

【校注】

[1] 大豆黄卷条见《新修》、《御览》卷841。

[2] **脏** 此下《纲目》《草木典》《疏证》有“不足”2字，其他各本无此2字。

[3] **止毒** 武田本《新修》、《新修》原作“心毒”，据《千金翼》《大观》《政和》《证类》改。又，《纲目》《草木典》作“止痛”，其他各本作“止毒”。

[4] **润泽** 《纲目》《草木典》作“润肌肤”3字。

457 生大豆[1]

味甘，平[2]。逐水胀，除胃中热痹，伤中，淋露，下瘀血，散五脏结积、内寒，杀乌头毒。久服令人身重[3]。熬屑[4]，味甘。主治胃中热，去肿，除痹，消谷，止腹胀[5]。

生太山，九月采。恶五参、龙胆，得前胡、乌喙、杏仁、牡蛎良[6]。

〔《本经》原文〕

大豆黄卷，味甘，平。主湿痹，筋挛膝痛。生大豆，涂痈肿，煮汁饮，杀鬼毒，止痛。

【校注】

[1] **豆** 此下《御览》有“张骞使外国得胡豆，或曰戎菽”12字，其他各本无此12字。

[2] **味甘，平** 《图考长编》注为《本经》文。《大观》、玄《大观》、《大全》、成化本《政和》、《政和》、《证类》取此3字作墨字《别录》文，森本、孙本、顾本、狩本、黄本皆不取此3字为《本经》文。按，此3字应为《别录》文。

[3] **久服令人身重** 《纲目》《草木典》列在“甘，平”之下。

[4] **熬屑** 《新修》《医心方》作“熬屑”，其他各本作“炒为屑”。

[5] **止腹胀** 《新修》原作“心胀”，据《千金翼》《大观》《政和》《证类》改。

[6] **恶五参……牡蛎良** 《纲目》注此15字为徐之才文。此15字《本草经集注》已有著录。

458 赤小豆[1]

味甘、酸，平，温[2]，无毒。主治寒热、热中、消渴，止[3]泄[4]，利小便，吐逆[5]，卒澼，下胀满[6]。

又，叶名藿，主治小便数，去烦热[7]。

〔《本经》原文〕

赤小豆，主下水，排痈肿脓血。生平泽。

【校注】

[1] 赤小豆条见《新修》、《御览》卷841。

[2] **温** 武田本《新修》、《医心方》、《新修》有“温”字，其他各本无“温”字。

[3] **止** 武田本《新修》、《新修》原作“心”，据《千金翼》《大观》《政和》《证类》改。

[4] **泄** 此下《纲目》《草木典》《疏证》有“痢”字。

[5] **逆** 武田本《新修》、《新修》原脱“逆”字，据《千金翼》《大观》《政和》《证类》补。

[6] **下胀满** 各本作“下胀满”，《纲目》《草木典》《疏证》作“下腹胀满”。又，《纲目》《草木典》将“下腹胀满”4字移在“利小便”之下。又，《御览》在“赤小豆”条末有“生太山”3字，其他各本无此3字。

[7] **叶名藿……去烦热** 此文出《新修》注引《别录》文。

459 豉[1]

味苦，寒，无毒。主治伤寒、头痛、寒热、瘴气、恶[2]毒、烦躁、满闷、虚劳、喘吸、两脚疼冷，又杀六畜胎子诸毒。

【校注】

[1] 豉条见《新修》《千金翼》。又，“豉”，《疏证》作“淡豆豉”，其他各本作“豉”。

[2] **恶** 武田本《新修》、《新修》原脱，据《千金翼》《大观》《政和》《证类》补。

460 大麦[1]

味咸，温[2]，微寒，无毒。主治消渴，除热，益气，调中。又云令人多热，为五谷长。食蜜为之使。

【校注】

[1] 大麦条见《新修》《千金翼》。

[2] **温** 《疏证》无“温”字，其他各本有“温”字。

461 穬麦[1]

味甘，微寒，无毒。主轻身[2]，除热。久服令人多力健行[3]。以作蘖，温。消食和中[4]。

【校注】

[1] 穬麦条见《新修》《千金翼》。

[2] **主轻身** 《医心方》作“食之轻身”，其他各本作“主轻身”。按理应作“食之轻身”。

[3] **久服令人多力健行** 武田本《新修》、《新修》原脱，据《千金翼》《大观》《政和》《证类》补。

[4] **温。消食和中** 《纲目》《草木典》作“温中消食”，但《食货典》引《别录》作“消食和中”。

462 小麦[1]

味甘，微寒，无毒。主除热[2]，止[3]燥渴、咽干[4]，利小便，养肝气，止漏血唾血[5]。以作曲，温。消谷，止痢。以作面，温[6]，不能[7]消热[8]，止烦。

【校注】

[1] 小麦条见《新修》《千金翼》。

[2] **除热** 《纲目》《草木典》《疏证》作“除客热”，其他各本无“客”字。

[3] **止** 武田本《新修》、《新修》原作“心”，据《千金翼》、《大观》、《政和》、《证类》、玄《大观》、《大全》、成化本《政和》改。

[4] **咽干** 武田本《新修》、《新修》原脱“咽干”2字，据《千金翼》《大观》《政和》《证类》补。又，“止燥渴、咽干”，《纲目》《草木典》《疏证》作“止烦渴咽燥”，其他各本作“止燥渴咽干”。

[5] **血** 此下《纲目》《草木典》有“令女人易孕”5字。

[6] **温** 《纲目》作“甘温有微毒”，其他各本作“温”。

[7] **不能** 武田本《新修》、《新修》、《医心方》原脱，据《千金翼》《大观》《政和》《证类》补。

[8] **消热** 《疏证》作“清热”，其他各本作“消热”。

463 青粱米[1]

味甘，微寒，无毒。主治胃痹，热中，消渴，止泄痢[2]，利小便，益气，补中，轻身，长年[3]。

【校注】

[1] 青粱米条见《新修》《千金翼》。

[2] **消渴，止泄痢** 武田本《新修》、《新修》原作“渴利心泄”，《医心方》作“渴利止泄”，据《千金翼》《大观》《政和》《证类》改。又，“痢”，《千金翼》脱“痢”字，其他各本有“痢”字。

［3］**年** 此下《纲目》《草木典》有"煮粥食之"4字。

464 黄粱米[1]

味甘，平，无毒。主益气，和中，止[2]泄。

【校注】

［1］黄粱米条见《新修》《千金翼》。

［2］**止** 武田本《新修》、《新修》原作"心"，据《千金翼》《大观》《政和》《证类》改。

465 白粱米[1]

味甘，微寒，无毒。主除热，益气[2]。

【校注】

［1］白粱米条见《新修》、《御览》卷842。又，"白粱米"，《御览》作"白粱"，无"米"字，其他各本有"米"字。

［2］**气** 此下《御览》有"有襄阳竹根者最佳，黄粱出青翼"13字，其他各本无此13字。按，武田本《新修》、《新修》、《大观》、玄《大观》、《大全》、成化本《政和》、《政和》、《证类》"黄、白粱米"条，陶隐居注有此文，则此文应是陶隐居注文，非《别录》文。又，《渊鉴类函》《初学记》引本草作"白粱，味甘微寒，无毒。主除热益气，有襄阳竹根者最佳"。

466 粟米[1]

味咸，微寒，无毒。主养肾[2]气，去胃脾[3]中热，益气。陈者，味苦[4]，主治胃热、消渴，利小便。

【校注】

［1］粟米条见《新修》《千金翼》。本条，《初学记》引本草作"陈粟，味苦，无毒。主胃疸热中渴，利小便"。

［2］**肾** 武田本《新修》、《新修》原作"贤"，据《千金翼》、《大观》、《政和》、《证类》、《大全》、玄《大观》、成化本《政和》改。

［3］**胃脾** 武田本《新修》、《新修》、《医心方》原作"胃痺"，据《千金翼》《大观》《政和》《证类》改。又，"胃脾"，《纲目》《草木典》作"脾胃"，其他各本作"胃脾"。

［4］**苦** 此下《纲目》《草木典》有"寒"字，其他各本无"寒"字。

467 丹黍米[1]

味苦，微温，无毒。主治咳逆[2]、霍乱，止泄[3]，除热，止烦渴。

【校注】

[1] 丹黍米条见《新修》《千金翼》。

[2] **逆** 此下《纲目》《草木典》在“逆”字下，衍“上气”2字。

[3] **止泄** “止”，武田本《新修》、《新修》原作“心”，据《千金翼》《大观》《政和》《证类》改。又，“泄”，《纲目》《草木典》作“泄利”。

468 蘗米[1]

味苦[2]，无毒。主治寒中，下气除热。

【校注】

[1] 蘗米条见《新修》《千金翼》。又，“蘗”，《千金翼》《证类》作“蘖”，《新修》作“蘗”。

[2] **味苦** 《续疏》作“味甘苦”。《和名类聚钞》引本草作“蘗米，味甘”。

469 秫米[1]

味甘，微寒。止[2]寒热，利大肠，治[3]漆疮。

【校注】

[1] 秫米条见《新修》《千金翼》。本条，《锦绣万花谷》前集引本草云：“秫米，味甘。”《通志略》云：“黍之糯者谓之秫。”

[2] **止** 《纲目》《草木典》脱“止”字。

[3] **治** 《续疏》作“疮”。

470 陈廪米[1]

味咸，酸，温[2]，无毒。主下气，除烦渴[2]，调胃，止[3]泄。

【校注】

[1] 陈廪米条见《新修》《千金翼》。

[2] **“温”“渴”** 武田本《新修》、《新修》原脱，据《千金翼》、《大观》、《政和》、《证类》、

玄《大观》、《大全》、成化本《政和》补。

[3] **止** 武田本《新修》、《新修》原作“上”，据《千金翼》《大观》《政和》《证类》改。

471 酒[1]

味苦，甘辛[2]，大热，有毒。主行药势，杀邪恶气[3]。

【校注】

[1] 酒条见《新修》《千金翼》。

[2] **甘辛** 武田本《新修》、《新修》原脱，据《千金翼》《大观》《政和》《证类》补。

[3] **杀邪恶气** 《新修》作“杀邪恶气”，《千金翼》作“杀百邪恶气”，其他各本作“杀百邪恶毒气”。

下品卷第三

472 青琅玕[1]

无毒。主治白秃，侵滛在皮肤中。煮炼服之，起阴气，可化为丹。一名青珠[2]。生[3]蜀郡，采无时。杀锡毒，得水银良，畏乌鸡骨[4]。

〔《本经》原文〕

青琅玕，味辛，平。主身痒，火疮痈伤，疥瘙死肌。一名石珠。生平泽。

【校注】

[1] 青琅玕条见《新修》、武田本《新修》卷5。

[2] **一名青珠** 《御览》引《本草经》作“青琊玕，一名珠圭”，通检各本无此文。

[3] **生** 此上《纲目》《食货典》衍“石阑轩”3字，其他各本无此3字。

[4] **乌鸡骨** 《本草经集注》作“乌鸡骨”，《医心方》作“乌头”，武田本《新修》、《新修》、《千金方》、《大观》、《政和》、《证类》作“鸡骨”。又，“杀锡毒，得水银良，畏乌鸡骨”，《纲目》《食货典》注为徐之才文。此文《本草经集注》已有著录。

473 肤青[1]

味咸[2]，无毒[3]。不可久服，令人瘦[4]。一名推青[5]，一名推石。生益州。

〔《本经》原文〕

肤青，味辛，平。主蛊毒及蛇菜肉诸毒，恶疮。生川谷。

【校注】

[1] 肤青条见《新修》《千金翼》。

[2] **咸** 此下《证类》有“平”字，作墨字《别录》文。《大观》《政和》作白字《本经》文。

森本、孙本、顾本皆录“平”字为《本经》文。按，“平”字应为《本经》文，非《别录》文。

[3] **毒** 此下《纲目》注“主虫毒及蛇菜肉诸毒，恶疮”为《别录》文。《大观》《政和》《证类》作白字《本经》文。《品汇》、森本、孙本、顾本皆取此文为《本经》文。按，此文应为《本经》文，非《别录》文。

[4] **瘦** 《纲目》作“瘘”，其他各本作“瘦”。

[5] **一名推青** 《证类》作白字《本经》文。《大观》、玄《大观》、《大全》、成化本《政和》、《政和》取此4字作墨字《别录》文。森本、孙本、顾本、狩本、黄本皆不取此4字为《本经》文。按，此4字应为《别录》文。

474 礜石[1]

味甘，生温、熟热[2]，有毒[3]。主明目，下气，除膈中热，止消渴，益肝气，破积聚、痼冷腹痛，去鼻中息肉。久服令人筋挛。火炼百日，服一刀圭，不炼服，则杀人及百兽[4]。一名白礜石，一名大[5]白石，一名泽乳，一名食盐[6]。生汉中山谷及少室，采无时。得火良，棘针[7]为之使，恶毒公[8]、鹜矢[9]、虎掌、细辛，畏水也。

〔《本经》原文〕

礜石，味辛，大热。主寒热鼠瘘，蚀疮死肌风痹，腹中坚癖邪气，除热。一名青分石，一名立制石，一名固羊石。生山谷。

【校注】

[1] 礜石条见《新修》、《御览》卷987。

[2] **热** 武田本《新修》、《新修》原作“寒”，据《千金翼》《大观》《政和》《证类》改。

[3] **毒** 此后各种版本《政和》有“邪气除热”4字作《别录》文。孙本、黄本不取此4字为《本经》文，但《大观》、玄《大观》、森本、狩本取此4字作《本经》文。《纲目》、顾本注“邪气”为《本经》文，注“除热”为《别录》文。本书从《大观》为正，不取此4字为《别录》文。

[4] **服一刀圭，不炼服，则杀人及百兽** 武田本《新修》、《新修》原作“服刀圭，煞人及百兽”，据《千金翼》《证类》改。

[5] **大** 武田本《新修》、《新修》、《大观》、玄《大观》作“大”，《和名》《千金翼》《政和》《证类》作“太”。

[6] **食盐** 《新修》《和名》原作“食监”，据《千金翼》《证类》改。又，《急就篇》颜师古注云：“礜石又名泽乳，亦曰食盐。”

[7] **棘针** 武田本《新修》、《新修》原作“枣针”。《大观》《政和》《证类》《千金方》《本草经集注》作“棘针”。

[8] **毒公** 武田本《新修》、《新修》、《千金方》、《本草经集注》作“毒公”，《大观》《政和》

《证类》作“马目毒公”。

[9] **鹫矢** 《新修》作“惊矢”，据《千金方》《证类》改。

475 方解石[1]

味苦、辛，大寒[2]，无毒。主治胸中留热，结气，黄疸，通血脉，去蛊毒。一名黄石。生方山，采无时。恶巴豆。

【校注】

[1] 方解石条见《新修》《千金翼》。

[2] **大寒** 武田本《新修》、《新修》原作“大温”，据《千金翼》《大观》《政和》《证类》改。按，“方解石”条中明言主治胸中留热，其性不应“大温”，应“大寒”才对。

476 苍石[1]

味甘，平[2]，有毒。主治寒热，下气，瘘蚀，杀飞禽鼠[3]。生西城，采无时。

【校注】

[1] 苍石条见《新修》《千金翼》。

[2] **平** 此下武田本《新修》、《新修》衍“无毒”2字，据《千金翼》《大观》《政和》《证类》改。

[3] **杀飞禽鼠** 武田本《新修》、《新修》作“杀飞禽鼠”，其他各本作“杀禽兽”。

477 土阴孽[1]

味咸，无毒。主治妇人阴蚀，大热，干痂。生高山崖上之阴，色白如脂，采无时。

【校注】

[1] 土阴孽条见《新修》《千金翼》。

478 代赭[1]

味甘[2]，无毒。主带下百病，产难，胞衣不出，堕胎，养血气，除五脏血脉中热，血痹血瘀，大人小儿惊气入腹，及阴痿不起。一名血师[3]。生齐国，赤红青色，如鸡冠有泽，染爪甲[4]不渝者良，采无时。畏天雄[5]。

〔《本经》原文〕

代赭，味苦，寒。主鬼注贼风蛊毒，杀精物恶鬼腹中毒邪气，女子赤沃漏下。一名须丸。生山谷。

【校注】

[1] 代赭条见《新修》、《御览》卷988。

[2] **甘** 武田本《新修》、《新修》原脱，据《千金翼》《大观》《政和》《证类》补。又，《证类》取“甘”字作白字《本经》文。《大观》、玄《大观》、《政和》作墨字《别录》文，森本、孙本、顾本、《疏证》、狩本、黄本皆不取“甘”字为《本经》文。按，“甘”字应为《别录》文。

[3] **一名血师** 《御览》作“代赭，一名血师，好者状如鸡肝”，其他各本无“好者状如鸡肝”6字。

[4] **爪甲** 《疏证》作“指甲”，其他各本作“爪甲”。

[5] **畏天雄** 《纲目》注此3字为徐之才文。此3字《本草经集注》已有著录。

479 卤咸[1]

味咸[2]，无毒。去五脏肠[3]胃留热，结气，心下坚，食已呕逆，喘满，明目，目痛。生河东盐池[4]。

【校注】

[1] **卤咸** 卤咸、戎盐、大盐等3条见《新修》，《御览》卷865、卷988。

[2] **味咸** 《证类》作白字《本经》文。玄《大观》、《大观》、《大全》、《政和》作墨字《别录》文，森本、孙本、顾本、狩本、黄本皆不取此2字为《本经》文。按，此2字应为《别录》文。

[3] **肠** 武田本《新修》、《新修》作“腹”，据《千金翼》、《大观》、《政和》、《证类》、玄《大观》、《大全》改。

[4] **盐池** 《纲目》《食货典》作“池泽”，其他各本作“盐池”。

480 戎盐

味咸，寒，无毒。主心腹痛，溺血，吐血，齿舌血出。一名胡盐。生胡盐山，及西羌北[1]地，及[2]酒泉福禄城东南角。北海青[3]，南海赤。十月采。

【校注】

[1] **北** 《新修》原作“此”，玄《大观》卷5作“比”，据《千金翼》、武田本《新修》、《大观》、《政和》、《证类》改。

[2] **及** 《新修》有“及”字，其他各本无“及”字。

[3] **南角。北海青** 武田本《新修》、《新修》原脱，据《千金翼》、《大观》、《政和》、《证类》、玄《大观》、《大全》补。

481 大盐

味甘、咸[1]，寒，无毒。主肠胃结热，喘逆，吐胸中病[2]。生邯郸及河东。漏芦为之使[3]。

〔《本经》原文〕

卤咸，味苦，寒。主大热、消渴、狂烦，除邪及下蛊毒，柔肌肤。

戎盐，主明目，目痛，益气，坚肌骨，去毒蛊。大盐，令人吐。生池泽。

【校注】

[1] **咸** 武田本《新修》、《新修》原脱，据《千金翼》《大观》《政和》《证类》补。

[2] **肠胃结热，喘逆，吐胸中病** 《纲目》《食货典》注为《本经》文。玄《大观》、《大观》、《政和》、《证类》、《品汇》注为《别录》文，森本、孙本、顾本、《疏证》皆不取此10字为《本经》文。按，此10字应为《别录》文。

[3] **漏芦为之使** 《纲目》《食货典》注为徐之才文。此文《本草经集注》已有著录。

482 特生礜石[1]

味甘，温，有毒。主明目，利耳[2]，腹内绝寒，破坚结[3]及鼠瘘，杀百虫恶兽。久服延年。一名仓礜石，一名礜石[4]，一名鼠毒。生西域[5]，采无时[6]。火炼之良，畏水[7]。

【校注】

[1] 特生礜石条见《新修》《千金翼》。

[2] **利耳** 武田本《新修》、《新修》原脱“利”字，据《千金翼》《大观》《政和》《证类》补。

[3] **破坚结** 武田本《新修》、《新修》原脱，据《千金翼》《大观》《政和》《证类》补。

[4] **一名礜石** 武田本《新修》、《新修》有“一名礜石”4字，其他各本无此4字。

[5] **生西域** 武田本《新修》、《新修》原作“生血城”，据《千金翼》《大观》《政和》《证类》改。

［6］**采无时** 武田本《新修》、《新修》原脱，据《千金翼》《大观》《政和》《证类》补。

［7］**火炼之良，畏水** 《纲目》注此6字为徐之才文。此6字《本草经集注》已有著录。

483 白垩[1]

味辛，无毒。止[2]泄痢，不可久服，伤[3]五脏，令人羸瘦。一名白善[4]。生邯郸[5]，采无时。

〔《本经》原文〕

白垩，味苦，温。主女子寒热癥瘕，月闭积聚，阴肿痛，漏下无子。生山谷。

【校注】

［1］白垩条见《新修》、《御览》卷988。

［2］**止** 此上《大观》有“阴肿痛，漏下无子”7字作白字《本经》文。狩本、森本取此7字为《本经》文。《政和》《证类》《大全》《品汇》《纲目》注为《别录》文，孙本、顾本、黄本皆不取此7字为《本经》文。本书从《大观》等为正。“止”，武田本《新修》、《新修》有“止”字，其他各本无“止”字。

［3］**伤** 武田本《新修》、《新修》作“复”，据《千金翼》《大观》《政和》《证类》改。

［4］**白善** 《御览》《纲目》作“白善土”，其他各本无“土”字。

［5］**邯郸** 武田本《新修》作“邪郸”，其他各本作“邯郸”。

484 粉锡[1]

无毒。去鳖瘕[2]，治恶疮，堕[3]胎，止小便利[4]。

〔《本经》原文〕

粉锡，味辛，寒。主伏尸毒螫，杀三虫。一名解锡。

【校注】

［1］粉锡条见《新修》《千金翼》。

［2］**鳖瘕** 武田本《新修》、《新修》原作“鳖瘦”，据《千金翼》《大观》《政和》《证类》改。

［3］**堕** 《新修》原作“随”，据《千金翼》《大观》《政和》《证类》改。

［4］**堕胎，止小便利** 《纲目》《食货典》颠倒为“止小便利，堕胎”。

485 铜镜鼻[1]

主治伏尸，邪气。生桂阳[2]。

〔《本经》原文〕

锡铜镜鼻，主女子血闭癥瘕，伏肠绝孕。生山谷。

【校注】

[1] 铜镜鼻条见《新修》《千金翼》。又，“铜镜鼻”，各本作“锡铜镜鼻”，但武田本《新修》、《新修》、《大观》、《政和》、《证类》“锡铜镜鼻”条注，有陶隐居云：“《别录》用铜镜鼻，即是今破古铜镜鼻尔。”按陶氏所云，“锡铜镜鼻”在《别录》中应作“铜镜鼻”。

[2] **生桂阳**　《大观》、玄《大观》、《大全》、《政和》、《证类》、《纲目》注为《别录》文。森本、孙本、顾本皆不取此3字为《本经》文。按，“生桂阳”3字应为《别录》文，非《本经》文。但《新修》、《大观》、《政和》、《证类》、玄《大观》、《大全》在“锡铜镜鼻”条的注文中，引陶隐居云：“《本经》云，生桂阳。”按陶氏所云，“生桂阳”3字又非《别录》文，二说不同，今并注之。

486　铜弩牙[1]

主治妇人产难[2]，血闭，月水不通，阴阳隔塞[3]。

【校注】

[1] 铜弩牙条见《新修》《千金翼》。

[2] **产难**　《纲目》《食货典》作“难产”，其他各本作“产难”。

[3] **塞**　武田本《新修》、《新修》原作“寒”，据《千金翼》《大观》《政和》《证类》改。

487　金牙[1]

味咸，无毒。主治鬼疰[2]、毒蛊、诸疰。生蜀郡，如金色者良。

【校注】

[1] 金牙条见《新修》《千金翼》。又，“金牙”，《纲目》作“金牙石”，其他各本无“石”字。

[2] **疰**　武田本《新修》、《新修》原脱，据《千金翼》《大观》《政和》《证类》补。

488　石灰[1]

主治髓骨疽。一名希灰。生中山。

又，疗金疮，止血大效[2]。

〔《本经》原文〕

石灰，味辛，温。主疽疡疥瘙，热气，恶疮癞疾，死肌堕眉，杀痔虫，去黑子息肉。

一名恶灰。生山谷。

【校注】

[1] 石灰条见《新修》《千金翼》。

[2] **疗金疮，止血大效** 此文出《证类》“石灰”条“唐本注”引《别录》文。

489 冬灰[1]

生方谷。

〔《本经》原文〕

冬灰，味辛，微温。主黑子，去疣、息肉、疽蚀、疥瘙。一名藜灰。生川泽。

【校注】

[1] 冬灰条见《新修》《千金翼》。

490 煅灶灰[1]

主治癥瘕坚积，去邪恶气。

【校注】

[1] 煅灶灰条见《新修》《千金翼》。

491 伏龙肝[1]

味辛，微温。主治妇人崩中，吐下[2]血，止咳逆，止血，消痈肿毒气[3]。

【校注】

[1] 伏龙肝条见《新修》《千金翼》。本条，《乘雅》以“灶心黄”为正名，并在条文中衍“无毒，醋调涂”5字。

[2] **下** 武田本《新修》、《新修》有“下”字，其他各本无“下”字。

[3] **消痈肿毒气** 《纲目》作“醋调，涂痈肿毒气”，其他各本作“消痈肿毒气”。

492 东壁土[1]

主治下部䘌疮[2]，脱肛。

【校注】

[1] 东壁土条见《新修》《千金翼》。

[2] **下部䘌疮** 武田本《新修》、《新修》作“下部䘌疮”，其他各本作“下部疮”。

493 紫石华[1]

味甘，平[2]，无毒。主治渴，去小肠热。一名茈[3]石华。生中牛[4]山阴，采无时。

【校注】

[1] 紫石华条见《新修》《千金翼》。

[2] **平** 《新修》原脱，据《千金翼》《大观》《政和》《证类》补。

[3] **茈** 《纲目》作“芘”，其他各本作“茈”。

[4] **牛** 《纲目》作“牟”，其他各本作“牛”。

494 白石华[1]

味辛，无毒。主[2]治瘅[3]消渴，膀胱热。生液[4]北乡北邑山[5]，采无时。

【校注】

[1] 白石华条见《新修》《千金翼》。

[2] **主** 《新修》原作“王”，据《千金翼》《大观》《政和》《证类》改。

[3] **瘅** 《纲目》作“脾”，其他各本作“瘅”。

[4] **液** 《纲目》作“腋”，其他各本作“液”。

[5] **北乡北邑山** 《新修》原作“此乡此邑山”，据《千金翼》、《大观》、《政和》、《证类》、玄《大观》、《大全》、成化本《政和》改。

495 黑石华[1]

味甘，无毒。主阴痿，消渴，去热，治月水不[2]利。生弗其劳山阴石间，采无时。

【校注】

[1] 黑石华条见《新修》《千金翼》。

[2] **不** 《新修》原脱“不”字，据《千金翼》《大观》《政和》《证类》补。

496 黄石华[1]

味甘，无毒。主[2]治阴痿，消渴[3]，膈中热，去百毒。生液北[4]山，黄色，采无时。

【校注】

[1] 同白石华条注。

[2] **主** 《新修》原作“二”，据《千金翼》《大观》《政和》《证类》改。

[3] **渴** 《千金翼》作“胸”，其他各本作“渴”。

[4] **生液北** 《新修》原作“王液此”，据《千金翼》《大观》《政和》《证类》改。

497 封石[1]

味甘，无毒。主治消渴，热中，女子疽蚀。生常山及少室，采无时。

【校注】

[1] 封石条见《新修》《千金翼》。

498 紫加石[1]

味酸。主痹血气。一名赤英，一名石血。赤无理[2]。生邯郸山[3]，如爵茈。二月采。

【校注】

[1] 紫加石条见《新修》《千金翼》。又，“紫加石”，《政和》、成化本《政和》、《品汇》、《纲目》作“紫佳石”，其他各本作“紫加石”。

[2] **赤无理** 《新修》、《千金翼》、《证类》、《大观》、玄《大观》、《品汇》作“赤无理”。《政和》、成化本《政和》、《大全》作“赤无毒”。《纲目》作“无毒”2字，列在“味酸”之下。

[3] **山** 《纲目》作“石”，其他各本作“山”。

499 大黄[1]

将军，大寒，无毒。平胃下气，除痰实，肠间结热，心腹胀满，女子寒血闭胀，小腹痛，诸老血留结。一名黄良。生河西及陇西。二月、八月采根，火干。黄芩为之使，无所畏[2]。

〔《本经》原文〕

大黄，味苦，寒。主下瘀血血闭，寒热，破癥瘕积聚，留饮宿食，荡涤肠胃，推陈致新，通利水谷，调中化食，安和五脏。生山谷。

【校注】

［1］大黄条见《御览》卷992、《千金翼》。

［2］**无所畏**　《千金方》缺此3字，其他各本有此3字。又，“黄芩为之使，无所畏”，《纲目》《草木典》注为徐之才文。此文《本草经集注》已有著录。

500　蜀椒[1]

大热，有毒。主除五脏[2]六腑寒冷，伤寒，温疟，大风，汗不出[3]，心腹留饮、宿食，止[4]肠澼、下利，泄精，女子[5]字乳余疾，散风邪，瘕结，水肿，黄疸，鬼疰，蛊毒，杀虫、鱼毒。久服开腠理，通血脉，坚齿发[6]，调关节，耐寒暑[7]。可作膏药。多食令人乏气[8]。口闭者，杀人。一名巴椒，一名蓎[9]藙。生武都及巴郡。八月采实，阴干[10]。杏仁为之使，畏橐吾[11]。

〔《本经》原文〕

蜀椒，味辛，温。主邪气咳逆，温中，逐骨节皮肤死肌，寒湿痹痛，下气。久服之，头不白，轻身增年。生川谷。

【校注】

［1］蜀椒条见《新修》《千金翼》。

［2］**五脏**　《新修》《医心方》有“五脏”2字，其他各本无此2字。

［3］**汗不出**　《疏证》作“汗不止”。

［4］**止**　《新修》有“止”字，其他各本无“止”字。

［5］**女子**　《新修》原脱，据《千金翼》、《大观》、《政和》、《证类》、玄《大观》、《大全》、成化本《政和》补。

［6］**发**　此下《纲目》《草木典》有“明目”2字。按，此2字原出于《食疗本草》。

［7］**耐寒暑**　《疏证》作“能耐寒暑”，其他各本作“耐寒暑”，无“能”字。

［8］**气**　此下《纲目》《草木典》在“气”字下，有“喘促”2字。

［9］**蓎**　《新修》原作“卢”，据《千金翼》《大观》《政和》《证类》改。

［10］**阴干**　《新修》原脱“阴”字，据《千金翼》《大观》《政和》《证类》补。

［11］**杏仁为之使，畏橐吾**　《纲目》《草木典》注为徐之才文。此文《本草经集注》已有著录。

501　蔓椒[1]

无毒。一名猪椒[2]，一名彘椒，一名狗椒。生云中山[3]及丘冢间。采茎、根煮酿酒[4]。

〔《本经》原文〕

蔓椒，味苦，温。主风寒湿痹，历节疼，除四肢厥气，膝痛。一名豕椒。生川谷。

【校注】

[1] 蔓椒条见《新修》《千金翼》。又，《纲目》“蔓椒”条注“豕椒”2字为《别录》文。《大观》、玄《大观》、《大全》、成化本《政和》、《证类》取此2字作白字《本经》文，《图考长编》、森本、狩本、黄本、孙本、顾本亦取此2字为《本经》文，但孙、顾、黄三氏把“冢”字书为“家”字。本书从《大观》等为正，不取“冢椒”为《别录》文。本条，《通志略》作“蔓椒曰豕椒，曰猪椒，曰彘椒，曰狗椒，以其作狗彘之气，又曰地椒，言生于地上”。

[2] **一名猪椒**　《新修》原脱，据《和名》《千金翼》《大观》《政和》《证类》补。

[3] **山**　《新修》有“山”字，其他各本无“山”字。

[4] **酒**　《新修》原脱，据《千金翼》《大观》《政和》《证类》补。

502　莽草[1]

味苦，有毒。主治喉痹不通，乳难，头风痒，可用沐，勿近目[2]。一名葞，一名春草[3]。生上谷[4]及宛朐。五月采叶，阴干。

〔《本经》原文〕

莽草，味辛，温。主风头痈肿，乳痈疝瘕，除结气疥瘙，杀虫鱼。生山谷。

【校注】

[1] 莽草条见《新修》、《御览》卷993。本条，《梦溪补笔谈》引本草作“莽草，若石南而叶稀，无花实”。

[2] **勿近目**　《新修》作“勿近目”，其他各本作“勿令入眼”。

[3] **春草**　《尔雅》郭璞注云：“本草云‘葞，春草，一名芒草’。”

[4] **生上谷**　《御览》作“生上谷，生还谷”。《纲目》作“生上谷山谷”，其他各本作“生上谷”。

503　鼠李[1]

皮味苦，微寒，无毒。主除身皮热毒。一名牛李，一名鼠梓，一名椑[2]。生田野，采无时。

〔《本经》原文〕

鼠李，主寒热瘰疬疮。

【校注】

[1] 鼠李条见《新修》《千金翼》。本条，《通志略》作“鼠李曰牛李，曰鼠梓，曰椑，曰山李，曰楩，曰苦楸，即乌巢子也”。

[2] **一名柙** 《新修》《和名》作“一名柙”，其他各本作“一名椑”。

504 枇杷叶[1]

味苦，平，无毒[2]。主治卒啘[3]不止，下气[4]。

【校注】

[1] 枇杷叶条见《新修》、《大观》卷23。

[2] **味苦，平，无毒** 《新修》、《医心方》、武田本《新修》原脱，据《千金翼》《大观》《政和》《证类》补。

[3] **卒啘** 《草木典》作“卒噎”，其他各本作“卒啘”。

[4] **气** 此下《纲目》《草木典》有“煮汁服”3字，其他各本无此3字。

505 巴豆[1]

生温熟寒，有大毒。主治女子月闭，烂胎，金创[2]脓血，不利丈夫阴[3]，杀斑蝥[4]毒。可练饵之，益血脉，令人色好，变化与鬼神通。生巴郡[5]。八月采实[6]，阴干[7]，用之[8]去心皮。芫花为之使，恶蘘草[9]，畏大黄、黄连、藜芦[10]。

〔《本经》原文〕

巴豆，味辛，温。主伤寒温疟寒热，破癥瘕结聚坚积，留饮痰癖，大腹水胀，荡练五脏六腑，开通闭塞，利水谷道，去恶肉，除鬼毒蛊注邪物，杀虫鱼。一名巴叔。生川谷。

【校注】

[1] 巴豆条见《新修》、《御览》卷993。

[2] **金创** 《新修》作“金创”，其他各本作“金疮”。

[3] **阴** 此下《纲目》有“癞”字，其他各本无“癞”字。又，《草木典》脱漏“阴”字。

[4] **蝥** 此下《纲目》《草木典》有“蛇虺”2字，其他各本无此2字。

[5] **生巴郡** 《御览》作“生巴蜀郡”，其他各本作“生巴郡”。

[6] **实** 《新修》有“实”字，其他各本无“实”字。

[7] **阴干** 《新修》原脱“阴”字，据《千金翼》《大观》《政和》《证类》补。

[8] **用之** 《新修》原颠倒作“之用”，据《千金翼》《大观》《政和》《证类》改。

[9] **蘘草** 《新修》原作“蘘菓”，据《本草经集注》《医心方》《千金方》《大观》《政和》《证类》改。

[10] **芫花为之使……藜芦** 《纲目》《草木典》注为徐之才文。此文《本草经集注》已有著录。

506 甘遂[1]

味甘[2]，大寒，有毒。主下五水，散膀胱留热[3]，皮中痞，热气肿满。一名甘藁，一名陵藁[4]，一名陵泽，一名重泽。生中山[5]。二月采根，阴干。瓜蒂为之使，恶远志，反甘草[6]。

〔《本经》原文〕

甘遂，味苦，寒。主大腹疝瘕，腹满，面目浮肿，留饮宿食，破癥坚积聚，利水谷道。一名主田。生川谷。

【校注】

[1] 甘遂条见敦煌卷子本《新修本草》残卷、《御览》卷993。又，《纲目》在“甘遂”条注“主田”2字为《别录》文，《疏证》亦作《别录》文。敦煌卷子本《新修本草》残卷取“主田”2字作朱字《本经》文，《大观》、玄《大观》、《大全》、成化本《政和》、《政和》、《证类》取此2字作白字《本经》文。《图考长编》、森本、孙本、顾本、狩本、黄本皆取此2字为《本经》文。按，“主田”2字应为《本经》文，非《别录》文。

[2] **甘** 敦煌卷子本《新修本草》残卷原脱，据《千金翼》《大观》《政和》《证类》补。

[3] **留热** 《草木典》作“多热”，其他各本作“留热”。

[4] **一名陵藁** 《图考长编》脱此4字，其他各本有此4字。

[5] **生中山** 《御览》作“出中山”，其他各本作“生中山”。

[6] **瓜蒂为之使，恶远志，反甘草** 《纲目》《草木典》注为徐之才文。此文《本草经集注》已有著录。

507 葶苈[1]

大寒，无毒。下膀胱水，腹[2]留热气，皮间邪水上出，面目肿[3]，身暴中风热，痱痒，利小腹。久服令人虚。一名丁历，一名䔩蒿[4]。生藁城及田野。立夏后采实，阴干。得酒良[5]，榆皮为之使，恶僵蚕、石龙芮[6]。

〔《本经》原文〕

葶苈，味辛、苦，寒。主癥瘕积聚结气，饮食寒热，破坚逐邪，通利水道。一名大室，一名大适。生平泽。

【校注】

[1] 葶苈条见敦煌卷子本《新修本草》残卷、《千金翼》。又，《纲目》“葶苈”条以《尔雅》郭璞注文“狗荠”2字为《别录》文，其他各本无“狗荠”2字。又，“苈”字后，敦煌卷子本《新修本草》残卷有“味苦”2字作朱字《本经》文。《大观》、玄《大观》、《大全》、成化本《政和》、《政和》、《证类》、《纲目》、《草木典》、《图考长编》、《疏证》皆注“味苦”2字为《别录》文，森本、孙本、顾本、狩本、黄本皆不取“味苦”2字为《本经》文。本书从敦煌卷子本《新修本草》残卷为正。本条，《急就篇》颜师古注作“亭历，一名丁历，一名蕇，一名狗齐”。又，王应麟注作“本草苗叶似荠，根白枝茎青，花微黄，结角子扁小如黍米，立夏后采实”。《外台秘要》引本草作“葶苈久服令人虚”。

[2] **腹** 敦煌卷子本《新修》作“腹”，其他各本作“伏”。

[3] **面目肿** 敦煌卷子本《新修本草》残卷作“面目肿”。《千金翼》《大观》《政和》《证类》《品汇》《纲目》《疏证》作“面目浮肿”。

[4] **蕇蒿** 敦煌卷子本《新修本草》残卷原脱“蒿”字，据《千金翼》《大观》《政和》《证类》补。

[5] **得酒良** 《千金翼》、《大观》、玄《大观》、《大全》、成化本《政和》、《政和》、《证类》、《疏证》取“得酒良”3字，作大字正文，非小字注文。敦煌卷子本《新修本草》残卷取此3字作小字注文。《本草经集注》取此3字亦作小字注文。按，“得酒良”3字应为小字注文，非大字正文。

[6] **得酒良，榆皮为之使，恶僵蚕、石龙芮** 《纲目》《草木典》注为徐之才文。此文《本草经集注》已有著录。

508 大戟[1]

味甘，大寒，有小毒。主治颈腋痈肿，头痛，发汗，利大小肠[2]。生常山。十二月采根，阴干。反甘草[3]。

〔《本经》原文〕

大戟，味苦，寒。主蛊毒，十二水肿满急痛积聚，中风皮肤疼痛，吐逆。一名邛钜。

【校注】

[1] 大戟条见敦煌卷子本《新修本草》残卷、《御览》卷992。本条，《尔雅》郭璞注引本草作“荞，邛钜，今药草大戟也”。《尔雅疏》邢昺云：“案本草大戟，一名邛钜，苗名泽漆。”

[2] **利大小肠** 《纲目》《草木典》《图考长编》作“利大小便”，其他各本作“利大小肠”。

[3] **反甘草** 《纲目》《草木典》注为徐之才文。此文《本草经集注》已有著录。

509 泽漆[1]

味辛，无毒。利大小肠，明目，轻身。一名漆茎，大戟苗也。生太山。三月三日、七月七日采茎叶[2]阴干。小豆为之使，恶署预[3]。

〔《本经》原文〕

泽漆，味苦，微寒。主皮肤热，大腹水气，四肢面目浮肿，丈夫阴气不足。生川泽。

【校注】

[1] 泽漆条见敦煌卷子本《新修本草》残卷、《千金翼》。

[2] **采茎叶** 敦煌卷子本《新修本草》残卷原脱“茎叶”2字，据《千金翼》《大观》《政和》《证类》补。又，《图考长编》《疏证》作“采根叶”。按，泽漆既是大戟苗，言采根叶与理似不合。

[3] **小豆为之使，恶署预** 《纲目》《草木典》注为徐之才文。此文《本草经集注》已有著录。

510 芫花[1]

味苦，微温，有小毒。消胸中痰水，喜唾，水肿，五水在五脏皮肤，及腰痛，下寒毒肉毒。久服令人虚[2]。一名毒鱼，一名牡芫[3]。其根[4]名蜀桑根，治疥疮[5]，可用毒鱼。生淮源。三月三[6]日采花，阴干。决明为之使，反甘草[7]。

〔《本经》原文〕

芫花，味辛，温。主咳逆上气，喉鸣喘，咽肿短气，蛊毒鬼疟，疝瘕痈肿。杀虫鱼。一名去水。生川谷。

【校注】

[1] 芫花条见敦煌卷子本《新修本草》残卷、《御览》卷992。

[2] **久服令人虚** 《纲目》《草木典》脱此5字，其他各本有此5字。

[3] **牡芫** 敦煌卷子本《新修本草》残卷作“牡芫”，《和名》、《千金翼》、《大观》、玄《大观》、《大全》、成化本《政和》、《政和》、《证类》、《品汇》、《纲目》、《疏证》作“杜芫”。

[4] **其根** 敦煌卷子本《新修本草》残卷原脱“其”字，据《千金翼》《大观》《政和》《证类》补。

[5] **疥疮** 敦煌卷子本《新修本草》残卷原作“疥咳”，据《千金翼》《大观》《政和》《证类》改。

[6] **三** 《大全》、成化本《政和》、《政和》、《证类》、《疏证》无“三”字，其他各本有“三”字。

[7] **决明为之使，反甘草** 《纲目》《草木典》注为徐之才文。此文《本草经集注》已有著录。

511 荛花[1]

味辛，微寒，有毒。主治痰饮咳嗽。生咸阳及河南[2]中牟。六月采花[3]，阴干。

〔《本经》原文〕

荛花，味苦，寒。主伤寒温疟，下十二水，破积聚大坚癥瘕，荡涤肠胃中留癖饮食，寒热邪气，利水道。生川谷。

【校注】

[1] 荛花条见敦煌卷子本《新修本草》残卷、《千金翼》。

[2] **河南** 《草木典》作“河内”，其他各本作“河南”。

[3] **花** 敦煌卷子本《新修本草》残卷原作“华”，据《千金翼》《大观》《政和》《证类》改。

512 旋覆花[1]

味甘，微温[2]，冷利，有小毒。消胸上痰结唾如胶漆，心胁[3]痰水，膀胱留饮，风气湿痹，皮间死肉，目中眵䁾，利大肠[4]，通血脉，益色泽。一名戴椹。根，主风湿[5]。生平泽。五月采花，日干，廿日成。

〔《本经》原文〕

旋覆花，味咸，温。主结气，胁下满，惊悸，除水，去五脏间寒热，补中，下气。一名金沸草，一名盛椹。生川谷。

【校注】

[1] 旋覆花条见敦煌卷子本《新修本草》残卷、《御览》卷991。

[2] **微温** 《证类》作“微”，脱“温”字，其他各本作“微温”。

[3] **心胁** 《草木典》作“心胸”，其他各本作“心胁”。

[4] **利大肠** 《政和》作“利太肠”，其他各本作“利大肠”。

[5] **湿** 敦煌卷子本《新修本草》残卷作“温”，据《千金翼》《大观》《政和》改。

513 钩吻[1]

有大毒[2]。破癥积，除脚膝痹痛[3]，四肢拘挛，恶疮疥虫，杀鸟兽[4]。折之青烟出者，名固活，其热一宿[5]，不入汤[6]。生傅高及会稽东野。秦钩吻，味辛。治喉痹，咽中塞，声变，咳逆气，温中。一名除辛，一名毒根。生寒石山，二月、八月采[7]。半夏为之使，恶黄芩[8]。

〔《本经》原文〕

钩吻，味辛，温。主金创乳痓，中恶风，咳逆上气，水肿，杀鬼注蛊毒。一名野葛。生山谷。

【校注】

[1] 钩吻条见敦煌卷子本《新修本草》残卷、《御览》卷990。又，“钩吻”，敦煌卷子本《新修本草》残卷作“钓吻”，据《千金翼》《大观》《政和》《证类》改。

[2] **有大毒** 《政和》作“大有毒”，其他各本作“有大毒”。

[3] **痛** 敦煌卷子本《新修本草》残卷原脱，据《千金翼》《大观》《政和》《证类》补。

[4] **兽** 此下《纲目》《草木典》有“捣汁入膏中，不入汤饮”9字，其他各本无此9字。

[5] **其热一宿** 敦煌卷子本《新修本草》残卷作“其热一宿”，其他各本作“甚热”2字。

[6] **不入汤** 《纲目》作“捣汁入膏中，不入汤饮”，其他各本作“不入汤”。

[7] **秦钩吻，味辛……二月、八月采** 敦煌卷子本《新修本草》残卷有此35字，其他各本无。

[8] **半夏为之使，恶黄芩** 《纲目》《草木典》注为徐之才文。此文《本草经集注》已有著录。

514 蚤休[1]

有毒。生山阳及宛朐。

〔《本经》原文〕

蚤休，味苦，微寒。主惊痫，摇头弄舌，热气在腹中，癫疾，痈疮阴蚀，下三虫，去蛇毒。一名蚩休。生川谷。

【校注】

[1] 蚤休条见《千金翼》、《大观》卷11。又，“蚤休”条，《纲目》《草木典》有“癫疾，痈疮阴蚀，下三虫，去蛇毒”注为《别录》文。《大观》、玄《大观》、《大全》、成化本《政和》、《政和》、《证类》作白字《本经》文。《品汇》、《图考长编》、森本、孙本、顾本、狩本、黄本皆作《本经》文。本书从《大观》等为正，不取为《别录》文。

515 虎杖根[1]

微温。上通利月水，破留血癥结。

【校注】

[1] 虎杖根条见《千金翼》、《大观》卷13。

516 石长生[1]

味苦，有毒。下三虫。生咸阳。

〔《本经》原文〕

石长生，味咸，微寒。主寒热恶疮大热，辟鬼气不祥。一名丹草。生山谷。

【校注】

[1] 石长生条见《御览》卷991、《千金翼》、《群芳谱》卷92。

517 鼠尾草[1]

味苦，微寒[2]，无毒。主治鼠瘘，寒热，下痢脓血不止。白花者治白下，赤花者治赤下[3]。一名葝，一名陵翘[4]。生平泽中。四月采叶，七月采花[5]，阴干。

【校注】

[1] 鼠尾草条见《千金翼》、《大观》卷11。

[2] **味苦，微寒**　《图考长编》脱此4字，其他各本有此4字。

[3] **主治鼠瘘……治赤下**　《纲目》注出苏颂。

[4] **陵翘**　《图考长编》作"陆粗"。

[5] **花**　《大观》、玄《大观》作"叶"，其他各本作"花"。

518 屋游[1]

味甘，寒。主治浮热在皮肤，往来寒热，利小肠膀胱气。生屋上阴处。八月、九月采。

【校注】

[1] 屋游条见《千金翼》、《大观》卷11。

519 牵牛子[1]

味苦，寒，有毒。主下气，治脚满[2]水肿，除风毒，利小便。

【校注】

[1] 牵牛子条见《千金翼》、《大观》卷11。

[2] **满** 《草木典》脱“满”字，其他各本有“满”字。

520 狼毒[1]

有大毒。主治胁[2]下积癖。生秦亭及奉高。二月、八月采根，阴干，陈而沉水者良。大豆为之使，恶麦句姜[3]。

〔《本经》原文〕

狼毒，味辛，平。主咳逆上气，破积聚饮食，寒热水气，恶疮鼠瘘疽蚀，鬼精蛊毒，杀飞鸟走兽。一名续毒。生山谷。

【校注】

[1] 狼毒条见《千金翼》、《大观》卷11。

[2] **胁** 《纲目》《草木典》《图考长编》作“胸”，其他各本作“胁”。

[3] **大豆为之使，恶麦句姜** 《纲目》注为徐之才文。此文《本草经集注》已有著录。

521 鬼臼[1]

微温[2]，有毒。主治咳嗽喉结，风邪，烦惑，失魄，妄见，去目中肤翳，杀大毒[3]，不入汤。一名天臼，一名解毒。生九真及宛朐。二月、八月采根。畏垣衣[4]。

〔《本经》原文〕

鬼臼，味辛，温。主杀蛊毒鬼注精物，辟恶气不祥，逐邪，解百毒。一名爵犀，一名马目毒公，一名九臼。生山谷。

【校注】

[1] 鬼臼条见《千金翼》、《大观》卷11。

[2] **微温** 玄《大观》、《大观》取“微温”2字作白字《本经》文。成化本《政和》、《大全》、《政和》、《证类》、《纲目》、《草木典》、《图考长编》注为《别录》文，森本、孙本、顾本、狩本、黄本皆不取此2字为《本经》文。按，此2字应为《别录》文。

[3] **杀大毒** 《纲目》《草木典》排在“有毒”之后。

[4] **畏垣衣** 《纲目》《草木典》注为徐之才文。此文《本草经集注》已有著录。

522 芦根[1]

味甘，寒。主治消渴，客热，止小便利。

【校注】

[1] 芦根条见《千金翼》、《大观》卷11。又，“芦根”，《和名类聚钞》作“芦苇”，其他各本作“芦根”，《通志略》作“芦”。

523 甘蕉根[1]

大寒。主治痈肿、结热。

【校注】

[1] 甘蕉根条见《千金翼》、《大观》卷11。又，《图考长编》《群芳谱》以“芭蕉”为正名。

524 萹蓄[1]

无毒。主治女子阴蚀。生东莱。五月采，阴干。

〔《本经》原文〕

萹蓄，味辛，平。主浸淫，疥瘙疽痔，杀三虫。生山谷。

【校注】

[1] 萹蓄条见《御览》卷998、《千金翼》。又，“萹蓄”，《御览》作“萹萹”，其他各本作“萹蓄”。

525 商陆[1]

味酸，有毒。主治胸中邪气，水肿，痿痹，腹满洪直，疏五脏，散水气。如人形者，有神。生咸阳。

〔《本经》原文〕

商陆，味辛，平。主水胀疝瘕痹，熨除痈肿，杀鬼精物。一名募根，一名夜呼。生川谷。

【校注】

[1] 商陆条见《御览》卷992、《千金翼》。又，《尔雅》郭璞注引本草云："商陆，别名𦼮，今关西亦呼为𦼮，江东呼为当陆。"其他各本无此文。

526 女青[1]

有毒。蛇衔根也。生朱崖。八月采，阴干。

又，叶嫩时，似萝摩，圆端，大茎，实黑，茎叶汁黄白。雀瓢白汁，主虫蛇毒[2]。

〔《本经》原文〕

女青，味辛，平。主蛊毒，逐邪恶气，杀鬼温疟，辟不祥。一名雀瓢。

【校注】

[1] 女青条见《御览》卷993、《千金翼》。

[2] **叶嫩时……主虫蛇毒** 此文出《证类》"女青"条"唐本注"引《别录》文。

527 白附子[1]

主治心痛，血痹，面上百病，行药势，生蜀郡。三月采。

【校注】

[1] 白附子条见《千金翼》、《大观》卷11。又，"子"字后，《乘雅》衍"气味辛甘，大温，有小毒"9字，其他各本无此9字。

528 天雄[1]

味甘，大温，有大毒。主治头面风去来疼痛，心腹结积[2]，关节重不能行步，除骨间痛，长阴气[3]，强志，令人[4]武勇，力作不倦。又堕胎[5]。生少室。二月采根，阴干。远志为之使，恶腐婢[6]。

〔《本经》原文〕

天雄，味辛，温。主大风，寒湿痹，历节痛，拘挛缓急，破积聚邪气，金创，强筋骨，轻身健行。一名白幕。

【校注】

[1] 天雄条见敦煌卷子本《新修本草》残卷、《御览》卷990。

[2] **积** 《纲目》《草木典》《图考长编》作“聚”，其他各本作“积”。

[3] **除骨间痛，长阴气** 敦煌卷子本《新修本草》残卷原作“长气”，据《御览》、《千金翼》、《大观》、玄《大观》、《大全》、成化本《政和》、《政和》、《证类》补。

[4] **令人** 敦煌卷子本《新修本草》残卷原脱，据《御览》《千金翼》《大观》《政和》《证类》补。

[5] **又堕胎** 《品汇》《纲目》《草木典》脱此3字。

[6] **腐婢** 敦煌卷子本《新修本草》残卷原作“腐妇”，但陶弘景《本草经集注》、《千金方》、《医心方》、《大观》、《政和》、《证类》、玄《大观》、《大全》、成化本《政和》均作“腐婢”。本书从《本草经集注》等。又，“远志为之使，恶腐婢”，《纲目》《草木典》注为徐之才文。此文《本草经集注》已有著录。

529 乌头[1]

味甘，大热，有毒[2]。消胸上淡冷[3]，食不下，心腹冷疾[4]，脐间痛，肩胛痛[5]不可俯仰，目中痛不可力[6]视。又堕胎。

【校注】

[1] 乌头条见敦煌卷子本《新修本草》残卷、《御览》卷990。

[2] **有毒** 敦煌卷子本《新修本草》残卷作“有毒”，其他各本作“有大毒”。

[3] **淡冷** 敦煌卷子本《新修本草》残卷作“淡冷”，《图考长编》作“寒冷”，其他各本作“痰冷”。

[4] **冷疾** 《纲目》《草木典》作“冷痰”。

[5] **肩胛痛** 《纲目》《草木典》脱此3字。

[6] **力** 敦煌卷子本《新修本草》残卷作“力”，其他各本作“久”。

530 射罔

味苦，有大毒。治尸疰癥坚，及头中风[1]痹痛[2]。

【校注】

[1] **头中风** 敦煌卷子本《新修本草》残卷原脱“中”，据《千金翼》《证类》补。

[2] **痛** 《纲目》《草木典》脱“痛”字。

531 乌喙

味辛，微温，有大毒。主治风湿，丈夫肾湿，阴囊痒[1]，寒热历节，掣引腰痛，不能行步，痈肿脓结。又堕胎。生朗陵。正月、二月采，阴干。长三寸以[2]上为天雄。莽草为之使，反半夏[3]、瓜蒌[4]、贝母、白蔹、白及，恶藜芦[5]。

〔《本经》原文〕

乌头，味辛，温。主中风恶风，洗洗出汗，除寒湿痹，咳逆上气，破积聚寒热。其汁煎之名射罔，杀禽兽。一名奚毒，一名即子，一名乌喙。生山谷。

【校注】

[1] **阴囊痒** 《纲目》作“阴寒痒”，又，《草木典》作“阴痒”，脱漏“囊”字。

[2] **以** 敦煌卷子本《新修本草》残卷及《和名》作“以”，其他各本作“已”。

[3] **半夏** 陶弘景《本草经集注》无“半夏”2字，其他各本有“半夏”2字。

[4] **瓜蒌** 敦煌卷子本《新修本草》残卷脱“蒌”字。

[5] **藜芦** 敦煌卷子本《新修本草》残卷脱“芦”字。又，“莽草为之使，反半夏、瓜蒌、贝母、白蔹、白及，恶藜芦”，《纲目》《草木典》注为徐之才文。此文《本草经集注》已有著录。

532 附子[1]

味甘，大热，有大毒[2]。主治脚疼冷弱，腰脊风寒[3]，心腹冷痛，霍乱转筋，下痢赤白，坚肌骨[4]，强阴[5]。又堕胎，为百药长。生犍为[6]及广汉。八月[7]采为附子，春采[8]为乌头。地胆为之使，恶蜈蚣，畏防风、甘草、黄芪、人参、乌韭、大豆[9]。

〔《本经》原文〕

附子，味辛，温。主风寒咳逆邪气，温中，金创，破癥坚积聚，血瘕，寒湿踒躄，拘挛膝痛，不能行步。生山谷。

【校注】

[1] 附子条见敦煌卷子本《新修本草》残卷、《御览》卷990。

[2] **有大毒** 《图考长编》脱“大”字。

[3] **脚疼冷弱，腰脊风寒** 《纲目》《草木典》作“腰脊风寒，脚气冷冷弱”。

[4] **坚肌骨** 《图考长编》脱“骨”字，其他各本有“骨”字。

[5] **坚肌骨，强阴** 《纲目》《草木典》作“温中强阴，坚肌骨”。

[6] **为百药长。生犍为** 《御览》作“生牛犍，为百药之长”。

[7] **八月** 敦煌卷子本《新修本草》残卷作“八月”，其他各本作“冬月”。又，《急就篇》王应麟注引本草云：“冬月采为附子，春月采为乌头。”

[8] **春采** 《纲目》《草木典》作“春月采”。

[9] **大豆** 《本草经集注》《千金方》《医心方》作“大豆”，《大观》、《政和》、《证类》、玄《大观》、《大全》、成化本《政和》、《纲目》、《疏证》作“黑豆”。又，“地胆为之使，恶蜈蚣，畏防风、甘草、黄芪、人参、乌韭、大豆”，《纲目》《草木典》注为徐之才文。此文《本草经集注》已有著录。

533 侧子[1]

味辛，大热，有大毒。主治痈肿，风痹，历节，腰脚疼冷，寒热鼠瘘。又堕胎[2]。

【校注】

[1] 侧子条见敦煌卷子本《新修本草》残卷、《千金翼》。

[2] **又堕胎** 《品汇》脱“又堕胎”3字。

534 羊踯躅[1]

有大毒。主治邪气，鬼疰，蛊毒。一名玉支。生太行山及淮南山。三月[2]采花，阴干。

〔《本经》原文〕

羊踯躅，味辛，温。主贼风在皮肤中淫淫痛，温疟恶毒诸痹。生川谷。

【校注】

[1] 羊踯躅条见敦煌卷子本《新修本草》残卷、《御览》卷992。本条，《新编事文类聚翰墨全书》后戊集作“杜鹃花、羊踯躅、玉支，本草一名”。又，《群芳谱》以“黄杜鹃”为正名，以“羊踯躅”为别名。

[2] **三月** 《草木典》脱“三月”2字。

535 茵芋[1]

微温，有毒。主治久风湿走四肢[2]，脚弱。一名芫草[3]，一名卑共。生太山。三月三日采叶，阴干。

〔《本经》原文〕

茵芋，味苦，温。主五脏邪气，心腹寒热，羸瘦，如疟状，发作有时，诸关节风湿痹痛。生川谷。

【校注】

[1] 茵芋条见敦煌卷子本《新修本草》残卷、《千金翼》。

[2] **湿走四肢** 敦煌卷子本《新修本草》残卷原脱“湿走四肢”4字，据《大观》《政和》《证类》补。但《千金翼》作“流走四肢”。

[3] **芫草** 敦煌卷子本《新修本草》残卷作“芫草”，其他各本作“莞草”。

536 射干[1]

微温，有毒。主治老血在心肝[2]脾间，咳唾，言语气臭，散胸中气[3]。久服令人虚[4]。一名乌翣[5]，一名乌吹，一名草姜。生南阳[6]田野。三月三日采根，阴干。

〔《本经》原文〕

射干，味苦，平。主咳逆上气，喉痹咽痛，不得消息，散结气，腹中邪逆，食饮大热。一名乌扇，一名乌蒲。生川谷。

【校注】

[1] 射干条见敦煌卷子本《新修本草》残卷、《御览》卷992。

[2] **肝** 敦煌卷子本《新修本草》残卷有“肝”字，其他各本无“肝”字。

[3] **散胸中气** 敦煌卷子本《新修本草》残卷作“散胸中气”，其他各本作“散胸中热气”。按，射干既言微温，不应能散热气，各本衍“热”字，可能是抄写舛误。

[4] **久服令人虚** 《纲目》《草木典》在“微温”之后。

[5] **乌翣** 敦煌卷子本《新修本草》残卷作“乌翣”，其他各本作“乌翣”。

[6] **阳** 此后，敦煌卷子本《新修本草》残卷衍“生”字，其他各本无“生”字。

537 鸢尾[1]

有毒。主治头眩，杀鬼魅[2]。一名乌园[3]。生九疑。五月采。

【校注】

[1] 鸢尾条见敦煌卷子本《新修本草》残卷、《千金翼》。

[2] **治头眩，杀鬼魅** 《纲目》《草木典》作“杀鬼魅，疗头眩。”

[3] **乌园** 《纲目》注为《本经》文，《证类》作墨字《别录》文。

538 由跋根[1]

主治毒肿结热[2]。

【校注】

[1] 由跋根条见敦煌卷子本《新修本草》残卷、《千金翼》。又，“根”，敦煌卷子本《新修本草》残卷有“根”字，其他各本无“根”字。

[2] **由跋根，主治毒肿结热** 《纲目》注为《本经》文，《大观》、玄《大观》、《大全》、成化本《政和》、《政和》、《证类》、《品汇》、《图考长编》注为《别录》文，森本、孙本、顾本、狩本、黄本皆不取“由跋”为《本经》文。按，“由跋”条应为《别录》文，非《本经》文。

539 药实根[1]

无毒。生蜀郡，采无时。

〔《本经》原文〕

药实根，味辛，温。主邪气诸痹疼酸，续绝伤，补骨髓。一名连木。生山谷。

【校注】

[1] 药实根条见《新修》《千金翼》。“药实根”，《纲目》作“海药实根”，列在“解毒子”条“附录”项下。又，《政和》、成化本《政和》、《大全》、《证类》在“根”字下，有“味辛”2字作墨字《别录》文。玄《大观》、《大观》作白字《本经》文。《纲目》、森本、孙本、顾本、狩本、黄本皆作《本经》文。本书从《大观》等为正，不取“味辛”2字为《别录》文。

540 皂荚[1]

有小毒。主治腹胀满，消谷，破[2]咳嗽囊结，妇人胞下落，明目，益精。可为沐药，不入汤。生雍州及鲁邹县。如猪[3]牙者良。九月、十月采荚，阴干[4]。青葙子[5]为之使。恶麦门冬，畏空青、人参、苦参[6]。

〔《本经》原文〕

皂荚，味辛、咸，温。主风痹死肌邪气，风头泪出，利九窍，杀精物。生川谷。

【校注】

[1] 皂荚条见《新修》《千金翼》。

[2] **破** 《新修》作“破”，其他各本作“除”。

[3] **猪** 《新修》原作“睹”，据《和名》《千金翼》《大观》《政和》《证类》改。

[4] **阴干** 《新修》作“干”，其他各本作“阴干”。

[5] **青葙子** 《本草经集注》作“青葙子”。《千金方》《医心方》作“柏子”。《大观》《政和》《证类》《纲目》《疏证》作“柏实”。

[6] **恶麦门冬，畏空青、人参、苦参** 《纲目》《草木典》注为徐之才文。此文《本草经集注》

已有著录。

541 楝实[1]

有小毒。根微寒。治蛔虫，利大肠[2]。生荆山。

〔《本经》原文〕

楝实，味苦，寒。主温疾伤寒，大热烦狂，杀三虫，疥疡，利小便水道。生山谷。

【校注】

[1] 楝实条见《新修》《千金翼》。本条，玄《大观》有“疡，利小便水道”6字作墨字《别录》文，其他各本作《本经》文。

[2] **肠** 《新修》原作“腹”，据《千金翼》、《大观》、《政和》、《证类》、玄《大观》改。

542 柳华[1]

无毒。主治痂疥，恶疮，金创[2]。叶取煎煮，以洗马疥，立愈[3]。又治心腹内血[4]，止痛。生琅邪[5]。

〔《本经》原文〕

柳华，味苦，寒。主风水黄疸，面热黑。一名柳絮。叶，主马疥痂疮。实，主溃痈，逐脓血。子汁，疗渴。生川泽。

【校注】

[1] 柳华条见《新修》、《御览》卷957。

[2] **金创** 《新修》作“金创”，其他各本作“金疮”。《纲目》《草木典》在“创”字后，注“柳实，主溃痈，逐脓血。子汁疗渴。叶，主马疥痂疮”18字为《别录》文。《大观》、玄《大观》、《大全》取此18字作白字《本经》文，《图考长编》、狩本、黄本、森本、孙本、顾本皆取此18字为《本经》文。但《政和》、成化本《政和》、《证类》、《品汇》在此18字中，除“子汁疗渴”4字作《别录》文外，其余皆作《本经》文。本书从《大观》等为正，取此18字为《本经》文，不录为《别录》文。

[3] **叶取煎煮，以洗马疥，立愈** 《纲目》《草木典》作“叶主治恶疥、痂疮、马疥，煎煮洗之，立愈”。

[4] **内血** 《新修》原作“肉血”，据《千金翼》、《大观》、《政和》、《证类》、玄《大观》改。

[5] **生琅邪** 《政和》《证类》作白字《本经》文，《大观》、玄《大观》、《大全》、《图考长编》注为《别录》文，森本、孙本、顾本、狩本、黄本皆不取此3字为《本经》文。按，此3字应为《别录》文。

543 桐叶[1]

无毒。皮，主治贲豚气病[2]。生桐柏。

〔《本经》原文〕

桐叶，味苦，寒。主恶蚀疮著阴。皮，主五痔，杀三虫。花，主傅猪疮，饲猪肥大三倍。生山谷。

【校注】

[1] 桐叶条见《新修》《千金翼》。

[2] **贲豚气病** 《新修》原作“贲纯气”3字，据《千金翼》《大观》《政和》《证类》改。

544 梓白皮[1]

无毒。主治目中患[2]。生河内。

又，皮，主吐逆胃反，去三虫，小儿热疮，身头热烦，蚀疮。汤浴之，并封薄散傅[3]。嫩叶，主烂疮也[4]。

〔《本经》原文〕

梓白皮，味苦，寒。主热，去三虫。叶，捣傅猪疮，饲猪肥大三倍。生山谷。

【校注】

[1] 梓白皮条见《新修》《千金翼》。

[2] **患** 《新修》作“患”，其他各本作“疾”。又，“患”字后，《纲目》《草木典》有“叶捣傅猪疮，饲猪肥大三倍”11字注为《别录》文。《大观》、玄《大观》、《大全》、成化本《政和》、《政和》、《证类》作白字《本经》文，《品汇》、《图考长编》、森本、孙本、顾本、《疏证》、狩本、黄本皆取此11字为《本经》文。按，此11字应为《本经》文，非《别录》文。

[3] **并封薄散傅** 《新修》作“并封薄散傅”。玄《大观》、《大全》、成化本《政和》、《大观》、《政和》、《证类》作“并封傅”，脱“薄散”2字。《纲目》《草木典》作“并捣傅”。

[4] **皮，主吐逆……烂疮也** 此文出《新修》“梓白皮”条注引《别录》文。

545 蜀漆[1]

微温，有毒。主治胸中邪结气，吐出之[2]。生江林山及[3]蜀汉中，恒山[4]苗也。五月采叶，阴干。瓜蒌为之使，恶贯众[5]。

〔《本经》原文〕

蜀漆，味辛，平。主疟及咳逆寒热，腹中癥坚痞结，积聚邪气，蛊毒鬼注。生川谷。

【校注】

[1] 蜀漆条见敦煌卷子本《新修本草》残卷、《御览》卷992。

[2] **吐出之** 《纲目》《草木典》作“吐去之”，其他各本作“吐出之”。

[3] **及** 敦煌卷子本《新修本草》残卷原作“生”，据《千金翼》《大观》《政和》《证类》改。

[4] **恒山** 敦煌卷子本《新修本草》残卷作“恒山”，其他各本作“常山”。

[5] **瓜蒌为之使，恶贯众** 《纲目》《草木典》注为徐之才文。此文《本草经集注》已有著录。

546 半夏[1]

生微寒、熟温，有毒。主消心腹胸中[2]膈痰热满结，咳嗽上气，心下急痛坚痞，时气呕逆，消痈肿，胎堕[3]，治萎黄，悦泽面目[4]。生令人吐，熟令人下。用之汤洗，令滑尽[5]。一名守田[6]，一名示姑[7]。生槐里。五月、八月采根，暴干。射干为之使，恶皂荚，畏雄黄、生姜、干姜、秦皮、龟甲，反乌头[8]。

〔《本经》原文〕

半夏，味辛，平。主伤寒寒热，心下坚，下气，喉咽肿痛，头眩，胸胀咳逆，肠鸣，止汗。一名地文，一名水玉。生川谷。

【校注】

[1] 半夏条见敦煌卷子本《新修本草》残卷、《御览》卷992。

[2] **中** 敦煌卷子本《新修本草》残卷有“中”字，其他各本无“中”字。

[3] **胎堕** 敦煌卷子本《新修本草》残卷作“胎堕”，其他各本作“堕胎”。

[4] **胎堕，治萎黄，悦泽面目** 《纲目》《草木典》作“疗萎黄，悦泽面目，堕胎”。

[5] **用之汤洗，令滑尽** 《纲目》《草木典》作“汤洗尽滑用”。

[6] **田** 此下《政和》、成化本《政和》、《疏证》有“一名地文，一名水玉”注为《别录》文，顾本不取此8字为《本经》文，《纲目》注“地文”为《别录》文，注“水玉”为《本经》文。《大观》、《大全》、玄《大观》、《证类》、《图考长编》、森本、孙本、黄本、狩本皆注此8字为《本经》文。按，此8字应为《本经》文，非《别录》文。

[7] **示姑** 《图考长编》《纲目》《草木典》作“和姑”，其他各本作“示姑”。又，《纲目》《草木典》将“和姑”2字注为《本经》文。其实“和姑”2字出《吴普》。

[8] **射干为之使……反乌头** 《纲目》《草木典》注为徐之才文。此22字《本草经集注》已有著录。

547 款冬花[1]

味甘，无毒。主消渴，喘息呼吸。一名氐冬。生常山及上党水傍。十一月采花，阴干。杏仁为之使，得紫菀良，恶皂荚、消石[2]、玄参[3]，畏贝母[3]、辛夷、麻黄、黄芪[4]、黄芩、黄连、青葙[5]。

〔《本经》原文〕

款冬花，味辛，温。主咳逆上气，善喘，喉痹，诸惊痫寒热邪气。一名橐吾，一名颗冻，一名虎须，一名兔奚。生山谷。

【校注】

[1] 款冬花条见《御览》卷992、《千金翼》。本条，《急就篇》颜师古注："橐吾似款冬，而腹中有丝，生陆地，花黄色，一名兽须。"颜师古又云："款东即款冬也，亦曰款冻，以其凌寒叩冰而生，故为此名也。生水中，花紫赤色，一名兔奚，亦曰颗东。"

[2] **消石** 玄《大观》、《大观》作"消芒"，《政和》《证类》《本草经集注》《千金方》《医心方》《纲目》《疏证》均作"消石"。

[3] **"玄参""贝母"** 《医心方》无此4字，其他各本有此4字。

[4] **黄芪** 《本草经集注》无此2字，其他各本有此2字。

[5] **杏仁为之使……青葙** 《纲目》《草木典》注为徐之才文。此文《本草经集注》已有著录。

548 牡丹[1]

味苦，微寒，无毒。主除时气，头痛，客热，五劳，劳气，头腰痛，风噤，癫疾[2]。生巴郡[3]及汉中。二月、八月采根，阴干。畏菟丝子[4]。

〔《本经》原文〕

牡丹，味辛，寒。主寒热，中风瘛疭，痉惊痫邪气，除癥坚瘀血留舍肠胃，安五脏，疗痈疮。一名鹿韭，一名鼠姑。生山谷。

【校注】

[1] 牡丹条见《御览》卷992、《千金翼》。本条，《海绿碎事》引本草作"牡丹一名百两金"。《记纂渊海》引本草作"牡丹一名百两金，又曰鼠姑"。

[2] **癫疾** 《纲目》《草木典》《图考长编》作"癫疾"，《千金翼》、《大观》、玄《大观》、成化本《政和》、《大全》、《图经衍义》、《政和》、《证类》、《品汇》、《疏证》均作"癫疾"。本书从《千金翼》等为正。

[3] **生巴郡** 《御览》作“出巴郡”，其他各本作“生巴郡”。

[4] **畏菟丝子** 《纲目》《草木典》注此为徐之才文。此文《本草经集注》已有著录。

549 防己[1]

味苦，温，无毒。主治水肿，风肿，去膀胱热，伤寒，寒热[2]邪气，中风，手脚挛急，止泄，散痈肿[3]、恶结，诸蜗疥癣，虫疮，通腠理，利九窍[4]。文如车辐理解者良[5]。生汉中。二月、八月采根，阴干。殷孽为之使，杀雄黄毒，恶细辛，畏萆薢[6]。

〔《本经》原文〕

防己，味辛平，主风寒，温疟热气诸痫，除邪，利大小便，一名解离。生川谷。

【校注】

[1] 防己条见《御览》卷991、《千金翼》。又，《御览》引《本草经》曰：“防己，一名石解。”

[2] **伤寒，寒热** 《纲目》《草木典》作“伤寒热”，脱“寒”字。

[3] **肿** 此下《疏证》衍“风肿”2字。

[4] **通腠理，利九窍** 《纲目》《草木典》在“手脚挛急”之后。

[5] **文如车辐理解者良** 《纲目》《草木典》脱此文。

[6] **殷孽为之使，杀雄黄毒，恶细辛，畏萆薢** 《纲目》《草木典》注为徐之才文。此文《本草经集注》已有著录。

550 赤赫[1]

味苦，寒，有毒。主治痂疡恶败疮，除三虫、邪气。生益州川谷，二月、八月采[2]。

【校注】

[1] 赤赫条见《新修》《千金翼》。又，“赫”，《新修》原作“赭”，据《和名》、《千金翼》、《大观》、《政和》、《证类》、玄《大观》、《大全》、成化本《政和》改。

[2] **采** 《新修》原脱，据《千金翼》《大观》《政和》《证类》补。

551 黄环[1]

有毒。生蜀郡[2]。三月采根，阴干。鸢尾为之使，恶茯苓[3]。

〔《本经》原文〕

黄环，味苦，平。主蛊毒鬼注鬼魅，邪气在脏中，除咳逆寒热。一名凌泉，一名大就。生山谷。

【校注】

[1] 黄环条见《新修》、《御览》卷993。

[2] **蜀郡** 玄《大观》作白字《本经》文，其他各本作《别录》文。

[3] **鸢尾为之使，恶茯苓** 《纲目》注为徐之才文。此文《本草经集注》已有著录。又，“苓”字后，《新修》《证类》有“防己”2字，因《本草经集注》无此2字，故本书不录此2字。

552 巴戟天[1]

味甘，无毒。主治头面游风，小腹及阴中相引痛，下气[2]，补五劳，益精，利男子。生巴郡及下邳。二月、八月采根，阴干。覆盆子为之使，恶朝生、雷丸、丹参[3]。

〔《本经》原文〕

巴戟天，味辛，微温。主大风邪气，阴痿不起，强筋骨，安五脏，补中增志益气。生山谷。

【校注】

[1] 巴戟天条见《千金翼》、《大观》卷6。

[2] **下气** 《纲目》《草木典》脱此2字。

[3] **覆盆子为之使，恶朝生、雷丸、丹参** 《纲目》《草木典》注为徐之才文。此文《本草经集注》已有著录。

553 石南草[1]

有毒。主治脚弱，五脏邪气，除热。女子不可久服[2]，令思男。生华阴。二月[3]、四月采叶，八月采实，阴干。五加为之使[4]。

〔《本经》原文〕

石南，味辛、苦，平。主养肾气，内伤阴衰，利筋骨皮毛。实，杀蛊毒，破积聚，逐风痹。一名鬼目。生山谷。

【校注】

[1] 石南草条见《新修》《千金翼》。又，“石南草”，《新修》作“石南草”，其他各本作“石南”。又，“草”字后，《政和》、《证类》、成化本《政和》、《大全》有“平”字，作墨字《别录》文。《图考长编》亦注“平”字为《别录》文，孙本、黄本不取“平”字为《本经》文。但玄《大观》、《大观》取“平”字作白字《本经》文，森本、顾本、狩本皆取“平”字为《本经》文。本书从《大观》等为正，不取“平”字为《别录》文。

[2] **不可久服**　《新修》原脱“久”字，据《千金翼》《证类》补。

[3] **二月**　《纲目》《草木典》作“三月”。

[4] **五加为之使**　《纲目》《草木典》注为徐之才文。此文《本草经集注》已有著录。

554　女菀[1]

无毒。主治肺伤、咳逆，出汗，久寒在膀胱支满，饮酒夜食发病[2]。一名白菀，一名织女菀[3]，一名苑。生汉中或山阳。正月、二月采，阴干。畏卤咸[4]。

〔《本经》原文〕

女菀，味辛，温。主风寒洗洗，霍乱泄利，肠鸣上下无常处，惊痫寒热百疾。生川谷。

【校注】

[1] 女菀条见《千金翼》、《大观》卷9。

[2] **久寒在膀胱支满，饮酒夜食发病**　《图考长编》断句为“久寒。在膀胱支满。饮酒夜食发病”。《千金翼》断句为“久寒在膀胱。支满饮酒。夜食发病”。

[3] **一名织女菀**　《和名》作“一名织女”，其他各本作“一名织女菀”。

[4] **畏卤咸**　《纲目》《草木典》注为徐之才文。此文《本草经集注》已有著录。

555　地榆[1]

味甘、酸，无毒。止脓血，诸瘘，恶疮，热疮[2]，消酒[3]，除消渴，补绝伤，产后内塞。可作金疮膏[4]。生桐柏及宛朐。二月、八月采根，暴干。得发良，恶麦门冬[5]。

〔《本经》原文〕

地榆，味苦，微寒。主妇人乳痓痛七伤，带下病，止痛，除恶肉，止汗，疗金创。生山谷。

【校注】

[1] 地榆条见《御览》卷1000、《千金翼》。

[2] **热疮** 《千金翼》脱“热疮”2字，其他各本有此2字。

[3] **消酒** 《御览》作“消酒，明目”，其他各本作“消酒”，皆无“明目”2字。

[4] **消酒，除消渴……可作金疮膏** 《纲目》《草木典》作“补绝伤，产后内塞，可作金疮膏，消酒，除渴，明目”。

[5] **得发良，恶麦门冬** 《纲目》《草木典》注为徐之才文。此文《本草经集注》已有著录。

556 五茄[1]

味苦[2]，微寒，无毒。主治男子阴痿，囊下湿，小便余沥[3]，女人阴痒及腰脊痛，两脚疼痹风弱，五缓，虚羸，补中益精，坚筋骨，强志意。久服轻身耐老。一名犲节。五叶者良。生汉中及宛朐。五月、七月采茎，十月采根，阴干。远志为之使，畏蛇皮、玄参[4]。

〔《本经》原文〕

五茄皮，味辛，温。主心腹疝气腹痛，益气疗躄，小儿不能行，疽疮阴蚀。一名犲漆。

【校注】

[1] 五茄条见《新修》《千金翼》。又，“五茄”，武田本《新修》、《新修》、《和名》、《医心方》作“五茄”，其他各本作“五加皮”。

[2] **苦** 此下《大观》有“温”字作墨字《别录》文。《政和》、成化本《政和》、《大全》、《证类》取“温”字作白字《本经》文，《图考长编》、森本、孙本、顾本、狩本、黄本、《续疏》皆取“温”字为《本经》文。按，“温”字应为《本经》文，非《别录》文。

[3] **小便余沥** 武田本《新修》、《新修》原作“小便饮沥”，据《千金翼》《大观》《政和》《证类》改。

[4] **远志为之使，畏蛇皮、玄参** 《纲目》《草木典》注为徐之才文。此文《本草经集注》已有著录。“畏”，《纲目》《草木典》作“恶”。

557 泽兰[1]

味甘，无毒。主治产后金疮内塞。一名虎蒲。生汝南诸大泽傍[2]。三月三日采阴干。防已为之使[3]。

〔《本经》原文〕

泽兰，味苦，微温。主乳妇内衄，中风余疾，大腹水肿，身面四肢浮肿，骨节中水，金疮，痈肿疮脓。一名虎兰，一名龙枣。生大泽傍。

【校注】

[1] 泽兰条见《御览》卷990、《千金翼》。

[2] **生汝南诸大泽傍** 《御览》作“生汝南，又生大泽傍”，其他各本作“生汝南诸大泽傍”。

[3] **防己为之使** 《纲目》《草木典》注为徐之才文。此文《本草经集注》已有著录。

558 紫参[1]

微寒，无毒。主治肠胃大热，唾血，衄血，肠中聚血，痈肿诸疮，止渴，益精。一名众戎，一名童肠，一名马行。生河西及宛朐[2]。三月采根，火炙使紫色。畏辛夷[3]。

〔《本经》原文〕

紫参，味苦、辛，寒。主心腹积聚，寒热邪气，通九窍，利大小便。一名牡蒙。生山谷。

【校注】

[1] 紫参条见《御览》卷991、《千金翼》。

[2] **朐** 此下《御览》有“治牛病，生林阳”6字，其他各本无此6字。

[3] **畏辛夷** 《纲目》《草木典》注为徐之才文。此文《本草经集注》已有著录。

559 蛇全[1]

无毒。主治心腹邪气，腹痛，湿痹，养胎，利小儿。生益州。八月采，阴干。

〔《本经》原文〕

蛇全，味苦，微寒。主惊痫，寒热邪气，除热，金创疽痔，鼠瘘恶疮头疡。一名蛇衔。生山谷。

【校注】

[1] 蛇全条见《千金翼》、《大观》卷10。又，“蛇全”，《和名》、《大观》、玄《大观》、《大全》、《证类》、森本、狩本作“蛇全”，《千金翼》《品汇》《纲目》《草木典》《图考长编》作“蛇含”，《政和》、成化本《政和》、孙本、顾本、黄本作“蛇合”。本书从《和名》等为正。

560 草蒿[1]

无毒。生华阴。

〔《本经》原文〕

草蒿，味苦，寒。主疥瘙痂痒恶疮，杀虱，留热在骨节间，明目。一名青蒿，一名方溃。生川泽。

【校注】

[1] 草蒿条见《千金翼》、《大观》卷10。又，"草蒿"，《纲目》《草木典》《群芳谱》作"青蒿"，其他各本作"草蒿"。

561 雚菌[1]

味甘，微温，有小毒[2]。主治疽蜗，去蛔虫，寸白，恶疮。生东海及渤海章武。八月采，阴干。得酒良，畏鸡子[3]。

〔《本经》原文〕

雚菌，味咸，平。主心痛，温中，去长虫，白瘲，蛲虫，蛇螫毒，癥瘕诸虫。一名雚芦。生池泽。

【校注】

[1] 雚菌条见《千金翼》、《大观》卷10。又，"雚菌"，《品汇》作"雀菌"，其他各本作"雚菌"。

[2] **有小毒** 《图考长编》作"小有毒"。

[3] **得酒良，畏鸡子** 《纲目》《草木典》注此6字为甄权文。此6字《本草经集注》已有著录。

562 蘼舌[1]

味辛，微温，无毒。主治霍乱，腹痛，吐逆，心烦[2]。生水中。五月采，暴干[3]。

【校注】

[1] 蘼舌条见《新修》《千金翼》。

[2] **心烦** 《新修》原作"止烦"，据《千金翼》《证类》改。

[3] **暴干** 《新修》有"暴干"2字，其他各本无"暴干"2字。

563 雷丸[1]

味咸，微寒，有小寒。逐邪气，恶风，汗出，除皮中热结，积聚[2]蛊毒，白虫、寸白自出不止。久服令人阴痿[3]。一名雷矢，一名雷实。赤者杀人[4]。生石城及[5]汉中土中。八月采根，暴干。荔实、厚朴为之使，恶葛根[6]。

〔《本经》原文〕

雷丸，味苦，寒。主杀三虫，逐毒气胃中热。利丈夫，不利女子。作摩膏，除小儿百病。

【校注】

[1] 雷丸条见《新修》、《御览》卷990。又，"雷丸"，《御览》作"雷公丸"，其他各本作"雷丸"。《纲目》《草木典》"雷丸"条有"作摩膏，除小儿百病"8字注为《别录》文。《大观》、玄《大观》、《大全》、成化本《政和》、《政和》、《证类》取此8字作白字《本经》文，《品汇》、森本、孙本、顾本、狩本、黄本皆取此8字为《本经》文。按，此8字应为《本经》文，非《别录》文。

[2] **积聚** 《新修》作"积聚"，其他各本脱"聚"字。

[3] **久服令人阴痿** 《品汇》脱此文。《新修》原脱"人"，据《千金翼》《证类》补。

[4] **人** 此下《纲目》《草木典》有"白者善"3字，其他各本无此3字。

[5] **及** 《新修》原作"生"，据《千金翼》《大观》《政和》《证类》改。

[6] **荔实、厚朴为之使，恶葛根** 《纲目》《草木典》注为徐之才文。此文《本草经集注》已有著录。

564 贯众[1]

有毒。去寸白，破癥瘕，除头风，止金创[2]。花，治恶疮，令人泄。一名伯萍，一名药[3]藻，此谓草鸱[4]头。生玄山[5]及宛朐、少室[6]。二月、八月采根，阴干。藿菌为之使[7]。

〔《本经》原文〕

贯众，味苦，微寒。主腹中邪热气，诸毒，杀三虫。一名贯节，一名贯渠，一名百头，一名虎卷，一名扁符。生山谷。

【校注】

[1] 贯众条见敦煌卷子本《新修本草》残卷、《御览》卷990。

[2] **金创** 敦煌卷子本《新修本草》残卷作"金创"，其他各本作"金疮"。

[3] **药** 《证类》作"乐"，其他各本作"药"。

[4] **鸱** 《证类》作"鸡"，敦煌卷子本《新修本草》残卷作"鸱"，其他各本作"鸱"。

[5] **玄山** 《草木典》《续疏》作"元山"，此因避清康熙皇帝玄烨的讳，改玄为元。

[6] **少室** 敦煌卷子本《新修本草》作“少室”，其他各本作“少室山”。

[7] **蘿菌为之使** 《纲目》《草木典》注为徐之才文。此文《本草经集注》已有著录。

565 青葙子[1]

无毒。主治恶疮、疥虱、痔蚀，下部䘌疮。生平谷道傍。三月采茎叶[2]，阴干。五月、六月采子[3]。

〔《本经》原文〕

青葙子，味苦，微寒。主邪气，皮肤中热，风瘙身痒，杀三虫。子名草决明，疗唇口青。一名草蒿，一名萋蒿。生平谷。

【校注】

[1] 青葙子条见敦煌卷子本《新修本草》残卷、《千金翼》。

[2] **叶** 敦煌卷子本《新修本草》残卷原脱，据《千金翼》《大观》《政和》《证类》补。

[3] **五月、六月采子** 《证类》作白字《本经》文。敦煌卷子本《新修本草》残卷、《大观》、《政和》、成化本《政和》、玄《大观》、《大全》、《纲目》、《草木典》、《图考长编》、《续疏》注为《别录》。森本、孙本、顾本、狩本、黄本皆不取此6字为《本经》文。按，此6字应为《别录》文。

566 牙子[1]

味酸[2]，有毒。一名狼齿，一名狼子，一名犬牙[3]。生淮南[4]及宛朐。八月采根，暴干。中湿腐烂[5]生衣者，杀人。芜荑为之使，恶地榆、枣肌[6]。

〔《本经》原文〕

牙子，味苦，寒。主邪气热气，疥瘙恶疡疮痔，去白虫。一名狼牙。生川谷。

【校注】

[1] 牙子条见敦煌卷子本《新修本草》残卷、《御览》卷993。本条，《急就篇》颜师古注作：“狼牙一名牙子，一名狼齿，又名犬牙。”

[2] **酸** 敦煌卷子本《新修本草》残卷原脱，据《千金翼》《大观》《政和》《证类》补。《大观》、玄《大观》、狩本注“酸”字为《本经》文，其他各本作《别录》文。

[3] **一名犬牙** 玄《大观》、《大观》、《政和》、成化本《政和》、《大全》、《疏证》作“一名大牙”，其他各本作“一名犬牙”。

[4] **南** 敦煌卷子本《新修本草》残卷原作“方”，据《御览》《千金翼》《大观》《政和》《证类》改。

[5] **烂** 敦煌卷子本《新修本草》残卷原脱，据《千金翼》《大观》《政和》《证类》补。

[6] **枣肌** 《千金方》作“秦艽”，《本草经集注》《医心方》《大观》《政和》《证类》《纲目》《疏证》作“枣肌”，敦煌卷子本《新修本草》残卷作“来肌”，本书从《本草经集注》等为正。又，《纲目》《草木典》注“芫荑为之使，恶地榆、枣肌”10字为徐之才文。此10字《本草经集注》已有著录。

567 藜芦[1]

味苦，微寒，有毒。主治哕逆[2]，喉痹不通，鼻中息肉，马刀烂疮。不入汤[3]。一名葱茭，一名山葱。生太山。三月采根，阴干。黄连为之使，反细辛、芍药、五参，恶大黄[4]。

〔《本经》原文〕

藜芦，味辛，寒。主蛊毒咳逆，泄利肠澼，头疡疥瘙恶疮，杀诸虫毒，去死肌。一名葱苒。生山谷。

【校注】

[1] 藜芦条见敦煌卷子本《新修本草》残卷、《御览》卷990。

[2] **哕逆** 敦煌卷子本《新修本草》残卷作“哕逆”，其他各本作“哕逆”。

[3] **汤** 《纲目》《草木典》《图考长编》衍“用”字。

[4] **黄连为之使……恶大黄** 《纲目》《草木典》注为徐之才文。此文《本草经集注》已有著录。

568 赭魁[1]

味甘，平，无毒。主治心腹积聚，除三虫[2]。生山谷[3]。二月采。

【校注】

[1] 赭魁条见敦煌卷子本《新修本草》残卷、《千金翼》。

[2] **心腹积聚，除三虫** 《纲目》《草木典》注为《本经》文。《大观》、玄《大观》、《大全》、成化本《政和》、《政和》、《证类》、《品汇》、《图考长编》注为《别录》文，狩本、黄本、森本、孙本、顾本皆不取此7字为《本经》文。按，此7字应为《别录》文。

[3] **谷** 此下《纲目》《草木典》衍“中”字。

569 及已[1]

味苦，平，有毒。主治诸恶疮，疥痂，瘘蚀[2]及牛马诸疮[3]。

【校注】

［1］及已条见敦煌卷子本《新修本草》残卷、《千金翼》。

［2］**瘘蚀**　《政和》、成化本《政和》"瘘蚀"，其他各本作"瘘蚀"。

［3］**主治诸恶疮……牛马诸疮**　《纲目》《草木典》注出处为"唐本"。

570　连翘[1]

无毒。去白虫。生太山[2]。八月采，阴干[3]。

〔《本经》原文〕

连翘，味苦，平。主寒热鼠瘘瘰疬，痈肿恶疮，瘿瘤结热蛊毒。一名异翘，一名兰华，一名折根，一名轵，一名三廉。生山谷。

【校注】

［1］连翘条见《千金翼》、《大观》卷11。本条，《尔雅》卷下郭璞注引本草作"一名连苕，一名连草"。今本草无此文。

［2］**生太山**　《政和》作"生大山"，其他各本作"生太生"。

［3］**干**　此下《图考长编》有"处处有，今用茎，连花实也"10字注为《别录》文。按，此10字为陶弘景注文，非《别录》文。

571　白头翁[1]

有毒。主治鼻衄。一名奈何草。生嵩山[2]及田野，四月采[3]。

〔《本经》原文〕

白头翁，味苦，温。主温疟狂易寒热，癥瘕积聚瘿气，逐血止痛，疗金疮。一名野丈人，一名胡王使者。生山谷。

【校注】

［1］白头翁条见《御览》卷990、《千金翼》。

［2］**嵩山**　《御览》《大观》作"嵩山"，其他各本作"高山"。

［3］**采**　此下《千金翼》衍"亦疗毒痢"4字。《大观》、玄《大观》、《大全》、成化本《政和》、《政和》、《证类》、《图考长编》在"白头翁"条下所引"陶隐居"注文有此4字。疑此4字是陶隐居注文，非《别录》文。

572　蔄茹[1]

味酸[2]，微寒，有小毒。去热痹，破癥瘕，除息肉。一名屈据，一名离娄。

生代郡。五月采根，阴干。黑头者良。甘草为之使，恶麦门冬[3]。

〔《本经》原文〕

蕳茹，味辛，寒。主蚀恶肉败疮死肌，杀疥虫，排脓恶血，除大风热气，善忘不乐。生川谷。

【校注】

[1] 蕳茹条见《御览》卷991、《千金翼》。

[2] **酸** 《大观》、玄《大观》取“酸”字作白字《本经》文，《政和》、成化本《政和》、《大全》、《证类》、《纲目》、《草木典》、《图考长编》注为《别录》文，森本、孙本、顾本、狩本、黄本皆不取之为《本经》文。按，“酸”字应为《别录》文。

[3] **甘草为之使，恶麦门冬** 《纲目》《草木典》注为徐之才文。此文《本草经集注》已有著录。

573 白蔹[1]

味甘[2]，无毒[3]。主下赤白[4]，杀火毒。一名白根[5]，一名昆仑。生衡山。二月、八月采根，暴干。代赭为之使，反乌头[6]。

〔《本经》原文〕

白蔹，味苦，平，微寒。主痈肿疽疮，散结气，止痛除热，目中赤，小儿惊痫，温疟，女子阴中肿痛。一名菟核，一名白草。生山谷。

【校注】

[1] 白蔹条见敦煌卷子本《新修本草》残卷、《千金翼》。

[2] **甘** 此下《大观》、玄《大观》、《大全》、成化本《政和》、《政和》、《证类》有“微寒”2字作墨字《别录》文，《纲目》《草木典》《图考长编》《疏证》亦取“微寒”2字为《别录》文，森本、孙本、顾本、狩本、黄本皆不取“微寒”2字为《本经》文，但敦煌卷子本《新修本草》残卷对“微寒”2字作朱字《本经》文。本书从敦煌卷子本《新修本草》残卷为正，不取“微寒”2字为《别录》文。

[3] **无毒** 敦煌卷子本《新修本草》残卷对“无”字作朱字《本经》文，对“毒”字作墨字《别录》文，《大观》、玄《大观》、《大全》、成化本《政和》、《政和》、《证类》、《图考长编》、《疏证》注为《别录》文，森本、孙本、顾本、狩本、黄本皆不取此2字为《本经》文。按，此2字应为《别录》文，非《本经》文。

[4] **下赤白** 《纲目》《草木典》《图考长编》作《本经》文，敦煌卷子本《新修本草》残卷、《大观》、玄《大观》、《大全》、成化本《政和》、《政和》、《证类》、《疏证》注为《别录》文，森本、孙本、顾本、狩本、黄本皆不取此3字为《本经》文。按，此3字应为《别录》文。

[5] **根** 此下《纲目》有“蒐核”2字注为《别录》文。敦煌卷子本《新修本草》残卷对“蒐核”2字作朱字《本经》文，《大观》、玄《大观》、《大全》、成化本《政和》、《政和》、《证类》作白字《本经》文，《图考长编》、森本、孙本、顾本、狩本、黄本、《疏证》皆取“蒐核”2字为《本经》文。按，此2字应为《本经》文，非《别录》文。

[6] **代赭为之使，反乌头** 《纲目》《草木典》注为徐之才文。此文《本草经集注》已有著录。

574 白及[1]

味辛，微寒，无毒。除白癣疥虫[2]。生北山及宛朐及越山。紫石英为之使，恶理石，畏李核、杏仁[3]。

〔《本经》原文〕

白及，味苦，平。主痈肿恶疮败疽，伤阴死肌，胃中邪气，贼风鬼击，痱缓不收。一名甘根，一名连及草。生川谷。

【校注】

[1] 白及条见《御览》卷990、《千金翼》。

[2] **除白癣疥虫** 《纲目》《草木典》注此5字为甄权文。

[3] **紫石英为之使，恶理石，畏李核、杏仁** 《纲目》注为徐之才文。此文《本草经集注》已有著录。

575 占斯[1]

味苦，温[2]，无毒。主治邪气，湿痹，寒热，疽疮，除水坚积，血癥，月闭，无子，小儿躄不能行，诸恶疮痈肿[3]，止[4]腹痛，令女人[5]有子。一名炭皮[6]。生太山山谷，采无时。

【校注】

[1] 占斯条见《新修》、《御览》卷991。

[2] **温** 此下《新修》衍“微温”2字，据《千金翼》《证类》删。

[3] **痈肿** 《草木典》脱“肿”字。

[4] **止** 《新修》原作“上”，据《千金翼》《证类》改。

[5] **女人** 《千金翼》作“人子”，其他各本作“女人”。

[6] **一名炭皮** 《御览》引《本草经》曰：“占斯，一名虞及。”其他各本作“一名炭皮”。

576 飞廉[1]

无毒。主治头眩顶重，皮间邪风如蜂螫针刺，鱼子细起，热疮，痈疽[2]，痔，湿痹，止风邪，咳嗽，下乳汁。久服益气，明目，不老。可煮可干[3]。一名漏芦，一名天荠，一名伏猪，一名伏兔，一名飞雉，一名木禾。生河内。正月采根，七月、八月采花，阴干。得乌头良，恶麻黄。

〔《本经》原文〕

飞廉，味苦，平。主骨节热，胫重酸疼。久服令人身轻。一名飞轻。生川泽。

【校注】

[1] 飞廉条见《千金翼》、《大观》卷7。

[2] **疸** 《大观》、玄《大观》作“疸”，其他各本作“疸”。

[3] **干** 此下《纲目》衍“用”字。

577 虎掌[1]

微寒，有大毒。除[2]阴下湿，风眩。生汉中及宛朐。二月、八月采，阴干。蜀漆为之使，恶莽草[3]。

〔《本经》原文〕

虎掌，味苦，温。主心痛，寒热结气，积聚伏梁，伤筋痿拘缓，利水道。生山谷。

【校注】

[1] 虎掌条见敦煌卷子本《新修本草》残卷、《御览》卷990。

[2] **除** 敦煌卷子本《新修本草》残卷原脱，据《千金翼》《证类》补。

[3] **蜀漆为之使，恶莽草** 《纲目》《草木典》注为徐之才文。此文《本草经集注》已有著录。

578 莨菪子[1]

味甘，有毒。主治癫狂风痫，癫倒拘挛。一名横唐[2]。生海滨及雍州。五月采子。

〔《本经》原文〕

莨菪子，味苦，寒。主齿痛出虫，肉痹拘急，使人健行见鬼。多食令人狂走。久服轻身，走及奔马，强志益力通神。一名行唐。生川谷。

【校注】

[1] 莨菪子条见敦煌卷子本《新修本草》残卷、《千金翼》。

[2] **一名横唐** 敦煌卷子本《新修本草》残卷取此4字作墨字《别录》文，但现存各种本草皆作《本经》文。本书从敦煌卷子本《新修本草》残卷为正。又，各种本草文献在“唐”字下，有“一名行唐”4字作《别录》文，但敦煌卷子本《新修本草》残卷对“一名行唐”4字作朱字《本经》文。本书从敦煌卷子本《新修本草》残卷为正，不取此4字为《别录》文。

579 栾华[1]

无毒。生汉中。五月采。决明为之使[2]。

〔《本经》原文〕

栾华，味苦，寒。主目痛，泪出伤眦，消目肿。生川谷。

【校注】

[1] 栾华条见《新修》《千金翼》。

[2] **决明为之使** 《纲目》《草木典》注为徐之才文。此文《本草经集注》已有著录。

580 杉材[1]

微温，无毒。主治漆疮[2]。

【校注】

[1] 杉材条见《新修》《千金翼》。

[2] **无毒。主治漆疮** 《新修》原作“治柒”，据《千金翼》《大观》《政和》《证类》改。又，“漆疮”，《纲目》《草木典》对此2字作“臁疮，煮汤洗之，无不瘥”。

581 楠材[1]

微温。主治霍乱，吐下不止[2]。

【校注】

[1] 楠材条见《新修》《千金翼》。

[2] **止** 此下《纲目》《草木典》有“煮汁服”3字。

582 彼子[1]

有毒。生永昌。

〔《本经》原文〕

彼子，味甘，温。主腹中邪气，去三虫，蛇螫蛊毒，鬼注伏尸。生山谷。

【校注】

[1] 彼子条见《大观》卷30、《证类》。又，《千金翼》脱“彼子”。《大观》《政和》《证类》将“彼子”排在有名无用类中。《医心方》将“彼子”排在虫鱼类中。森本排在虫鱼下品中。孙本排在卷末。顾本排在果类中。通检诸家本草对“彼子”所放位置皆不统一。按，《大观》“彼子”条引“唐本”云：“此彼字当木傍作皮，被仍音彼，木实也，误入虫部……陶于木部出之。”那么陶弘景作《本草经集注》时，是将“彼子”排在木部的。本书从陶氏《本草经集注》为正，将“彼子”排在草木部。

583 紫真檀木[1]

味咸，微寒。主治[2]恶毒、风毒。

【校注】

[1] 紫真檀木条见《新修》《千金翼》。又，“木”，《新修》有“木”字，其他各本无“木”字。

[2] 治 此下《纲目》《草木典》有“磨涂”2字。

584 淮木[1]

无毒。补中益气。生晋阳。

〔《本经》原文〕

淮木，味苦，平。主久咳上气，肠中虚羸，女子阴蚀漏下，赤白沃。一名百岁城中木。生平泽。

【校注】

[1] 淮木条见《新修》《千金翼》。又，淮木条，《纲目》《草木典》有“女子阴蚀漏下，赤白沃”9字注为《别录》文。《大观》、玄《大观》、《大全》、成化本《政和》、《政和》、《证类》取此9字作白字《本经》文。森本、孙本、顾本、狩本、黄本皆取此9字为《本经》文。按，此9字应为《本经》文，非《别录》文。又，《纲目》《草木典》在“淮木”条下引《别录》曰：“味辛”，其他各本无“味辛”2字。

585 别羁[1]

无毒。一名别枝，一名别骑，一名鳖羁[2]。生蓝田。二月、八月采。

〔《本经》原文〕

别羇，味苦，微温。主风寒湿痹身重，四肢疼酸，寒邪历节痛。生川谷。

【校注】

[1] 别羇条见《新修》《千金翼》。

[2] **一名别骑，一名鳖羇** 《纲目》《草木典》脱此文。

586 石下长卿[1]

有毒。生龙西山谷。

〔《本经》原文〕

石下长卿，味咸，平。主鬼疰精物邪恶气，杀百精蛊毒，老魅注易，亡走啼哭，悲伤恍惚。一名徐长卿。

【校注】

[1] 石下长卿条见《新修》《千金翼》。又，《纲目》《草木典》将石下长卿并入"徐长卿"条下，并注"主鬼疰精物邪恶气，杀百精蛊毒，老魅注易，亡走啼哭，悲伤恍惚"25字为《别录》文。《大观》、玄《大观》、《大全》、成化本《政和》、《政和》、《证类》取此25字作白字《本经》文，森本、顾本、狩本亦取此25字为《本经》文。按，此25字应为《本经》文，非《别录》文。又，孙本、黄本脱漏"石下长卿"条全文。

587 羊桃[1]

有毒[2]。主去五脏五水，大腹，利小便，益气，可作浴汤。一名苌楚，一名御弋，一名铫弋[3]。生山林及生田野。二月采，阴干。

〔《本经》原文〕

羊桃，味苦，寒。主熛热，身暴赤色，风水积聚，恶疡，除小儿热。一名鬼桃，一名羊肠。生川谷。

【校注】

[1] 羊桃条见《千金翼》、《大观》卷11。本条全文，玄《大观》作墨字，无白字《本经》文标记。

[2] **有毒** 《大观》作《本经》文，其他各本作《别录》文。

[3] **一名御弋，一名铫弋** 玄《大观》、《大观》、《和名》作"一名御戈，一名铫戈"，其他各本作"一名御弋，一名铫弋"。《毛诗注疏》孔颖达引本草作"铫弋名羊桃"。又，《群芳谱》引本草

作“一名御弋”。

588 羊蹄[1]

无毒。主治浸淫疽痔，杀虫。一名蓄[2]。生陈留。

〔《本经》原文〕

羊蹄，味苦，寒。主头秃疥瘙，除热，女子阴蚀。一名东方宿，一名连虫陆，一名鬼目。生川泽。

【校注】

[1] 羊蹄条见《御览》卷995、卷998，《千金翼》。又，《御览》以“鬼目”为正名。

[2] **一名蓄** 《纲目》注为《本经》文，其他各本作《别录》文。

589 鹿藿[1]

无毒。生汶山。

〔《本经》原文〕

鹿藿，味苦，平。主蛊毒，女子腰腹痛不乐，肠痈瘰疬疡气。生山谷。

【校注】

[1] 鹿藿条见《御览》卷994、《千金翼》。《通志略》作“鹿藿，其实菹，田野呼为鹿豆”。

590 练石草[1]

味苦，寒，无毒。主治五癃，破石淋，膀胱中结气，利水道小便。生南阳川泽。

【校注】

[1] 练石草条见《新修》《千金翼》。

591 牛扁[1]

无毒，生桂阳。

〔《本经》原文〕

牛扁，味苦，微寒。主身皮疮热气，可作浴汤。杀牛虱小虫，又疗牛病。生川谷。

【校注】

[1] 牛扁条见《千金翼》、《大观》卷11。

592 陆英[1]

无毒。生熊耳[2]及宛朐。立秋采。

〔《本经》原文〕

陆英，味苦，寒。主骨间诸痹，四肢拘挛疼酸，膝寒痛，阴痿，短气不足，脚肿。生川谷。

【校注】

[1] 陆英条见《御览》卷991、《千金翼》。

[2] **耳** 此下《御览》有“山”字，其他各本无“山”字。

593 蕈草[1]

味咸，平，无毒。主养心气，除心温温心辛痛，浸淫身热。可作盐花[2]。生淮南平泽。七月采。矾石为之使。

【校注】

[1] 蕈草条见《新修》《千金翼》。

[2] **盐花** 《千金翼》有“花”字，其他各本无“花”字。

594 荩草[1]

无毒。可以染黄作金色[2]。生青衣。九月、十月采。畏鼠妇[3]。

〔《本经》原文〕

荩草，味苦，平。主久咳上气喘逆，久寒惊悸，痂疥白秃疡气，杀皮肤小虫。生川谷。

【校注】

[1] 荩草条见《御览》卷991、《千金翼》。

[2] **可以染黄作金色** 《纲目》《草木典》脱"黄"字，《图考长编》脱"作金"2字。

[3] **鼠妇** 《千金方》卷1、《大观》、《政和》、《证类》作"鼠妇"，《医心方》作"鼠姑"，《纲目》《草木典》作"鼠负"。

595 恒山[1]

味辛，微寒，有毒。主治[2]鬼蛊往来，水胀，洒洒恶寒，鼠瘘。生益州及汉中。八月[3]采根，阴干[4]。畏玉札[5]。

〔《本经》原文〕

恒山，味苦，寒。主伤寒寒热，热发温疟鬼毒，胸中痰结吐逆。一名互草。生川谷。

【校注】

[1] 恒山条见敦煌卷子本《新修本草》残卷、《御览》卷992。又，"恒山"，敦煌卷子本《新修》、《和名》、《本草经集注》、狩本、黄本、《医心方》、《御览》、《千金翼》、森本、孙本作"恒山"，《大观》、《政和》、《证类》、《品汇》、《纲目》、《图考长编》、顾本作"常山"。

[2] **治** 此下《证类》有"热发"2字作墨字《别录》文。敦煌卷子本《新修本草》残卷取此2字作朱字《本经》文，《大观》、玄《大观》、《大全》、成化本《政和》、《政和》取此2字作白字《本经》文，《品汇》《纲目》《图考长编》皆取此2字为《本经》文，森本、孙本、顾本、狩本、黄本亦取此2字为《本经》文。按，"热发"2字应为《本经》文，非《别录》文。

[3] **八月** 《纲目》《草木典》作"二月八月"，《千金翼》、敦煌卷子本《新修本草》残卷、《大观》、玄《大观》、《大全》、成化本《政和》、《政和》、《证类》、《图考长编》皆作"八月"，并无"二月"2字。

[4] **阴干** 敦煌卷子本《新修本草》残卷原脱"阴"字，据《千金翼》《大观》《政和》《证类》补。

[5] **畏玉札** 《纲目》《草木典》注为徐之才文。此3字《本草经集注》已有著录。

596 夏枯草[1]

无毒。一名燕面。生蜀郡。四月采。土瓜为之使[2]。

〔《本经》原文〕

夏枯草，味苦、辛，寒。主寒热瘰疬鼠瘘头疮，破癥，散瘿结气，脚肿湿痹，轻身。一名夕句，一名乃东。生川谷。

【校注】

[1] 夏枯草条见《千金翼》、《大观》卷2。

[2] **土瓜为之使** 《纲目》《草木典》注为徐之才文。此文《本草经集注》已有著录。

597 蘘草[1]

味甘[2]，苦，寒，无毒。主治温疟[3]寒热，酸嘶邪气，辟不祥。生淮南山谷。

【校注】

[1] 蘘草条见《新修》《千金翼》。

[2] **甘** 《新修》原脱，据《千金翼》《证类》补。

[3] **温疟** 《新修》原作“温生”，据《千金翼》《大观》《政和》《证类》改。

598 戈共[1]

味苦，寒，无毒。主治惊气[2]，伤寒，腹痛，羸瘦，皮中有邪气，手足寒无色。生益州山谷。畏[3]玉札[4]、蜚蠊[5]。

【校注】

[1] 戈共条见《新修》《本草经集注》。又，“戈共”，《大观》、玄《大观》、《大全》、成化本《政和》、《政和》、《纲目》、《草木典》、《群芳谱》作“戈共”，《新修》《和名》《千金翼》《证类》《品汇》作“弋共”，但《本草经集注》作“戈共”。本书从《本草经集注》为正。

[2] **惊气** 《草木典》作“惊风”，其他各本作“惊气”。

[3] **畏** 《本草经集注》《新修》《医心方》作“畏”。《大观》、《政和》、《证类》、玄《大观》、《大全》、成化本《政和》作“恶”。

[4] **玉札** 《新修》、《大观》、《证类》、玄《大观》作“玉札”。《品汇》作“玉扎”。《医心方》作“玉丸”。《大全》作“玉礼”。《政和》、成化本《政和》作“主礼”。《纲目》《草木典》《千金方》无此2字。本书从《新修》为正。

[5] **蜚蠊** 《新修》作“蜚廉”，据《医心方》、《大观》、玄《大观》、《大全》、《政和》、成化本《政和》、《证类》改。

599 乌韭[1]

无毒。主治黄疸，金疮内塞，补中益气，好颜色。生石上。

〔《本经》原文〕

乌韭，味甘，寒。主皮肤往来寒热，利小肠膀胱气。生山谷。

【校注】

[1] 乌韭条见《千金翼》、《大观》卷11。

600 溲疏[1]

味苦，微寒，无毒。通利水道[2]，除胃中热，下气[3]。一名巨骨。生掘[4]耳及田野故丘墟地。四月采。漏芦为之使[5]。

〔《本经》原文〕

溲疏，味辛，寒。主身皮肤中热，除邪气，止遗溺，可作浴汤。生山谷。

【校注】

[1] 溲疏条见《新修》《千金翼》。本条，《群芳谱》引《别录》作“溲疏，一名巨骨，味苦，微寒，无毒。治皮肤中热，除邪气，止遗溺，利水道，除胃中热，下气，可作浴汤”。此文中“治皮肤中热，除邪气，止遗溺，可作浴汤”15字，是《本经》文，非《别录》文。

[2] **通利水道** 《纲目》《草木典》脱“通”字，并注“利水道”3字为《本经》文。《大观》、玄《大观》、《大全》、成化本《政和》、《政和》、《证类》、《品汇》注为《别录》文，森本、孙本、顾本、狩本、黄本皆不取此3字为《本经》文。按，此3字应为《别录》文。

[3] **气** 此下《纲目》《草木典》有“可作浴汤”4字，并注为《别录》文。《大观》、玄《大观》、《大全》、成化本《政和》、《政和》、《证类》、《品汇》作《本经》文。森本、孙本、顾本、狩本、黄本皆取此4字为《本经》文。按，此4字应为《本经》文，非《别录》文。

[4] **掘** 《新修》作“掘”，其他各本作“熊”。改“掘”为“熊”，可能是从陶弘景注文而来。《新修》《大观》《政和》《证类》溲疏条有陶隐居注：“掘耳疑应作熊耳，熊耳山名，都无掘耳之号。”

[5] **漏芦为之使** 《纲目》《草木典》注为徐之才文。此文《本草经集注》已有著录。

601 钓樟根皮[1]

主治金创[2]，止血[3]。

又，钓樟根皮似乌药，取根磨服，治霍乱[4]。

【校注】

[1] 钓樟根皮条见《新修》《千金翼》。

[2] **金创** 《新修》作“金创”，其他各本作“金疮”。

[3] **血** 此下《纲目》《草木典》有“刮屑傅之甚验”6字，其他各本无此6字。

[4] **磨服，治霍乱** 《纲目》《草木典》注此文出典为“萧炳”，其实是萧炳所引《别录》文。

见《大观》《政和》“钓樟根皮”条萧炳注引《别录》文。

602　榉树皮[1]

大寒。主治时行头痛，热结在肠胃。

【校注】

[1] 榉树皮条见《新修》《千金翼》。

603　钩藤[1]

微寒，无毒[2]。主治小儿寒热，十二惊痫。

【校注】

[1] 钩藤条见《新修》《千金翼》。

[2] **无毒**　《新修》原脱，据《千金翼》《大观》《政和》《证类》补。

604　苦芙[1]

微寒。主治面目通身漆疮[2]。

【校注】

[1] 苦芙条见《千金翼》、《大观》卷11。

[2] **疮**　此下《千金翼》有“作灰疗金疮大验”。按，《大观》《政和》陶隐居注中有此文，非《别录》文。又，《纲目》在“疮”字后，有“烧灰傅之，亦可生食”8字。按，前4字出《食疗》，后4字出陶隐居注。

605　马鞭草[1]

主治下部䘌疮。

【校注】

[1] 马鞭草条见《千金翼》、《大观》卷11。

606　马勃[1]

味辛，平，无毒。主治恶疮，马疥。一名马疕[2]。生园中久腐处[3]。

【校注】

［1］马勃条见《千金翼》、《大观》卷11。

［2］**马疕**　《千金翼》《纲目》《图考长编》作“马疕”，《和名》《大观》《政和》《证类》《续疏》作“马庀”，《品汇》作“马庇”。本书从《千金翼》等为正。

［3］**久腐处**　《草木典》作“久废处”，其他各本作“久腐处”。

607　鸡肠草[1]

主治毒肿[2]，止[3]小便利。

【校注】

［1］鸡肠草条见《千金翼》、《大观》卷29。《品汇》将“鸡肠草”条并在“蘩蒌”条中。

［2］**毒肿**　《千金翼》脱“毒”字，据《大观》《政和》《证类》补。

［3］**止**　《千金翼》作“上”，据《大观》《政和》《证类》改。

608　蛇莓汁[1]

大寒。主治胸腹大热不止[2]。

【校注】

［1］蛇莓汁条见《千金翼》、《大观》卷11。

［2］**止**　此下《千金翼》有“疗溪毒射工伤寒大热，甚良”11字，《大观》、玄《大观》、《大全》、成化本《政和》、《政和》、《证类》“蛇莓汁”条陶隐居注中有此11字。《纲目》《品汇》《图考长编》亦注此11字出典为“弘景”。按，此11字应为陶弘景注文，非《别录》文。

609　苎根[1]

寒。主治小儿赤丹[2]。其渍苎汁治渴。

根，安胎，贴热丹毒肿有效。沤苎汁，主消渴也[3]。

【校注】

［1］苎根条见《千金翼》、《大观》卷11。

［2］**主治小儿赤丹**　《纲目》《草木典》脱此文。

［3］**根，安胎……主消渴也**　此文出《证类》“苎根”条“唐本注”引《别录》文。

610 菰根[1]

大寒。主治肠胃痼热[2]，消渴，止小便利[3]。

【校注】

[1] 菰根条见《千金翼》、《大观》卷11。

[2] **痼热** 《草木典》作“痛热”，《千金翼》作“固热”，其他各本作“痼热”。

[3] **利** 此下《纲目》《草木典》有“捣汁饮之”4字，其他各本无此4字。

611 狼跋子[1]

有小毒。主治恶疮、蜗疥，杀虫鱼。

【校注】

[1] 狼跋子条见《千金翼》、《大观》卷11。

612 蒴藋[1]

味酸，温，有毒。主治风瘙瘾疹、身痒、湿痹[2]，可作浴汤。一名堇草，一名芨。生田野。春夏采叶，秋冬采茎、根。

【校注】

[1] 蒴藋条见《千金翼》、《大观》卷11。

[2] **湿痹** 《千金翼》作“滋痹”，其他各本作“湿痹”。

613 弓弩弦[1]

主治难产，胞衣[2]不出。

【校注】

[1] 弓弩弦条见《千金翼》、《大观》卷11。

[2] **衣** 《纲目》《政和》《品汇》无“衣”字，其他各本有“衣”字。

614 败蒲席[1]

平。主治筋溢、恶疮。

【校注】

[1] 败蒲席条见《千金翼》、《大观》卷11。

615 败船茹[1]

平。主治妇人崩中，吐[2]痢血不止[3]。

【校注】

[1] 败船茹条见《千金翼》、《大观》卷11。

[2] **吐** 此下《纲目》有“血”字，其他各本无“血”字。

[3] **止** 此下《千金翼》有“烧作灰服之”，此文出陶隐居注，非《别录》文。

616 败鼓皮[1]

平。主治中蛊毒[2]。

【校注】

[1] 败鼓皮条见《千金翼》《证类》。

[2] **毒** 此下《千金翼》有“烧作灰，水服”5字，此文出陶隐居注，非《别录》文。

617 败天公[1]

平。主治鬼疰，精魅[2]。

【校注】

[1] 败天公条见《御览》卷765、《千金翼》。

[2] **魅** 此下《品汇》《纲目》有“烧灰酒服”4字，此文出陶隐居注，非《别录》文。

618 半天河[1]

微寒。主治鬼疰，狂，邪气，恶毒[2]。

【校注】

[1] 半天河条见《千金翼》、《大观》卷5。

[2] **毒** 此下《千金翼》有“洗诸疮用之”5字，此5字出陶弘景注，非《别录》文。

619　地浆[1]

寒。主解中毒，烦闷。

【校注】

[1] 地浆条见《千金翼》、《大观》卷5。

620　鼠姑[1]

味苦，平，寒，无毒。主治咳逆上气，寒热，鼠瘘，恶疮，邪气。一名𪔟[2]。生丹水。

【校注】

[1] 鼠姑条见《新修》《千金翼》。

[2] **𪔟**　读雪音。

621　文石[1]

味甘。主治寒热，心烦。一名黍石。生东郡山泽中水下。五色，有汁润泽。

【校注】

[1] 文石条见《新修》《千金翼》。

622　山慈石[1]

味苦，平，有毒[2]。主治女子带下。一名爰茈[3]。生山之阳。正月生。叶如藜芦，茎有衣。

【校注】

[1] 山慈石条见《新修》《千金翼》。

[2] **有毒**　《新修》《千金翼》作“有毒”，其余各本作“无毒”。

[3] **一名爰茈**　《纲目》列在“山慈石”条末。

623　石芸[1]

味甘，无毒。主治目痛，淋露，寒热，溢血。一名蚤[2]烈，一名顾喙。三月[3]、五月采茎叶[4]，阴干。

【校注】

[1] 石芸条见《新修》《千金翼》。本条，《尔雅》郭璞注引本草有“莇勒列，一名石芸”7字，现存本草文献无此文。

[2] **蚤** 《新修》《和名》作“蚤”，其他各本作“螫”。

[3] **三月** 《千金翼》作“二月”，其他各本作“三月”。

[4] **叶** 《新修》原脱，据《千金翼》《大观》《政和》《证类》补。

624 金茎[1]

味苦，平[2]，无毒。主治金创[3]内漏。一名叶金草。生泽中高处。

【校注】

[1] 金茎条见《新修》《千金翼》。

[2] **苦，平** 《草木典》作“平苦”。

[3] **金创** 《新修》作“金创”，其他各本作“金疮”。

625 鬼盖[1]

味甘，平，无毒。主治小儿寒热痫。一名地盖。生垣墙下，藂生赤[2]，旦生暮死。

【校注】

[1] 鬼盖条见《新修》《千金翼》。

[2] **生垣墙下，藂生赤** 《纲目》《草木典》作“丛生垣墙下，赤色。”“墙”，《新修》原作“墟”，据《千金翼》《证类》改。“藂”，《新修》《千金翼》作“藂”，其他各本作“丛”。

626 马颠[1]

味甘，有毒。治浮肿，不可多食。

【校注】

[1] 马颠条见《新修》《千金翼》。

627 马逢[1]

味辛，无毒。主治癣虫。

【校注】

[1] 马逢条见《新修》《千金翼》。

628 羊实[1]

味苦，寒。主治头秃，恶疮，疥瘙，痂疭[2]。生蜀郡。

【校注】

[1] 羊实条见《新修》《千金翼》。

[2] **疭** 尚辑《新修》作“癣”，据《千金翼》《证类》改。又，《纲目》作“癣”。

629 鹿良[1]

味咸，臭。主治小儿惊痫，贲豚，瘈疭[2]，大人痓[3]。五月采。

【校注】

[1] 鹿良条见《新修》《千金翼》。

[2] **瘈疭** 《纲目》《群芳谱》作“瘛疭”。

[3] **痓** 《新修》作“痉”，其他各本作“痓”。

630 雀梅[1]

味酸，寒，有毒。主蚀恶疮。一名千雀[2]。生海水石[3]谷间。叶如李，实如麦李[4]。

【校注】

[1] 雀梅条见《新修》《千金翼》。

[2] **千雀** 《和名》作“干雀”，《草木典》作“于雀”，《新修》及其他各本作“千雀”。

[3] **石** 《新修》原脱，据《千金翼》《大观》《政和》《证类》补。

[4] **叶如李，实如麦李** 《新修》作“叶如李，实如麦李”，《千金翼》作“叶与实如麦李”。但玄《大观》、成化本《政和》、《大观》、《政和》、《大全》、《证类》、《品汇》、《纲目》、《草木典》

注“叶与实俱如麦李”为陶弘景注文，非“雀梅”条正文。

631 鼠耳[1]

味酸，无毒。主治痹寒，寒[2]热，止咳。一名无心。生田中下地，厚华[3]肥茎。

【校注】

[1] 鼠耳条见《新修》《千金翼》。

[2] **寒** 《新修》原脱，据《千金翼》《大观》《政和》《证类》补。

[3] **华** 《新修》《千金翼》作“华”，其他各本作“叶”。

632 蛇舌[1]

味酸，平，无毒。主除留血，惊气，蛇痫。生大水之阳。四月采花，八月采根。

【校注】

[1] 蛇舌条见《新修》《千金翼》。

633 木甘草[1]

主治痈肿盛热，煮洗之。生木间，三月生，大叶如蛇床[2]，四四相值[3]，但折枝种之便生[4]，五月花白，实核赤。三月三日采。

【校注】

[1] 木甘草条见《新修》《千金翼》。

[2] **床** 《新修》、《千金翼》、玄《大观》、《群芳谱》、《品汇》作“床”。《大观》、《大全》、成化本《政和》、《政和》、《证类》、《纲目》作“状”。

[3] **四四相值** 《政和》作“四相值”，其他各本作“四四相值”。

[4] **但折枝种之便生** 《新修》作“析支种之生”，据《千金翼》《大观》《政和》《证类》改。

634 九熟草[1]

味甘，温，无毒。主出汗，止泄，治闷。一名乌粟[2]，一名雀粟[3]。生人家庭中，叶如枣。一岁九熟，七月七日[4]采。

【校注】

[1] 九熟草条见《新修》《千金翼》。

[2] **乌粟** 《政和》《纲目》《群芳谱》作“乌粟”，其他各本作“乌粟”。

[3] **一名雀粟** 《草木典》脱此4字。

[4] **七日** 《新修》有“七日”2字，其他各本无此2字。

635 灌草[1]

叶主痈肿。一名鼠肝，叶滑青白[2]。

【校注】

[1] 灌草条见《新修》《千金翼》。本条，《纲目》《草木典》作“灌草，一名鼠肝，叶滑清白，主痈肿”。又，“灌”，《新修》原作“蘿”，据《千金翼》《大观》《政和》《证类》改。

[2] **青白** 《政和》《纲目》《草木典》作“清白”，《群芳谱》作“汁白”，其他各本作“青白”。

636 葩草[1]

味辛，无毒。主伤金创[2]。

【校注】

[1] 葩草条见《新修》《千金翼》。又，“葩”，音起。《和名》作“范”，其他各本作“葩”。

[2] **创** 《新修》作“创”，其他各本作“疮”。

637 莘草[1]

味甘，无毒。主盛伤痹肿。生山泽，如蒲黄，叶如芥。

【校注】

[1] 莘草条见《新修》《千金翼》。

638 封华[1]

味甘，有毒[2]。主治疥疮[3]，养肌，去恶肉。夏至日[4]采。

【校注】

[1] 封华条见《新修》(并在“吴葵华”条下)、《千金翼》。

[2] **有毒** 《新修》原脱，据《千金翼》、《大观》、《政和》、《证类》、《大全》、成化本《政和》补。

[3] **疥疮** 《新修》原作“粉疮”，据《千金翼》、《大观》、《政和》、《证类》、《大全》、玄《大观》、成化本《政和》改。

[4] **日** 《新修》原脱，据《千金翼》《大观》《政和》《证类》补。

639 棑华[1]

味苦。主除[2]水气，去赤虫，令人好色。不可久服。春生仍采[3]。

【校注】

[1] 棑华条见《新修》《千金翼》。

[2] **除** 《新修》有“除”字，其他各本无“除”字。

[3] **春生仍采** 《纲目》《草木典》作“春月生采之”。又，“仍”，《新修》作“仍”，其他各本作“乃”。

640 学木核[1]

味甘，寒，无毒。主治胁下留饮，胃气不平，除热。如蕤核，五月采，阴干。

【校注】

[1] 学木核条见《新修》《千金翼》。

641 木核[1]

治肠[2]澼。华，治不足。子，治伤中[3]。根，治心腹逆气，止渴。十月采。

【校注】

[1] 木核条见《新修》《千金翼》。

[2] **肠** 《新修》原作“腹”，据《千金翼》《大观》《政和》《证类》改。

[3] **中** 《新修》原脱，据《千金翼》《大观》《政和》《证类》补。

642 栒核[1]

味苦。治水，身面痈肿。五月采。

【校注】

[1] 枸核条见《新修》《千金翼》。

643 让实[1]

味酸。主治喉痹，止泄痢。十月采，阴干。

【校注】

[1] 让实条见《新修》《千金翼》。

644 青雌[1]

味苦。主治恶疮，秃败疮，火气，杀三虫。一名蛊损[2]，一名孟推[3]。生方山山谷。

【校注】

[1] 青雌条见《新修》《千金翼》。

[2] **蛊损** 《新修》《和名》作“蛊损”，《千金翼》、《大观》、《政和》、《证类》、《品汇》、《纲目》、玄《大观》、《大全》、成化本《政和》均作“虫损”。

[3] **孟推** 《新修》原作“血推”，据《和名》《千金翼》《大观》《政和》《证类》改。

645 白背[1]

味苦，平，无毒。主治寒热，洗浴疥恶疮[2]。生山陵，根似紫葳，叶如燕卢[3]。采无时。

【校注】

[1] 白背条见《新修》《千金翼》。

[2] **洗浴疥恶疮** 《纲目》《草木典》作“洗恶疮疥”。

[3] **卢** 《新修》原作“虑”，据《千金翼》、《大观》、玄《大观》、《大全》、成化本《政和》、《政和》、《证类》改。

646 白女肠[1]

味辛，温，无毒。主治泄利肠澼，治心痛，破疝瘕[2]。生深山谷中[3]，叶如兰，实赤。赤女肠亦[4]同。

【校注】

[1] 白女肠条见《新修》《千金翼》。
[2] 瘕　《新修》原作“瘦”，据《千金翼》《大观》《政和》《证类》改。
[3] 中　《纲目》《草木典》《群芳谱》脱“中”字，其他各本有“中”字。
[4] 亦　《纲目》《草木典》脱“亦”字，其他各本有“亦”字。

647　白扇根[1]

味苦，寒，无毒。主治疟，皮肤寒热，出汗，令[2]人变。

【校注】

[1] 白扇根条见《新修》《千金翼》。
[2] 令　《新修》原作“合”，据《千金翼》《大观》《政和》《证类》改。

648　白给[1]

味辛，平，无毒。主治伏虫、白疢、肿痛。生山谷，如藜芦，根白相[2]连，九月采。

【校注】

[1] 白给条见《新修》《千金翼》。
[2] 相　《新修》原脱，据《千金翼》《大观》《政和》《证类》补。

649　白辛[1]

味辛，有毒。主治寒热。一名脱尾，一名羊草，生楚山。三月采根[2]，根白而香。

【校注】

[1] 白辛条见《新修》《千金翼》。
[2] 根　《新修》有“根”字，其他各本无“根”字。

650　白昌[1]

味甘[2]，无毒。主食诸虫。一名水昌，一名水宿，一名茎蒲[3]。十月采。

【校注】

[1] 白昌条见《新修》《千金翼》。

[2] **甘** 此下《纲目》《草木典》有“辛温，汁制雄黄雌黄砒石”10字，其他各本无此10字。

[3] **蒲** 《新修》原作“蒱”，据《千金翼》《大观》《政和》《证类》改。

651 赤举[1]

味甘，无毒。主治腹痛。一名羊饴，一名陵渴。生山阴，二月华，兑[2]蔓草上，五月实黑，中有核。三月三日采叶，阴干。

【校注】

[1] 赤举条见《新修》《千金翼》。

[2] **兑** 《纲目》《草木典》作“锐”，《群芳谱》作“绕”。

652 徐黄[1]

味辛，平，无毒。主治心腹积瘕。茎，主治恶疮。生泽中，大茎，细叶，香如藁本[2]。

【校注】

[1] 徐黄条见《新修》《千金翼》。

[2] **藁本** 《新修》原作“蒿本”，据《千金翼》、《大观》、《政和》、《证类》、《大全》、玄《大观》、成化本《政和》改。

653 紫给[1]

味咸。主毒风[2]头泄注。一名野葵。生高陵下地。三月三日采根，根如乌头。

【校注】

[1] 紫给条见《新修》《千金翼》。

[2] **毒风** 《品汇》颠倒为“风毒”。

654 天蓼[1]

味辛，有毒。主治恶疮，去痹气。一名石龙。生水中。

【校注】

[1] 天蓼条见《新修》《千金翼》。

655　地朕[1]

味苦，平，无毒。主治心气，女子阴疝，血结。一名承夜，一名夜光。三月采。

【校注】

[1] 地朕条见《新修》《千金翼》。

656　地芩[1]

味苦，无毒。主治小儿痫，除邪，养胎，风痹，洗浴[2]寒热，目中青翳，女子带下。生腐木积草处，如朝生，天雨生盖[3]，黄白色。四月采[4]。

【校注】

[1] 地芩条见《新修》《千金翼》。

[2] **洗浴**　《新修》作“洗浴”，其他各本作“洗洗”。

[3] **如朝生，天雨生盖**　《纲目》《草木典》作“大雨生盖，如朝生”。

[4] **采**　《政和》《纲目》《草木典》作“采之”，其他各本作“采”。

657　地筋[1]

味甘，平，无毒。主益气，止渴，除热在腹脐，利筋。一名菅根[2]，一名土筋。生泽[3]中，根有毛。三月生，四月实白，三月三日采根。

【校注】

[1] 地筋条见《新修》《千金翼》。

[2] **菅根**　《政和》《品汇》作“管根”，其他各本作“菅根”。

[3] **泽**　《纲目》《草木典》作“汉”，其他各本作“泽”。

658　燕齿[1]

主治小儿痫，寒热。五月五日采。

【校注】

[1] 燕齿条见《新修》《千金翼》。

659　酸恶[1]

主治恶疮，去白虫。生水旁。状如泽泻[2]。

【校注】

[1] 酸恶条见《新修》《千金翼》。

[2] **泻**　《新修》原作“写”，据《千金翼》《大观》《政和》《证类》改。

660　酸赭[1]

味酸。主内漏，止血不足。生昌阳山，采无时。

【校注】

[1] 酸赭条见《新修》《千金翼》。

661　巴棘[1]

味苦，有毒。主治恶疥疮，出虫。一名女木[2]。生高地，叶白有刺，根连数十枚。

【校注】

[1] 巴棘条见《新修》《千金翼》。

[2] **一名女木**　《纲目》《草木典》将此文排在条末。“木”，玄《大观》作“太”。

662　巴朱[1]

味甘，无毒。主寒，止血[2]，带下。生洛阳。

【校注】

[1] 巴朱条见《新修》《千金翼》。又，“朱”，《新修》作“苿”，玄《大观》作“未”，据《和名》、《千金翼》、《大观》、《政和》、《证类》、《大全》、成化本《政和》改。

[2] **止血**　《新修》原作“上血”，据《千金翼》《大观》《政和》《证类》改。

663　蜀格[1]

味苦，平，无毒。主治寒热，瘘痹，女子带下，痈[2]肿。生山阳，如藋[3]菌，有刺。

【校注】

[1] 蜀格条见《新修》《千金翼》。

[2] **痈**　《新修》作“瘫”，据《千金翼》《证类》改。

[3] **藋**　《新修》作“萑”，《品汇》《草木典》“萑”，据《千金翼》《大观》《政和》《证类》《纲目》改。

664　苗根[1]

味咸，平，无毒。主痹及热中伤跌折。生山阴谷中蔓草木[2]上。茎有刺，实如椒。

【校注】

[1] 苗根条见《新修》《千金翼》。

[2] **木**　《千金翼》作“藤”，其他各本作“木”。

665　参果根[1]

味苦，有毒。主治鼠瘘。一名百连，一名乌蓼[2]，一名鼠茎，一名鹿蒲[3]。生百余根，根有衣裹[4]茎。三月三日采根。

【校注】

[1] 参果根条见《新修》《千金翼》。

[2] **乌蓼**　《和名》作“鸟蓼”，其他各本作“乌蓼”。

[3] **一名百连，一名乌蓼，一名鼠茎，一名鹿蒲**　《纲目》《草木典》将此16字排在条文末。

[4] **裹**　《大观》、玄《大观》作“里”，其他各本作“裹”。

666　黄辨[1]

味甘，平，无毒。主治心腹疝瘕，口疮，脐伤[2]。一名经辨。

【校注】

[1] 黄辨条见《新修》《千金翼》。又，“辨”，《新修》《和名》作“辨”，《千金翼》、《大观》、玄《大观》、《大全》、成化本《政和》、《政和》、《证类》、《品汇》、《纲目》作“辩”。

[2] **口疮，脐伤** 《新修》原作“口痛齐”，据《千金翼》《大观》《政和》《证类》改。

667 对庐[1]

味苦，寒，无毒。主治疥，诸久疮[2]不瘳，生死肌，除大热，煮洗之。八月采，似菴蕳[3]。

【校注】

[1] 对庐条见《新修》《千金翼》。

[2] **久疮** 《大观》、《大全》、成化本《政和》、《政和》、《品汇》、《纲目》、《草木典》作“疮久”，《新修》、《千金翼》、玄《大观》、《证类》作“久疮”。

[3] **煮洗之。八月采，似菴蕳** 《纲目》《草木典》作“煮汁洗之，似菴蕳，八月采”。

668 粪蓝[1]

味苦。主治身痒疮，白秃，漆疮，洗之。生房陵。

【校注】

[1] 粪蓝条见《新修》《千金翼》。又，“粪蓝”，《新修》《和名》原作“墦监”，据《千金翼》《大观》《政和》《证类》改。

669 王明[1]

味苦。主治身热，邪气，小儿身热，以浴之。生山谷。一名王草。

【校注】

[1] 王明条见《新修》《千金翼》。

670 师系[1]

味甘，无毒。主治痈[2]肿、恶疮，煮洗之。一名臣尧，一名臣骨[3]，一名鬼芭。生平泽。八月采。

【校注】

[1] 师系条见《新修》《千金翼》。

[2] **痈** 《新修》原作“瘫”，据《千金翼》《大观》《政和》《证类》改。

[3] **巨骨** 《纲目》《群芳谱》作“巨骨”，其他各本作“臣骨”。

〔附〕领灰[1]

味甘，有毒。主治心腹痛，炼中不足。叶如芒草，冬生，烧作灰。

【校注】

[1] 领灰条见《千金翼》。领灰一药，仅《千金翼》收载之，其他各本无此药。

671 父陛根[1]

味辛，有毒。以熨痈[2]肿、肤胀。一名膏鱼，一名梓藻。

【校注】

[1] 父陛根条见《新修》《千金翼》。又，“父陛根”，《和名》作“文陛根”。

[2] **痈** 《新修》原作“瘫”，据《千金翼》《大观》《政和》《证类》改。

672 荆茎[1]

治灼烂。八月、十月采，阴干。

【校注】

[1] 荆茎条见《新修》《千金翼》。

673 鬼豗[1]

生石上，挼之，日柔为沐[2]。

【校注】

[1] 鬼豗条见《新修》《千金翼》。又，“鬼豗”，《新修》原作“鬼莌跪”，据《千金翼》《大观》《政和》《证类》改。“莌”音丽，《纲目》作“鬼丽”。

[2] **挼之，日柔为沐** 《纲目》作“接之日干，为末”。又，“挼”，《新修》原作“接”，据《千金翼》《证类》改。

674 竹付[1]

味甘，无毒。主止痛，除血。

【校注】

[1] 竹付条见《新修》《千金翼》。

675 秘恶[1]

味酸，无毒。主治肝邪气。一名杜逢。

【校注】

[1] 秘恶条见《新修》《千金翼》。

676 唐夷[1]

味苦，无毒。主治瘘折[2]。

【校注】

[1] 唐夷条见《新修》《千金翼》。
[2] 折 《新修》原作“析”，据《千金翼》《大观》《政和》《证类》改。

677 知杖[1]

味甘，无毒。主治疝。

【校注】

[1] 知杖条见《新修》《千金翼》。

678 葵松[1]

味辛，无毒。主治眩痹。

【校注】

[1] 葵松条见《新修》《千金翼》。又，“葵松”，《新修》《和名》作“葵松”；《千金翼》、《大

观》、玄《大观》、《大全》、成化本《政和》、《政和》《证类》作“坔松”；《品汇》《纲目》作“埊松”（坔、埊皆读地音）；《草木典》作“地松”。

679　河煎[1]

味酸。主治结气，痈在喉头[2]者。生海中。八月、九月采。

【校注】

［1］河煎条见《新修》《千金翼》。

［2］**头**　《新修》作“头”，其他各本作“颈”。

680　区余[1]

味辛，无毒。主治心腹热癃[2]。

【校注】

［1］区余条见《新修》《千金翼》。

［2］**癃**　《千金翼》《大观》、玄《大观》、《大全》、成化本《政和》、《政和》《证类》《品汇》作“瘙”，《新修》作“癃”。又，《大观》、玄《大观》、《大全》、成化本《政和》、《政和》《证类》《品汇》引《蜀本》作“癃”，《纲目》亦作“癃”。

681　三叶[1]

味辛。主治寒热，蛇蜂螫人。一名起莫[2]，一名三石，一名当田[3]。生田中。叶一[4]茎小黑白，高三尺，根黑。三月采，阴干。

【校注】

［1］三叶条见《新修》《千金翼》。

［2］**一名起莫**　《和名》作“一名赴莫”，《纲目》《草木典》作“一名赴鱼”，其他各本作“一名起莫”。又，《大观》《政和》《证类》《品汇》注文云：“《蜀本》一名赴鱼。”

［3］**一名三石，一名当田**　《纲目》《草木典》列在“三叶”条“阴干”之后。并将“一名起莫”改为“一名赴鱼”，置于条末。

［4］**叶一**　《新修》有“叶一”2字，其他各本无“叶一”2字。

682　五母麻[1]

味苦，有毒。主治痿痹，不[2]便，下痢。一名鹿麻，一名归泽麻，一名天麻，一名若一草[3]。生田野。五月采。

【校注】

[1] 五母麻条见《新修》《千金翼》。

[2] **不** 《草木典》作“大”字。

[3] **一名若一草** 《纲目》《草木典》作“一名若草”，其他各本作“一名若一草”，但《大观》《政和》《证类》《品汇》注云“《蜀本》无一字”。

683 救煞[1]人者[2]

味甘，有毒。主治疝痹，通气，诸不足。生人家宫室[3]。五月、十月采，暴干。

【校注】

[1] **煞** 《新修》作“煞”，其他各本作“赦”。

[2] 救煞人者条见《新修》《千金翼》。

[3] **宫室** 《新修》原作“官室”，据《千金翼》《大观》《政和》《证类》改。

684 城东腐木[1]

味咸，温。主治心腹痛，止[2]泄，便脓血。

【校注】

[1] 城东腐木条见《新修》《千金翼》。又，“城”，《新修》原残缺，据《千金翼》《大观》《政和》《证类》补。

[2] **止** 《新修》原作“上”，据《千金翼》《大观》《政和》《证类》改。

685 芥[1]

味苦，寒，无毒。主治消渴，止血，妇人疾[2]，除痹。一名梨。叶如大青。

【校注】

[1] 芥条见《新修》《千金翼》。

[2] **疾** 《纲目》《草木典》《群芳谱》作“痰”，其他各本作“疾”。

686　载[1]

味酸，无毒。主治诸恶气。

【校注】

[1] 载条见《新修》《千金翼》。

687　庆[1]

味苦，有毒[2]，主治咳嗽[3]。

【校注】

[1] 庆条见《新修》《千金翼》。

[2] **有毒**　《新修》作“有毒”，其他各本作“无毒”。

[3] **咳嗽**　《新修》原作“咳味”，据《千金翼》《大观》《政和》《证类》改。

〔附〕卢精[1]

味辛[2]，平。治蛊毒。生益州。

【校注】

[1] 卢精条见《御览》卷991、《纲目》。又，《御览》注“卢精”为《本经》文，《纲目》《草木典》注“卢精”为《别录》文。

[2] **辛**　《纲目》《草木典》无“辛”字。

688　六畜毛蹄甲[1]

有毒。

〔《本经》原文〕

六畜毛蹄甲，味咸，平。主鬼注蛊毒，寒热惊痫，癫痓狂走。骆驼毛尤良。

【校注】

[1] 六畜毛蹄甲条见《新修》、《和名》卷下。又，“甲”，玄《大观》脱“甲”字，其他各本有“甲”字。又，玄《大观》对“六畜毛蹄甲”条全文皆作墨字《别录》文，恐非。

689 鲮鲤甲[1]

微寒。主五邪惊啼悲伤，烧之作灰，以酒或水和方寸匕[2]，治蚁瘘[3]。

【校注】

[1] 鲮鲤甲条见《千金翼》、《大观》卷22。

[2] **烧之作灰，以酒或水和方寸匕** 《纲目》作“烧灰，酒服方寸匕”。

[3] **治蚁瘘** 《纲目》注为陶弘景文，其他各本注为《别录》文。

690 獭肝[1]

味甘，有毒。主治鬼疰、蛊毒，却鱼鲠，止久嗽[2]，烧服之[3]。肉[4]，治疫气、温病，及牛马时行病，煮矢灌之亦良。

又，獭四足，主手足皮皲裂[5]。

【校注】

[1] 獭肝条见《新修》《千金翼》。

[2] **却鱼鲠，止久嗽** 武田本《新修》、《新修》作“鱼滕嗽”，据《千金翼》《大观》《政和》《证类》改，《纲目》《禽虫典》作“止久嗽，除鱼鲠”。

[3] **烧服之** 《纲目》《禽虫典》作“并烧灰，酒服之”。

[4] **肉** 此下《纲目》《禽虫典》有“煮汁服”3字，其他各本无此3字。又，《品汇》在“肉”字下衍“性寒”2字，其他各本无此2字。

[5] **獭四足，主手足皮皲裂** 此文出《新修》“獭肝”条唐本引《别录》文。“皮”，《新修》、武田本《新修》有“皮”字，其他各本无“皮”字。

691 狐阴茎[1]

味甘，有[2]毒。主治女子绝产，阴痒[3]，小儿阴癞卵肿。五脏及肠，味苦，微寒，有毒。治蛊毒寒热，小儿惊痫。雄狐屎，烧之辟恶。在木石上者是。

【校注】

[1] 狐阴茎条见《新修》《千金翼》。

[2] **有** 《新修》原作“肖”，据武田本《新修》、《千金翼》、《大观》、《政和》、《证类》、玄《大观》改。

[3] **阴痒** 《纲目》《禽虫典》作“阴中痒”，其他各本无“中”字。

692　麋脂[1]

无毒。柔皮肤，不可近阴，令痿[2]。畏大黄。角，味甘，无毒。治痹[3]，止血，益气力。生南山及[4]淮海边泽中[5]，十月取。

〔《本经》原文〕

麋脂，味辛，温。主痈肿，恶疮，死肌，寒风湿痹，四肢拘缓不收，风头肿气，通腠理。一名官脂。生山谷。

【校注】

[1] 麋脂条见《新修》、《御览》卷988。

[2] **不可近阴，令痿** 《御览》作“近阴，令人阴痿”。其他各本作“不可近阴，令痿”。

[3] **痹** 《纲目》《禽虫典》作“风痹”，其他各本无“风”字。

[4] **及** 《新修》原作“生”，据《千金翼》《大观》《政和》《证类》改。

[5] **泽中** 武田本《新修》、《新修》有“泽中”2字，其他各本无此2字。

693　虾蟆[1]

有毒。主治阴蚀，疽疠，恶疮，猘犬伤疮，能合玉石。一名蟾蜍，一名去甗[2]，一名去甫，一名苦蚉。生江湖。五月五日取，阴干，东行者良。

又，脑，主明目，治青盲也[3]。

〔《本经》原文〕

虾蟆，味辛，寒。主邪气，破癥坚血，痈肿阴疮。服之不患热病。生池泽。

【校注】

[1] 虾蟆条见《千金翼》、《大观》卷22。“虾蟆”，《纲目》《禽虫典》以“蟾蜍”作“虾蟆”条中的《别录》文正名。

[2] **去甗** 《千金翼》在“甗”字下衍“又”字，其他各本无“又”字。“去”，《和名》有“去”字，其他各本无“去”字。

[3] **脑，主明目，治青盲也** 此文出《证类》“虾蟆”条“唐本注”引《别录》文。

694　蛙[1]

味甘，寒，无毒。主治小儿赤气，肌疮，脐伤，止痛，气不足。一名长股，生水中，取无时。

【校注】

[1] 蛙条见《千金翼》、《大观》卷22。又，《禽虫典》以“蛙”为正名。

695　石蚕[1]

有毒。生江汉。

〔《本经》原文〕

石蚕，味咸，寒。主五癃，破石淋，堕胎。肉，解结气，利水道，除热。一名沙虱。生池泽。

【校注】

[1] 石蚕条见《御览》卷950、《千金翼》。又，“石蚕”，《御览》作“沙虱”，其他各本作“石蚕”。

696　蚺蛇胆[1]

味甘、苦，寒，有小毒。主治心腹𧏾痛，下部𧏾疮，目肿痛[2]。膏，平，有小毒。治皮肤风毒，妇人产后腹痛余疾。

【校注】

[1] 蚺蛇胆条见《千金翼》、《大观》卷22。又，《和名》作“蚺蛇”，脱“胆”字。

[2] **目肿痛**　《纲目》《草木典》排在“主治”之后。

697　蝮蛇胆[1]

味苦，微寒，有毒。主治𧏾疮。肉，酿作酒，治癞疾，诸瘘，心腹痛，下结气，除蛊毒。其腹中吞[2]鼠，有小毒，治鼠瘘。

【校注】

[1] 蝮蛇胆条见《千金翼》、《大观》卷22。又，《和名》作“蝮蛇”，脱“胆”字。

[2] **吞**　《纲目》《禽虫典》作“死”，其他各本作“吞”。

698　蛇蜕[1]

味甘，无毒。主治弄舌摇头[2]，大人五邪，言语僻越，恶疮，呕咳[3]，明目[4]。一名龙子皮。生荆州及田野。五月五日、十五日取之良。畏磁石及酒[5]。

〔《本经》原文〕

蛇蜕，味咸，平。主小儿百二十种惊痫，瘈疭瘨疾，寒热肠痔，虫毒，蛇痫。火熬之良。一名龙子衣，一名蛇符，一名龙子单衣，一名弓皮。生川谷。

【校注】

[1] 蛇蜕条见《千金翼》、《大观》卷22。又，《和名》《医心方》作“蛇蜕皮”，其他各本作“蛇蜕”。

[2] **弄舌摇头** 《纲目》《禽虫典》取此4字为《本经》文。《大观》、玄《大观》、《大全》、成化本《政和》、《政和》、《证类》、《品汇》注为《别录》文，森本、孙本、顾本、狩本、黄本皆不取4字为《本经》文。按，此4字应为《别录》文。

[3] **呕咳** 《纲目》《禽虫典》作“止呕逆”，其他各本作“呕咳”。

[4] **目** 此下《纲目》《禽虫典》有“烧之，疗诸恶疮”6字，其他各本无此6字。

[5] **畏磁石及酒** 《纲目》《禽虫典》注此为甄权文。此文《本草经集注》已有著录。

699 蜈蚣[1]

有毒。主治心腹寒热结聚[2]，堕胎，去恶血。生大吴[3]江南。赤头足者良[4]。

〔《本经》原文〕

蜈蚣，味辛，温。主鬼注蛊毒，啖诸蛇、虫、鱼毒，杀鬼物老精温疟，去三虫。生川谷。

【校注】

[1] 蜈蚣条见《千金翼》、《大观》卷22。

[2] **结聚** 《纲目》《禽虫典》作“积聚”，其他各本作“结聚”。

[3] **大吴** 《纲目》《禽虫典》作“太吴”，其他各本作“大吴”。

[4] **赤头足者良** 《纲目》《禽虫典》作“头足赤者良”。

700 马陆[1]

有毒。主治寒热痞结，胁下满。一名马轴。生玄菟。

〔《本经》原文〕

马陆，味辛，温。主腹中大坚癥，破积聚，息肉，恶疮白秃。一名百足。生川谷。

【校注】

[1] 马陆条见《御览》卷948、《千金翼》。

701 蠮螉[1]

无毒。主治鼻窒[2]。其土房[3]主痈肿，风头[4]。一名土蜂。生熊耳及牂牁，或人屋间。

〔《本经》原文〕

蠮螉，味辛，平。主久聋，咳逆，毒气，出刺出汗，生川谷。

【校注】

[1] 蠮螉条见《千金翼》、《大观》卷22。

[2] **窒** 《大全》作"室"，其他各本作"窒"。

[3] **土房** 《纲目》作"土蜂窠"，列在"土部"。

[4] **风头** 《品汇》作"头风"。

702 雀瓮[1]

无毒。生[2]汉中，采蒸之，生树枝间，蛅蟖房也。八月取[3]。

〔《本经》原文〕

雀瓮，味甘，平。主小儿惊痫，寒热结气，蛊毒鬼注。一名躁舍。

【校注】

[1] 雀瓮条见《千金翼》、《大观》卷22。

[2] **生** 《纲目》《禽虫典》作"出"。

[3] **八月取** 《纲目》《禽虫典》作"八月采蒸之"。

703 鼠妇[1]

微寒，无毒。一名蛜蝛。生魏郡及人家地上，五月五日取[2]。

〔《本经》原文〕

鼠妇，味酸，温。主气癃不得小便，妇人月闭血瘕，痫痓寒热，利水道。一名负蟠，一名蛜蝛。生平谷。

【校注】

[1] 鼠妇条见《千金翼》、《大观》卷22。

[2] **取** 《纲目》《禽虫典》作“采”。

704 萤火[1]

无毒[2]，一名放光[3]，一名熠耀[4]，一名即炤。生阶地。七月七日取，阴干。

〔《本经》原文〕

萤火，味辛，微温。主明目，小儿火疮伤热气，虫毒鬼注，通神精。一名夜光。生池泽。

【校注】

[1] 萤火条见《御览》卷945、《千金翼》。

[2] **毒** 此下《纲目》《禽虫典》有“小儿火疮伤热气，蛊毒，鬼疰，通神精”14字作《别录》文。《大观》、玄《大观》、《大全》、成化本《政和》、《政和》、《证类》取此14字作白字《本经》文，《品汇》、森本、孙本、顾本、狩本、黄本皆取此14字为《本经》文。按，此14字应为《本经》文，非《别录》文。

[3] **放光** 《千金翼》作“放火”，其他各本作“放光”。

[4] **一名熠耀** 《和名》作“一名耀耀”，《御览》《千金翼》《大观》《政和》《证类》《品汇》《纲目》作“一名熠耀”，《毛诗注疏》孔颖达引本草作“一名熠耀”，本书从《御览》等为正。

705 衣鱼[1]

无毒[2]。主治淋，堕胎[3]，涂疮，灭瘢。一名蟫。生咸阳。

〔《本经》原文〕

衣鱼，味咸，温。主妇人疝瘕，小便不利，小儿中风项强，背起摩之。一名白鱼。生平泽。

【校注】

[1] 衣鱼条见《御览》卷946、《千金翼》。“衣鱼”，《御览》作“白鱼”，其他各本作“衣鱼”。

[2] **无毒** 《政和》、《证类》、《大全》、成化本《政和》作白字《本经》文，孙本、《疏证》、黄本亦取此2字为《本经》文。《大观》、玄《大观》取此2字作墨字《别录》文。森本、顾本皆不取此2字为《本经》文。按，“无毒”2字应为《别录》文。

[3] **堕胎** 《纲目》《禽虫典》列在“灭瘢”之下。

706　白颈蚯蚓[1]

大寒，无毒。主[2]治伤寒伏热，狂谬，大腹，黄疸[3]。一名土龙。三月取，阴干。

又，蚯蚓，盐沾为汁，治耳聋[4]。

〔《本经》原文〕

蚯蚓，味咸，寒。主蛇瘕，去三虫伏尸，鬼注蛊毒，杀长虫，仍自化作水。生平土。

【校注】

[1] 白颈蚯蚓条见《千金翼》、《大观》卷22。

[2] **主**　此下《纲目》《禽虫典》注“化为水（其他各本作‘仍自化作水’）”为《别录》文。《大观》、玄《大观》、《大全》、成化本《政和》、《政和》、《证类》取此5字作白字《本经》文，《品汇》、森本、孙本、顾本、《续疏》、狩本、黄本皆取此5字为《本经》文。按，此5字应为《本经》文，非《别录》文。

[3] **黄疸**　《品汇》作“黄疸”，其他各本作“黄疸”。

[4] **盐沾为汁，治耳聋**　此文出《证类》“白颈蚯蚓”条“唐本注”引《别录》文。

707　蝼蛄[1]

无毒。生东城，夏至取，暴干。

〔《本经》原文〕

蝼蛄，味咸，寒。主产难，出肉中刺，溃痈肿，下哽噎，解毒，除恶疮。一名蟪蛄，一名天蝼，一名螜。夜出者良。生平泽。

【校注】

[1] 蝼蛄条见《御览》卷948、《千金翼》。“蝼蛄”，《御览》作“蝼蛄”，其他各本作“蝼蛄”。又，《纲目》《禽虫典》在“蝼蛄”条有“夜出者良”注为《别录》文。《大观》、玄《大观》、《大全》、成化本《政和》、《政和》、《证类》取此4字作白字《本经》文，森本、孙本、顾本皆取此4字为《本经》文。按，此4字应为《本经》文，非《别录》文。

708　蜣螂[1]

有毒。主治手足端寒，肢满贲豚。生长沙。五月五日取，蒸，藏之。临用当炙[2]。勿置水中。令人吐。畏羊肉、石膏[3]。

又，捣为丸，塞下部，引痔虫出尽，永差[4]。

〔《本经》原文〕

蜣螂，味咸，寒。主小儿惊痫瘈疭，腹胀寒热，大人癫疾狂易。一名蛣蜣。火熬之良。生池泽。

【校注】

[1] 蜣螂条见《千金翼》、《大观》卷22。

[2] **五月五日取，蒸，藏之。临用当炙** 《纲目》《禽虫典》作"五月五日采取蒸藏之，临用去足火炙"。

[3] **畏羊肉、石膏** 《纲目》作徐之才文。此文《本草经集注》已有著录。

[4] **捣为丸……永差** 此文出《证类》"蜣螂"条"唐本注"引《别录》文。

709 地胆[1]

有毒。蚀疮中恶肉，鼻中息肉，散结气石淋，去子。服一刀圭即下。一名青蛙。生汶山。八月取。恶甘草。

〔《本经》原文〕

地胆，味辛，寒。主鬼注寒热，鼠瘘恶疮死肌，破癥瘕，堕胎。一名蚖青。生川谷。

【校注】

[1] 地胆条见《御览》卷951、《千金翼》。又，《御览》在"地胆"条下引《本草经》曰："元青，春食芫花，故云元青。秋为地胆，地胆黑，头赤，味辛，有毒。主虫毒，风注。秋食葛花，故名之为葛上亭长。"其他各本无此文。

710 马刀[1]

有毒。除五脏间热，肌中鼠鼷[2]，止烦满，补中，去厥痹，利机关。用之当炼，得水烂人肠，又云得水良。一名马蛤[3]。生江湖及东海[4]。取无时。

〔《本经》原文〕

马刀，味辛，微寒。主漏下赤白，寒热，破石淋，杀禽兽，贼鼠。生池泽。

【校注】

[1] 马刀条见《御览》卷993、《千金翼》。

［2］**鼠䗾**　《纲目》《禽虫典》作“鼠䗾”，其他各本作“鼠䗾”。

［3］**一名马蛤**　《艺文类聚》引本草作“一名蛤”，脱“马”字。

［4］**生江湖及东海**　《御览》作“生江海”，其他各本作“生江湖及东海”。

711　贝子[1]

有毒，主除寒热温疰[2]，解肌，散结热。一名贝齿。生东海。

〔《本经》原文〕

贝子，味咸，平。主目翳，鬼注蛊毒，腹痛下血，五癃，利水道。烧用之良。生池泽。

【校注】

［1］贝子条见《御览》卷807、《千金翼》。

［2］**除寒热温疰**　《纲目》《禽虫典》作“温疰寒热”，其他各本作“除寒热温疰”。

712　田中螺汁[1]

大寒。主治目热赤痛，止渴。又，壳治尸疰，心腹痛，又治失精。水渍饮汁，止泻[2]。

【校注】

［1］田中螺汁条见《千金翼》、《大观》卷22。“田中螺汁”，《纲目》《禽虫典》作“田嬴肉”，其他各本作“田中螺汁”。

［2］**壳治……止泻**　此文出《证类》“田中螺汁”条“唐本注”引《别录》文。“壳”，此后《纲目》《禽虫典》有“烧研”2字。“止泻”，《大观》作“止渴”。

713　蜗牛[1]

味咸，寒。主治贼风㖞僻，踠跌[2]，大肠下[3]脱肛，筋急及惊痫[4]。

【校注】

［1］蜗牛条见《千金翼》、《大观》卷21。

［2］**跌**　《品汇》作“趺”。

［3］**下**　《纲目》《禽虫典》无“下”字。

［4］**惊痫**　《证类》作“惊㾐”，其他各本作“惊痫”。

714 鸬鹚矢[1]

一名蜀水华。去面[2]黑皯黡痣。头，微寒。治鲠[3]及噎，烧服之[4]。

【校注】

[1] 鸬鹚矢条见《新修》《千金翼》。

[2] **面** 《纲目》《禽虫典》作"面上"。

[3] **鲠** 武田本《新修》、《新修》作"喚"，据《千金翼》《证类》改。又，《纲目》《禽虫典》作"哽"。

[4] **烧服之** 《纲目》《禽虫典》作"烧研酒服"。

715 鵄头[1]

味咸，平，无毒。主治头风眩[2]颠倒，痫疾[3]。

【校注】

[1] 鵄头条见《新修》、《御览》卷988。又，"鵄头"，武田本《新修》、《新修》、《和名》作"鵄头"，《御览》作"鸢"，其他各本作"鸱头"。

[2] **眩** 《纲目》《禽虫典》作"目眩"，其他各本无"目"字。

[3] **疾** 此下《御览》引《本草经》曰："辟不祥，生淮南。"其他各本无此文。

716 孔雀矢[1]

微寒。主治女子带下，小便不利。

【校注】

[1] 孔雀矢条见《新修》《千金翼》。

717 豚卵[1]

无毒。阴干藏之，勿令败。猪四足，小寒，治伤挞，诸败疮，下乳汁[2]。心，主惊邪忧恚。肾，冷利[3]，理肾气，通[4]膀胱。胆[5]，治伤寒热渴。肚[6]，补中益气，止渴利[7]。齿[8]，治小儿惊痫，五月五日取[9]。鬐膏[10]，主生发。肪膏，主煎诸膏药[11]，解斑蝥、芫青毒。猳猪肉，味酸，冷，治狂病[12]。凡猪肉[13]，味苦，主闭血脉，弱筋骨，虚人肌，不可久食，病人金创[14]者尤甚。猪屎，主寒热，黄疸，湿痹[15]。

又，猪耳中垢，主蛇伤[16]。猪脑，主风眩，脑鸣及冻疮[17]。

〔《本经》原文〕

豚卵，味甘，温。主惊痫癫疾，鬼注蛊毒，除寒热，贲豚，五癃，邪气挛缩。一名豚颠。悬蹄，主五痔，伏热在肠，肠痈内蚀。

【校注】

[1] 豚卵条见吐鲁番出土《本草经集注》残卷、《新修》。

[2] **猪四足……下乳汁** 《纲目》《禽虫典》作“蹄，甘、咸，小寒，无毒。煮汁服，下乳汁，解百药毒，洗伤挞诸败疮”。

[3] **利** 武田本《新修》、《新修》作“利”，其他各本作“和”。

[4] **通** 武田本《新修》、《新修》、《纲目》、《禽虫典》作“通”，其他各本作“通利”。

[5] **胆** 此下《品汇》衍“微寒”2字。

[6] **肚** 此下《品汇》衍“微温”2字。

[7] **止渴利** 《纲目》《禽虫典》作“止渴，断暴痢虚弱”。按，“断暴痢虚弱”属孟诜文。

[8] **齿** 此下《品汇》衍“平”字。

[9] **取** 此下《纲目》《禽虫典》衍“烧灰服”3字。

[10] **膏** 此下《品汇》衍“微寒”2字。

[11] **肪膏，主煎诸膏药** 《纲目》《禽虫典》作“肪膏主煎膏药”。

[12] **治狂病** 《纲目》移作“疗狂病久不愈”。

[13] **肉** 武田本《新修》、《新修》作“完”，据《千金翼》《大观》《政和》《证类》改。

[14] **金创** 武田本《新修》、《新修》作“金创”，其他各本作“金疮”。

[15] **痹** 此下《品汇》衍“猪肤，味甘寒，其气先入肾，能解少阴客热”16字。

[16] **猪耳中垢，主蛇伤** 《纲目》《禽虫典》作“耳垢主治蛇伤狗咬涂之”。

[17] **猪耳中垢……及冻疮** 此文出《新修》注引《别录》文。

718 鸓屎[1]

有毒[2]。

又，胡鸓卵，主治水浮肿。肉，出痔虫[3]。

〔《本经》原文〕

鸓屎，味辛，平。主蛊毒鬼注，逐不祥邪气，破五癃，利小便。生高山平谷。

【校注】

[1] 鸓屎条见吐鲁番出土《本草经集注》残卷、《新修》。又，《纲目》《禽虫典》在“鸓屎”

条中，注“蛊毒鬼注，逐不祥邪气，破五癃，利小便”15 字为《别录》文，《大观》《政和》《证类》取此 15 字作白字《本经》文，吐鲁番出土《本草经集注》残卷、《品汇》、森本、孙本、顾本皆取此 15 字为《本经》文。按，此 15 字应为《本经》文，非《别录》文。

[2] **毒** 此下《大观》、玄《大观》、《大全》、成化本《政和》、《政和》、《证类》有“生高山平谷”5 字作墨字《别录》文，《纲目》《禽虫典》亦注为《别录》文，森本、孙本取“生平谷”3 字为《本经》文，吐鲁番出土《本草经集注》残卷取此 5 字作《本经》文。本书从吐鲁番出土《本草经集注》残卷为正，不取此 5 字为《别录》文。

[3] **主治水浮肿。肉，出痔虫** 此文出《证类》“鹳屎”条“唐本注”引《别录》文。又，《纲目》《禽虫典》作“主治卒水浮肿，每吞十枚，肉出痔虫疮虫”。

719 鸩鸟毛[1]

有大毒。入五脏，烂，杀人。其口[2]，主杀蝮蛇毒。一名鵋日。生南海[3]。

【校注】

[1] 鸩鸟毛条见《新修》、《御览》卷 927。

[2] **口** 《纲目》《禽虫典》作“喙，带之”。

[3] **生南海** 《御览》作“生南郡”。

720 天鼠屎[1]

有毒[2]。去面[3]黑皯[4]。十月、十二月取。恶白蔹、白薇[5]。

〔《本经》原文〕

天鼠屎，味辛，寒。主面痈肿，皮肤洗洗时痛，腹中血气，破寒热积聚，除惊悸。一名鼠法，一名石肝。生合蒲山谷。

【校注】

[1] 天鼠屎条见吐鲁番出土《本草经集注》残卷、《千金翼》。

[2] **有毒** 吐鲁番出土《本草经集注》残卷作“有毒”。《大观》、玄《大观》、《大全》、成化本《政和》、《政和》、《证类》、《千金翼》、《纲目》皆作“无毒”。

[3] **面** 此下《纲目》《禽虫典》衍“上”字。

[4] **皯** 此下《大观》、玄《大观》有“一名鼠法，一名石肝”8 字作墨字《别录》文，《政和》、成化本《政和》、《大全》、《证类》取此 8 字作白字《本经》文，森本、孙本、顾本、《纲目》、狩本、黄本作《本经》文。吐鲁番出土《本草经集注》残卷、《本经》断片亦作《本经》文。按，此 8 字应为《本经》文，非《别录》文。又，“皯”字下，《大观》、玄《大观》、《大全》、成化本《政和》、《政和》、《证类》有“生合浦山谷”5 字作墨字《别录》文，《纲目》亦注此 5 字为《别录》

文。森本、孙本取“生山谷”3字为《本经》文，吐鲁番出土的《本草经集注》残卷、《本经》断片取此5字作《本经》文。本书从吐鲁番出土《本草经集注》残卷为正，不取此5字为《别录》文。

[5] **恶白蔹、白薇**　《纲目》注为徐之才文。此文《本草经集注》已有著录。

721 鼴鼸鼠[1]

味咸，无毒。主治[2]痈疽，诸瘘蚀，恶疮，阴䘌烂疮。在土中行。五月取令干，燔之。

【校注】

[1] 鼴鼸鼠条见吐鲁番出土《本草经集注》残卷、《新修》，“鼴鼸鼠”，吐鲁番出土《本草经集注》残卷、《本草经》断片作“鼴鼸鼠”，《御览》作“鼷鼠”，其他各本作“鼴鼠”。本条，《御览》引《本草经》作“鼷鼠一名隐鼠，形如鼠，大而无尾，黑色长鼻”。按，此文是陶隐居注文。又，《和名类聚钞》引本草作“鼴鼠一名鼢鼠”。

[2] **治**　此下《纲目》《禽虫典》衍“燔之”2字，其他各本无此2字。

722 鼺鼠[1]

生山都。

〔《本经》原文〕

鼺鼠，主堕胎，令人产易。生平谷。

【校注】

[1] 鼺鼠条见《新修》《千金翼》。又，“鼺鼠”，《纲目》作“鸓鼠”，其他各本作“鼺鼠”。又，《通志略》云：“鼺鼠，即飞生也，一名鼯鼠。”

723 牡鼠[1]

微温，无毒。主治踒折，续筋骨，捣傅之[2]，三日一易。四足及尾，主治妇人堕胎，易产[3]。肉，热，无毒。主治小儿哺[4]露大腹，炙食之。粪，微寒，无毒。主治小儿痫疾[5]，大腹[6]，时行劳复。

【校注】

[1] 牡鼠条见《千金翼》、《大观》卷22。“牡鼠”，《和名》作“牡鼠矢”。

[2] **捣傅之**　《纲目》《禽虫典》作“生捣傅之”，其他各本无“生”字。

[3] **易产** 《千金翼》作“易产”，其他各本作“易出”。

[4] **哺** 《千金翼》作“痛”，其他各本作“哺”。

[5] **痈疾** 《纲目》《禽虫典》作“瘠疾”，其他各本作“痈疾”。

[6] **腹** 此下《纲目》《禽虫典》衍“葱豉同煎服，治”6字，其他各本无此6字。

724 斑蝥[1]

有毒。主治疥癣[2]，血积。伤人肌，堕胎。生河东。八月取，阴干。马刀为之使，畏巴豆、丹参、空青，恶肤青。

〔《本经》原文〕

斑蝥，味辛，寒。主寒热，鬼注蛊毒，鼠瘘，恶疮疽蚀死肌，破石癃。一名龙尾。生川谷。

【校注】

[1] 斑蝥条见《御览》卷951、《千金翼》。

[2] **疥癣** 《纲目》《禽虫典》置2字于“伤人肌”之后。

725 芫青[1]

味辛，微温，有毒。主治蛊毒，风疰，鬼疰，堕胎。三月取，暴干。

【校注】

[1] 芫青条见《千金翼》、《大观》卷22。又，《御览》在“地胆”条下引《本草经》曰：“元青，春食芫花，故名元青。”其他各本无此文。

726 葛上亭长[1]

味辛，微温，有毒。主治蛊毒，鬼疰，破淋结，积聚，堕胎。七月取，暴干。

【校注】

[1] 葛上亭长条见《千金翼》、《大观》卷22。又，《御览》在“地胆”条下引《本草经》曰：“秋食葛花，故名之为葛上亭长。”其他各本无此文。

727 蜘蛛[1]

微寒。主治大人小儿㿉。七月七日取其网，治喜忘[2]。

又，疗小儿大腹、丁奚，三年不能行者[3]。

【校注】

［1］蜘蛛条见《千金翼》、《大观》卷22。

［2］**七月七日取其网，治喜忘**　《纲目》《禽虫典》作“网，主治喜忘，七月七日取，置衣领中，勿令人知”。

［3］**疗小儿……不能行者**　此文出《证类》“蜘蛛”条“唐本注”引《别录》文。

728　蜻蛉[1]

微寒。强阴，止精。

【校注】

［1］蜻蛉条见《千金翼》、《大观》卷22。又，《和名类聚钞》引本草作“蜻蛉，一名胡蜇”。

729　木虻[1]

有毒。生汉中。五月取。

〔《本经》原文〕

木虻，味苦，平。主目赤痛，眦伤泪出，瘀血血闭，寒热酸慚，无子。一名魂常。生川泽。

【校注】

［1］木虻条见《千金翼》、《大观》卷21。

730　蜚虻[1]

有毒。主女子月水不通，积聚，除贼血在胸腹五脏者及喉痹结塞。生江夏。五月取，腹有血者良。

〔《本经》原文〕

蜚虻，味苦，微寒。主逐瘀血，破下血积，坚痞癥瘕，寒热，通利血脉及九窍。生川谷。

【校注】

[1] 蜚虻条见《千金翼》、《大观》卷21。又，《通志略》作“牛虻”，并云：“牛虻蝇类，啖牛马血。”

731　蜚蠊[1]

有毒。通利血脉。生晋阳及人家屋间，立秋采[2]。

又，蜚蠊，形似蚕蛾，腹下赤。二月、八月采。

〔《本经》原文〕

蜚蠊，味咸，寒。主血瘀癥坚寒热，破积聚，喉咽痹，内寒无子。生川泽。

【校注】

[1] 蜚蠊条见《御览》卷949、《千金翼》。本条，《和名类聚钞》引本草作“蜚蠊，一名卢蟹”。又，“形似蚕蛾……八月采”，此文出《证类》“蜚蠊”条“唐本注”引《别录》文。

[2] **生晋阳及人家屋间，立秋采**　《御览》作“生晋地山泽中，二月采之”。

732　水蛭[1]

味苦，微寒[2]，有毒。主堕胎。一名蚑，一名至掌[3]，生雷泽。五月、六月采，暴干。

〔《本经》原文〕

水蛭，味咸，平。主逐恶血瘀血月闭，破血瘕积聚，无子，利水道。生池泽。

【校注】

[1] 水蛭条见《御览》卷950、《千金翼》。

[2] **寒**　此下《纲目》《禽虫典》有“畏石灰、食盐”5字，其他各本无此5字。

[3] **至掌**　《通志略》云：“水蛭曰蚑，曰至掌。”

〔附〕鲛鱼皮[1]

主蛊[2]气，蛊疰方用之。即装刀靶鳍鱼皮也。

又，鲛鱼皮，生南海，味甘，咸，无毒。主心气，鬼疰，蛊毒，吐血。皮上有珍珠斑[3]。

【校注】

［1］鲛鱼皮条见《千金翼》、《大观》卷21。按，“鲛鱼皮”，原是《新修本草》新增的药，但《政和》《证类》在“鲛鱼皮”条下注，有《海药》引《别录》资料，则《新修本草》新增的“鲛鱼皮”一药，当出《别录》。

［2］**蛊** 《纲目》作“虫”，其他各本作“蛊”。

［3］**生南海……有珍珠斑** 此文出《证类》“鲛鱼皮”条《海药》注引《别录》文。

〔附〕珂[1]

味咸，平，无毒。主治目中翳，断血，生肌，贝类也，大如鳆，皮黄黑而骨白，以为马饰[2]。生南海，采无时。

又，珂，生南海，白如蚌。主消翳膜及筋胬肉，并刮点之[3]。

【校注】

［1］珂条见《千金翼》、《大观》卷22。按，“珂”，原系《新修本草》新增的药，但《大观》《政和》《证类》“珂”条注，有《海药》引《别录》的资料，则《新修本草》新增的“珂”一药，当出《别录》。

［2］**马饰** 《千金翼》《大观》《证类》作“马饰”，其他各本作“饰”。

［3］**消翳膜及筋胬肉，并刮点之** 此文出《证类》“珂”条《海药》注引《别录》文。

733 桑蠹虫[1]

味甘，无毒。主治心暴痛，金疮，肉生[2]不足。

【校注】

［1］桑蠹虫条见《新修》《千金翼》。

［2］**生** 《政和》作“主”，其他各本作“生”。

734 石蠹虫[1]

主治石癃，小便不利。生石中。

【校注】

［1］石蠹虫条见《新修》《千金翼》。

735　行夜[1]

治腹痛，寒热，利血。一名负槃[2]。

【校注】

[1] 行夜条见《新修》《千金翼》。

[2] **槃**　《新修》《和名》作"槃"，《千金翼》《大观》《政和》《证类》《品汇》《纲目》《禽虫典》作"盘"。

736　麋鱼[1]

味甘，无毒。主治痹[2]，止血。

【校注】

[1] 麋鱼条见《新修》《千金翼》。

[2] **痹**　《政和》作"痟"，其他各本作"痹"。

737　丹戬[1]

味辛[2]。主治心腹积血。一名飞龙[3]。生蜀都[4]，如鼠负[5]，青股蜚[6]头赤[7]。七月七日采，阴干[8]。

【校注】

[1] 丹戬条见《新修》《千金翼》。

[2] **辛**　此下《纲目》《禽虫典》衍"有毒"2字，其他各本无此2字。

[3] **一名飞龙**　《纲目》《禽虫典》将此4字，列在"丹戬"条末。

[4] **都**　《新修》原脱，据《千金翼》《大观》《政和》《证类》补。"都"，《纲目》《禽虫典》作"郡"。

[5] **鼠负**　《纲目》作"鼠妇"，《大观》、玄《大观》作"鼠员"，其他各本作"鼠负"。

[6] **蜚**　《纲目》《禽虫典》脱"蜚"字，其他各本有"蜚"字。

[7] **头赤**　《千金翼》作"翼赤"，《纲目》《禽虫典》作"赤头"，其他各本作"头赤"。

[8] **阴干**　《新修》有"阴干"2字，其他各本无此2字。

738　扁前[1]

味甘，有毒。主治鼠瘘，癃[2]，利水道。生山陵，如牛虻，翼赤[3]。五月、八月采。

【校注】

[1] 扁前条见《新修》《千金翼》。

[2] **瘙** 《纲目》作“瘙闭”，其他各本无“闭”字。

[3] **生山陵，如牛虻，翼赤** 《纲目》作“生山陵中，状如牛虻，赤翼”。

739 蚖类[1]

治痹，内漏。一名蚖短，土色而文[2]。

【校注】

[1] 蚖类条见《新修》《千金翼》。

[2] **一名蚖短，土色而文** 《纲目》作“一名虺，短身，土色而无文”。

740 蜚厉[1]

主治妇人寒热。

【校注】

[1] 蜚厉条见《新修》《千金翼》。又，“厉”，《新修》原作“卢”，《和名》作“蠦”，据《千金翼》《大观》《政和》《证类》改。

741 益符[1]

主治闭。一名无舌。

【校注】

[1] 益符条见《新修》《千金翼》。又，“符”，《新修》作“苻”，据《千金翼》《大观》《政和》《证类》改。

742 黄虫[1]

味苦。治寒热。生地上，赤头，长足，有角，群居。七月七日采。

【校注】

[1] 黄虫条见《新修》《千金翼》。

743 郁核[1]

无毒。根[2]，去白虫。一名车下李，一名棣。生高山及丘陵上。五月[3]、六月采根。

〔《本经》原文〕

郁李仁，味酸，平。主大腹水肿，面目四肢浮肿，利小便水道。根，主齿龈肿，龋齿，坚齿。一名爵李。生川谷。

【校注】

[1] 郁核条见《新修》、《御览》卷993。“郁核”，《新修》《医心方》作“郁核”，其他各本作“郁李仁”。

[2] **根** 《图考长编》脱漏“根”字。

[3] **五月** 《草木典》脱“月”字。

744 杏核[1]

味苦，冷利，有毒。主治惊痫，心下烦热，风气[2]去来[3]，时行头痛，解肌，消心下急[4]，杀狗毒。一名杏子[5]。五月采[6]。其两仁者杀人，可以毒狗。花，味苦，无毒。主补不足，女子伤中，寒热痹，厥逆。实，味酸，不可多食，伤筋骨[7]。生晋山。得火良，恶黄芪、黄芩、葛根，解锡毒，畏蘘草[8]。

〔《本经》原文〕

杏核仁，味甘，温。主咳逆上气雷鸣，喉痹，下气，产乳金创，寒心贲豚。生川谷。

【校注】

[1] 杏核条见《新修》《千金翼》。又，“杏核”，武田本《新修》、《新修》作“杏核”，《大观》《证类》作“杏核人”，其他各本作“杏核仁”。又，《医心方》作“杏实”。

[2] **气** 武田本《新修》、《新修》原脱“气”字，据《千金翼》、《大观》、《政和》、《证类》、《大全》、《大观》、成化本《政和》补。

[3] **去来** 《纲目》《图考长编》《草木典》作“往来”。

[4] **急** 此下《纲目》《草木典》《图考长编》有“满痛”2字。

[5] **一名杏子** 武田本《新修》、《新修》、《和名》有“一名杏子”4字，其他各本无此4字。

[6] **采** 《新修》作“采”，其他各本作“采之”。

[7] **实，味酸，不可多食，伤筋骨** 《纲目》《草木典》作“实，酸，热，有小毒。生食多伤筋骨”。

[8] **解锡毒，畏蘘草** 武田本《新修》、《新修》、《大观》、《政和》、《证类》作“解锡毒，畏蘘草”。《本草经集注》作“胡粉，蘘草。解锡毒”。《千金方》作“解锡、胡粉毒，畏莽草”。《医心方》作“解锡、胡粉，畏蘘草”。又，《纲目》《草木典》注此文为徐之才文。此文《本草经集注》已有著录。

745 桃核[1]

味甘，无毒。主[2]咳逆上气，消心下坚[3]，除卒暴击血，破瘕癥[4]，通月水，止痛[5]。七月采取仁，阴干。桃花，味苦，平，无毒。主除水气，破石淋[6]，利大[7]小便，下三虫，悦泽人面[8]。三月三日采，阴干。桃枭，味苦。主中恶腹痛，杀精魅五毒不祥[9]。一名桃奴，一名枭景[10]，是实[11]著树不落[12]，实中者，正月采之[13]。桃毛[14]，主带下诸疾，破坚闭[15]。刮取实毛用之[16]。桃蠹[17]子，食桃树虫也。其茎白[18]皮，味苦，辛，无毒[19]。除邪鬼，中恶，腹痛，去胃中热。其[20]叶，味苦[21]，平，无毒。主除尸虫，出疮中虫[22]。胶，炼之[23]，主保中不饥[24]，忍风寒。其实，味酸，多食令人有热[25]。生太山。

〔《本经》原文〕

桃核，味苦，平。主瘀血血闭瘕邪气，杀小虫。桃花，杀注恶鬼，令人好颜色。桃枭，微温。主杀百鬼精物。桃毛，主下血瘕，寒热积聚无子。桃蠹，杀鬼邪恶不祥。生川谷。

【校注】

[1] 桃核条见《新修》、《御览》卷967。又，“桃核”，武田本《新修》、《新修》《和名》作“桃核”，《大观》《证类》作“桃核人”，其他各本作“桃核仁”。

[2] **主** 武田本《新修》、《新修》作“主”，其他各本作“主止”。

[3] **坚** 《纲目》《草木典》作“坚硬”。

[4] **破瘕癥** 武田本《新修》、《新修》作“破瘕癥”，《千金翼》、《大观》、《政和》、《证类》、《疏证》、玄《大观》、《大全》、成化本《政和》作“破癥瘕”，《图考长编》脱“瘕癥”2字，《纲目》《草木典》脱“破瘕癥”。

[5] **止痛** 《纲目》《草木典》《图考长编》作“小心腹痛”。

[6] **淋** 武田本《新修》、《新修》原作“水”，据《千金翼》、《大观》、《政和》、《证类》、《大全》、玄《大观》、成化本《政和》改。

[7] **大** 武田本《新修》、《新修》原脱“大”字，据《千金翼》、《大观》、《政和》、《证类》、《大全》、玄《大观》、成化本《政和》补。

[8] **悦泽人面** 《纲目》《草木典》移在“除水气”之前。

[9] **主中恶腹痛，杀精魅五毒不祥** 《纲目》《草木典》颠倒为“杀精魅五毒不祥，疗中恶腹痛”。

[10] **一名枭景** 武田本《新修》、《新修》原脱，据《千金翼》、《大观》、《政和》、《证类》、《大全》、玄《大观》、成化本《政和》补。

[11] **是实** 武田本《新修》、《新修》原脱“是”字，据《千金翼》《大观》《政和》《证类》补。

[12] **著树不落** 《御览》《艺文类聚》《齐民要术》《新编古今事文类聚》作“在树不落，杀百鬼”。

[13] **是实著树不落，实中者，正月采之** 《纲目》《草木典》作“此是桃实着树经冬不落者，正月采之，中实者良”。又，《通志略》作“桃之实，干而不落，其中实者曰桃枭，曰枭景”。

[14] **毛** 此后《纲目》《草木典》注“下血瘕，寒热积聚无子”9字为《别录》文。《大观》、《政和》、《证类》、玄《大观》、《大全》、成化本《政和》取此9字作白字《本经》文，《品汇》、《图考长编》、森本、孙本、顾本、狩本、黄本皆取此9字为《本经》文。按，此9字应为《本经》文，非《别录》文。

[15] **破坚闭** 《纲目》《草木典》《图考长编》作“破血闭”。

[16] **刮取实毛用之** 《纲目》《草木典》脱“刮取实毛”。《新修》脱“用之”2字，据《千金翼》《大观》《政和》补。

[17] **桃蠹** 《纲目》《禽虫典》作“桃虫”。

[18] **白** 武田本《新修》、《新修》原脱，据《千金翼》《大观》《政和》《证类》补。

[19] **味苦，辛，无毒** 武田本《新修》、《新修》原脱，据《千金翼》《大观》《政和》《证类》补。

[20] **其** 武田本《新修》、《新修》有“其”，其他各本无“其”字。

[21] **苦** 此下《政和》、成化本《政和》、《大全》、《证类》有“辛”字，《新修》《千金翼》《大观》无“辛”字。

[22] **虫** 《纲目》《草木典》作“小虫”，其他各本无“小”字。

[23] **之** 《纲目》《草木典》作“服”，其他各本作“之”。

[24] **饥** 《千金翼》作“饱”，其他各本作“饥”。

[25] **热** 《医心方》作“势”，其他各本作“热”。

746 李核仁[1]

味甘[2]、苦，平，无毒。主治僵仆[3]跻[4]，瘀血，骨痛。根皮，大寒，主消[5]渴，止心烦逆奔气[6]。实，味苦，除痼热，调中[7]。

【校注】

[1] 李核仁条见《新修》《千金翼》。

［2］**甘** 武田本《新修》、《新修》有“甘”字，其他各本无“甘”字。

［3］**仆** 武田本《新修》、《新修》原作“作”字，据《千金翼》《大观》《政和》《证类》改。

［4］**跻** 《纲目》《草木典》《图考长编》作“踒折”。

［5］**消** 武田本《新修》、《新修》原脱，据《千金翼》、《大观》、《政和》、《证类》、《大全》、玄《大观》、成化本《政和》补。

［6］**奔气** 《纲目》《草木典》作“奔豚气”。

［7］**除痼热，调中** 《纲目》《草木典》作“暴食，去痼热，调中”。又，《渊鉴类函》《初学记》引本草作“李根治疮，服其花令人好颜色。凡李实熟食之皆好，除固热，调中”。

747 梨[1]

味苦，寒[2]。多食[3]令人寒中[4]，金创[5]，乳妇[6]尤不可食。

【校注】

［1］梨条见《新修》《千金翼》。本条，《群芳谱》注云：“陶弘景《别录》云‘梨性冷利，多食损人，故俗人谓之快果’。”《新编事文类聚翰墨全书》后戊集、《新编古今事文类聚》后集作“梨曰快果”。

［2］**味苦，寒** 武田本《新修》、《新修》、《医心方》作“味苦寒”，其他各本作“味甘，微酸，寒”。

［3］**多食** 武田本《新修》、《新修》、《医心方》原脱，据《千金翼》《大观》《政和》《证类》补。

［4］**中** 此下《纲目》《草木典》《图考长编》衍“萎困”2字。

［5］**创** 武田本《新修》、《新修》《医心方》作“创”，其他各本作“疮”。

［6］**乳妇** 《医心方》作“妇人”，其他各本作“乳妇”。又，《纲目》《草木典》《图考长编》在“妇”字下衍“血虚者”3字。

748 柰[1]

味苦，寒。多食令人胪胀，病人尤甚[2]。

【校注】

［1］柰条见《新修》、《御览》卷970。

［2］**多食令人胪胀，病人尤甚** 《御览》《初学记》作“令人臆胀，病人不可多食”。

749 安石榴[1]

味甘、酸，无毒。主咽[2]燥渴。损人肺[3]，不可多食[4]。其酸实壳，治下利，止漏精[5]。其东行根，治蛔虫、寸白。

【校注】

[1] 安石榴条见《新修》《千金翼》。

[2] **咽** 此下《纲目》《草木典》《图考长编》衍“喉”字。

[3] **味甘、酸，无毒。主咽燥渴。损人肺** 武田本《新修》、《新修》、《医心方》原作“味酸甘损人”，据《千金翼》、《大观》、《证类》、玄《大观》、《大全》、成化本《政和》改。又，《纲目》对此文作“味甘酸温涩无毒，多食损人肺，主治咽喉燥渴”。

[4] **不可多食** 《纲目》《草木典》无此4字。

[5] **其酸实壳，治下利，止漏精** 《纲目》《草木典》作“酸榴皮，止下痢、漏精”。

750 瓜蒂[1]

有毒。去鼻中息肉，治黄疸。其花，主心痛咳逆[2]。生嵩高。七月七日采，阴干。

〔《本经》原文〕

瓜蒂，味苦，寒。主大水，身面四肢浮肿，下水，杀蛊毒，咳逆上气，及食诸果，病在胸腹中，皆吐下之。

【校注】

[1] 瓜蒂条见《新修》《千金翼》。

[2] **心痛咳逆** 《新修》作“心咳”，据《千金翼》《大观》《政和》《证类》改。

751 苦瓠[1]

有毒。生晋地。

〔《本经》原文〕

苦瓠，味苦，寒。主大水，面目四肢浮肿，下水，令人吐。生川泽。

【校注】

[1] 苦瓠条见《新修》《千金翼》。

752 水靳[1]

无毒。生南海。

〔《本经》原文〕

水蕲，味甘，平。主女子赤沃，止血养精，保血脉，益气，令人肥健嗜食。一名水英。生池泽。

【校注】

[1] 水蕲条见《新修》《千金翼》。又，“蕲”，《齐民要术》引本草作“薪”，《医心方》卷30、《尔雅疏》卷8作“芹”，《和名类聚钞》卷9作“芹菜”。《通志略》云“芹亦作蕲”。

753　莼[1]

味甘，寒，无毒。主治消渴，热痹[2]。

【校注】

[1] 莼条见《新修》《千金翼》。

[2] **痹**　《新修》原脱，据《千金翼》、《大观》、《政和》、《证类》、玄《大观》、《大全》、成化本《政和》补。又，《医心方》《齐民要术》引本草云：“莼，治消渴，热痹。”

754　落葵[1]

味酸，寒，无毒。主滑中，散热。实[2]，主悦泽人面。一名天葵，一名繁露。

【校注】

[1] 落葵条见《新修》《千金翼》。

[2] **实**　《纲目》作“子”。

755　蘩蒌[1]

味酸，平，无毒。主治积年恶疮[2]不愈。五月五日日中采，干，用之当燔[3]。

【校注】

[1] 蘩蒌条见《新修》《千金翼》。

[2] **疮**　此下《纲目》《草木典》衍“痔”字。

[3] **当燔**　《新修》有“当燔”2字，其他各本无此2字。

756　蕺[1]

味辛，微温。主治蠷[2]螋溺[3]疮，多食令人气喘。

【校注】

[1] 蕺条见《新修》《千金翼》。

[2] 蠷　《草木典》作“蛷”。

[3] 溺　《纲目》《草木典》作“尿”。

757　葫[1]

味辛，温，有毒。主散痈肿、䘌疮，除风[2]邪，杀毒气。独子者，亦佳[3]。归五脏。久食伤人，损目明[4]。五月五日采之[5]。

【校注】

[1] 葫条见《新修》《千金翼》。

[2] **风**　《新修》原脱，据《千金翼》《大观》《政和》《证类》补。

[3] **独子者，亦佳**　《纲目》《草木典》作“葫，大蒜也，五月五日采，独子者入药尤佳”。

[4] **久食伤人，损目明**　《纲目》作“久食损人目”。

[5] **之**　《新修》有“之”字，其他各本无“之”字。

758　蒜[1]

味辛，温，无毒[2]，归脾肾。主治霍乱，腹中不安，消谷，理胃，温中，除邪痹毒气。五月五日采之[3]。

【校注】

[1] 蒜条见《新修》《千金翼》。《纲目》《草木典》在“蒜”下衍“小蒜也”3字。

[2] **无毒**　《新修》作“无毒”，其他各本作“有小毒”。

[3] **之**　《新修》原脱，据《千金翼》《大观》《政和》《证类》补。

〔附〕芸薹[1]

味辛，温，无毒。主治风游丹肿，乳痈。

又，芸薹，春食之，能发痼疾。此人间所啖菜也[2]。

【校注】

[1] 芸薹条见《新修》《千金翼》。又，“芸薹”原是《新修本草》新增的药，但《新修》《大观》《政和》《证类》在“芸薹”条下，有“唐本注”引《别录》的资料，那么《新修本草》新增的

"芸薹"当出《别录》。

[2] **春食之……所啖菜也** 此文出《新修》"芸薹"条注引《别录》文。"春"，此下《纲目》《草木典》有"月"字。

759 腐婢[1]

无毒。止消渴[2]。生汉中，即[3]小豆花也。七月采，阴干[4]。

〔《本经》原文〕

腐婢，味辛，平。主痎疟，寒热邪气，泄利，阴不起，病酒头痛。

【校注】

[1] 腐婢条见《新修》、《御览》卷993。本条，《通志略》云："本草，小豆之花，谓之腐婢。"

[2] **止消渴** 《纲目》《草木典》取此3字为《本经》文。《大观》、玄《大观》、《大全》、成化本《政和》、《证类》、《品汇》、《图考长编》注为《别录》文。森本、孙本、顾本、狩本、黄本皆不取此3字为《本经》文。按，此3字应为《别录》文，非《本经》文。

[3] **即** 武田本《新修》、《新修》原脱，据《千金翼》《大观》《政和》《证类》补。

[4] **七月采，阴干** 《纲目》《草木典》作"七月采之，阴干四十日"。

760 扁豆[1]

味甘，微温。主和[2]中，下气。叶，主治霍乱吐下不止。

【校注】

[1] 扁豆条见《新修》《千金翼》。

[2] **和** 玄《大观》无"和"字，其他各本有"和"字。

761 黍米[1]

味甘，温，无毒。主益气，补中，多热令人烦[2]。

【校注】

[1] 黍米条见《新修》《千金翼》。

[2] **多热令人烦** 《纲目》《草木典》作"久食令人多热烦"，《图考长编》作"多食令人烦热"。

762 粳米[1]

味甘[2]，苦，平，无毒。主益气，止[3]烦[4]，止泄。

【校注】

[1] 粳米条见《新修》《千金翼》。

[2] **甘** 武田本《新修》、《新修》原脱，据《千金翼》《大观》《政和》《证类》补。

[3] **止** 武田本《新修》、《新修》原作“心”，据《千金翼》《大观》《政和》《证类》改。

[4] **烦** 此下《纲目》《草木典》有“止渴”2字，其他各本无此2字。

763 稻米[1]

味苦[2]。主[3]温中，令人多热，大便坚。

【校注】

[1] 稻米条见《新修》《千金翼》。“稻米”，《品汇》作“糯稻米”。

[2] **味苦** 《锦绣万花谷》引本草云：“稻，味苦。”按，“稻米”条中有“主温中，令人多热”。此与“味苦”不相应，姑记以存疑。

[3] **主** 此下《纲目》《草木典》衍“作饭”2字。

764 稷米[1]

味甘，无毒。主益气[2]，补不足。

【校注】

[1] 稷米条见《新修》、《御览》卷840。

[2] **主益气** 《御览》《渊鉴类函》作“益志气”，其他各本作“主益气”。

765 醋[1]

味酸，温，无毒。主消痈肿，散水气，杀邪毒。

【校注】

[1] 醋条见《新修》《千金翼》。“醋”，武田本《新修》、《新修》、《医心方》、《和名》作“酢酒”，据《千金翼》《证类》改。“醋”或写成“酢”。酒久放变成醋，所以醋又名醋酒，或酢酒。

《新修》《和名》作“酢酒”，《证类》陶隐居注作“醋酒”。后世本草简称之为醋，不用酢酒或醋酒之名。

766 酱[1]

味咸、酸，冷利。主除热，止[2]烦满，杀百药、热汤[3]及火毒[4]。

【校注】

[1] 酱条见《新修》《千金翼》。

[2] **止** 武田本《新修》、《新修》原作“心”，据《千金翼》、《大观》、《政和》、《证类》、玄《大观》、《大全》、成化本《政和》改。

[3] **百药、热汤** 武田本《新修》、《新修》、《医心方》原脱“百，热汤”3字，据《千金翼》、《大观》、《政和》、《证类》、玄《大观》、《大全》、成化本《政和》补。

[4] **热汤及火毒** 《纲目》《食货典》作“及热汤火毒”。

767 盐[1]

味咸，温，无毒。主杀鬼蛊，邪注，毒气，下部匶疮，伤寒热[2]，吐胸中痰澼，止心腹卒痛，坚肌骨[3]。多食伤肺，喜咳。

【校注】

[1] 盐条见《新修》《千金翼》。又，“盐”，武田本《新修》、《新修》、《医心方》作“盐”，其他各本作“食盐”。

[2] **伤寒热** 武田本《新修》、《新修》作“伤寒热”，其他各本作“伤寒寒热”。

[3] **杀鬼蛊……坚肌骨** 《纲目》《食货典》作“伤寒寒热，吐胸中痰癖，止心腹卒痛，杀鬼蛊邪疰毒气，下部匶疮，坚肌骨”。

768 舂杵头细糠[1]

主治卒噎[2]。

【校注】

[1] 舂杵头细糠条见《千金翼》、《大观》卷25。

[2] **噎** 此下《纲目》衍“刮取含之”4字，《食货典》衍“刮去含之”4字。

《名医别录》 药名索引

（药名后数字为该药的序号）

二画

丁公寄 146
人乳汁 153
人参 62
人屎 157
人溺 158
九熟草 634

三画

三叶 681
干地黄 54
干姜 338
干漆 76
土阴孽 477
土齿 145
大小蓟根 328
大麦 460
大豆黄卷 456
大青 264
大枣 191
大盐 481
大黄 499
大戟 508
山茱萸 277
山慈石 622
千岁蘽汁 67
及已 569
弓弩弦 613
卫矛 306
女贞实 122
女青 526
女菀 554
飞廉 576
小麦 462
马刀 710
马先蒿 323
马陆 700
马乳 160
马勃 606
马逢 627
马唐 350
马颠 626
马鞭草 605

四画

王不留行 109
王瓜 320
王孙 316
王明 669
井中苔及萍 315
天门冬 49
天名精 108
天社虫 437
天雄 528
天雄草 358
天鼠屎 720
天蓼 654
云母 10
云实 114
木甘草 633
木瓜实 443

木兰 295
木虻 729
木香 68
木核 641
五母麻 682
五色符 342
五羽石 31
五茄 556
五味子 254
太一禹馀粮 23
区余 680
车前子 90
戈共 598
牙子 566
贝子 711
贝母 265
牛舌实 132
牛角䚡400
牛乳 161
牛扁 591
牛黄 151
牛膝 70
升麻 79
长石 229
父陛根 671
丹沙 3
丹参 267
丹雄鸡 173
丹黍米 467
丹戬 737
乌头 529
乌芋 446
乌韭 599
乌贼鱼骨 432
乌雄鸡肉 175
乌喙 531
六芝 34
六畜毛蹄甲 688
文石 621
文蛤 426
方解石 475
巴朱 662
巴豆 505
巴戟天 552
巴棘 661
孔公孽 220
孔雀矢 716
水苏 454
水萍 333
水银 4
水蛭 732
水靳 752

五画

玉伯 128
玉英 236
玉泉 2
玉屑 1
甘草 61
甘遂 506
甘蔗 444
甘蕉根 523
艾叶 330
节华 365
术 51
可聚实 143
厉石华 237
石下长卿 586
石韦 286
石长生 516
石龙子 416
石龙芮 64
石龙蒭 65
石灰 488
石决明 181
石芸 623
石肝 239
石肾 241
石肺 238
石南草 553
石钟乳 218
石胆 9
石蚕 695
石耆 245
石脑 221
石流赤 33
石流青 32
石剧 343
石斛 63
石硫黄 222
石脾 240
石膏 225
石蜜 165
石濡 130
石蠹虫 734
龙石膏 244
龙齿 150
龙骨 148
龙胆 69
龙常草 134
龙眼 36
东壁土 492
占斯 575
田中螺汁 712
由跋根 538
生大豆 457
生地黄 55
生铁 232
代赭 478
白及 574
白女肠 646
白马茎 401
白玉髓 26
白石华 494

白石英 17
白石脂 21
白龙骨 149
白瓜子 198
白冬瓜 199
白头翁 571
白肌石 243
白并 372
白芷 291
白辛 649
白附子 527
白青 7
白英 100
白昌 650
白兔藿 312
白垩 483
白背 645
白前 318
白给 648
白胶 169
白扇根 647
白颈蚯蚓 706
白棘 281
白雄鸡肉 174
白鹅膏 171
白蒿 101
白粱米 465
白蔹 573
白蜡 167
白鲜 311
白僵蚕 420
白薇 296
白蘘荷 451
瓜蒂 750
冬灰 489
冬葵子 200
玄石 227
玄参 272
兰草 112
半天河 618
半夏 546
头垢 156
让实 643
发髲 154
对庐 667

六画

戎盐 480
地耳 144
地防 186
地芩 656
地肤子 95
地胆 709
地联 655
地浆 619
地筋 657
地榆 555
芋 445
芍药 256
芒消 14
芎䓖 258
朴消 11
百合 299
百部根 319
师系 670
当归 247
肉苁蓉 99
竹叶 269
竹付 674
伏龙肝 491
伏翼 414
旮草 138
行夜 735
合玉石 28
合欢 305
合新木 367
凫葵 388
庆 687
衣鱼 705
羊心 393
羊肉 396
羊齿 395
羊肾 394
羊乳 162
羊乳 351
羊肺 392
羊实 628
羊骨 397
羊屎 398
羊桃 587
羊踯躅 534
羊蹄 588
并苦 383
决明子 255
安石榴 749
异草 360
阳起石 226
防已 549
防风 248
防葵 81

七画

麦门冬 50
远志 57
赤小豆 458
赤石脂 19
赤举 651
赤涅 373
赤赫 550
赤箭 35
芜荑 308
芜菁及芦菔 205
芫花 510
芫青 725

芰实 194
芡实 202
芥 207
芥 685
苍石 476
苎根 609
芦根 522
苏 453
苏合香 87
杜仲 75
杜若 293
杜蘅 292
杏核 744
杉材 580
李核仁 746
豆蔻 187
连翘 570
卤咸 479
吴茱萸 251
吴唐草 136
吴葵华 363
旷石 345
别羇 585
牡丹 548
牡狗阴茎 402
牡荆实 119
牡桂 73
牡蛎 179
牡蒿 331
牡鼠 723
乱发 155
皂荚 540
龟甲 429
辛夷 126
沙参 273
沉香 125
良达 378
陆英 592
阿胶 170
陈廪米 470
附子 532
忍冬 97
鸡头实 193
鸡肠草 607
鸡涅 354

八画

青玉 25
青石脂 18
青羊胆 391
青琅玕 472
青葙子 565
青粱米 463
青雌 644
青蘘 96
苦竹叶及沥 271
苦芙 604
苦参 274
苦菜 203
苦瓠 751
苜蓿 208
苗根 664
英草华 362
茅根 298
枇杷叶 504
松节 44
松叶 43
松实 42
松根白皮 45
松脂 41
松萝 280
郁核 743
矾石 13
鸢尾 537
虎杖根 515
虎骨 405
虎掌 577
虎魄 40
昆布 335
败天公 617
败石 346
败船茹 615
败鼓皮 616
败蒲席 614
败酱 289
钓樟根皮 601
知母 263
知杖 677
委蛇 379
侧子 533
彼子 582
金牙 487
金茎 624
金屑 214
肤青 473
兔头骨 408
狐阴茎 691
狗脊 283
饴糖 213
卷柏 71
学木核 640
河煎 679
泽兰 557
泽泻 58
泽漆 509
空青 5
屈草 117
姑活 116
参果根 665
练石草 590
细辛 77
终石 246

九画

贯众 564

茈草 636
封石 497
封华 638
垣衣 329
城东腐木 684
城里赤柱 387
荆茎 672
茜根 104
荛花 511
草蒿 560
茵芋 535
茵陈蒿 102
茯苓 38
茯神 39
荏子 209
荠 204
荠苨 321
茺蔚子 94
荩草 594
胡麻 210
荭草 336
药实根 539
柰 748
相乌 355
枳实 276
柏叶 47
柏白皮 48
柏实 46
栀子 303
枸杞 86
柳华 542
柿 442
厚朴 268
牵牛子 519
韭 450
虾蟆 693
钢铁 233
钩吻 513
钩藤 603
香蒲 111
香薷 455
鬼臼 673
鬼目 349
鬼臼 521
鬼盖 625
禹馀粮 24
独活 78
疥柏 385
恒山 595
类鼻 381
前胡 262
茈紫 131
扁豆 760
扁青 8
扁前 738
神护草 356
鸩鸟毛 719
屋游 518
陟厘 337
蚤休 514
络石 66

十画

秦艽 249
秦皮 290
秦龟 182
秦椒 120
载 686
盐 767
莽草 502
荻皮 370
莘草 637
恶实 326
莎草根 327
莨菪子 578
莼 753
桂 74
桔梗 257
桐叶 543
栝楼根 266
桃核 745
栒核 642
索干 384
栗 195
夏台 348
夏枯草 596
原蚕蛾 435
逐折 382
柴胡 80
鸬鹚矢 714
蚖类 739
铁落 231
铁精 234
铅丹 235
特生礜石 482
秫米 469
积雪草 325
秘恶 675
俳蒲木 368
射干 536
射罔 530
徐长卿 115
徐李 140
徐黄 652
殷孽 219
豹肉 406
狸骨 407
狼毒 520
狼跋子 611
栾华 579
高良姜 322
离楼草 135
唐夷 676
羖羊角 390

粉锡 484
益决草 359
益符 741
酒 471
消石 12
海蛤 425
海藻 334
陵石 29
通草 287
桑上寄生 123
桑耳 279
桑茎实 141
桑根白皮 278
桑螵蛸 421
桑蠹虫 733

十一画

春杵头细糠 768
理石 228
菾菜 452
菥蓂子 93
菘 206
勒草 361
黄石华 496
黄石脂 20
黄白支 375
黄虫 742
黄芩 252
黄芪 250
黄连 253
黄护草 357
黄环 551
黄秫 374
黄粱米 464
黄雌鸡 177
黄精 53
黄辨 666
菴蕳子 88
菝葜 285
菖蒲 56
菌桂 72
萎蕤 52
萆薢 284
菟丝子 92
菟枣 133
菊花 60
萤火 704
营实 313
菰根 610
[illegible]华 364
梗鸡 439
梅实 440
梓白皮 544
豉 459
救煞人者 683
雀医草 137
雀卵 411
雀瓮 702
雀梅 630
雀翘 353
常更之生 386
曼诸石 129
蚺蛇胆 696
蚱蝉 419
蛇舌 632
蛇全 559
蛇床子 91
蛇莓汁 608
蛇蜕 698
累根 377
婴桃 341
鮀鱼甲 431
铜弩牙 486
铜镜鼻 485
银屑 215
梨 747
假苏 332
船虹 340
豚卵 717
猪苓 37
麻子 212
麻伯 380
麻黄 260
麻蕡 211
鹿良 629
鹿茸 403
鹿藿 589
旋花 105
旋覆花 512
商陆 525
淮木 584
淫羊藿 301
淡竹叶 270
续断 275
绿青 230

十二画

斑蝥 724
款冬花 547
越砥 347
葫 757
葛上亭长 726
葛根 261
葡萄 188
葱实 448
葶苈 507
落葵 754
萹蓄 524
葈耳实 297
葵松 678
葵根 201
楮实 83
棑华 639
粟米 466

棘刺花 282
酥 163
雁肪 172
雄黄 216
雄黄虫 436
雄鹊肉 413
翘根 118
紫石华 493
紫石英 16
紫加石 498
紫参 558
紫草 309
紫给 653
紫真檀木 583
紫菀 310
紫葳 307
紫蓝 376
景天 107
蛙 694
蛞蝓 424
蛴螬 423
黑石华 495
黑石脂 22
黑雌鸡 176
黍米 761
腂 147
粪蓝 668
遂石 242
遂阳木 369
曾青 6
滑石 15
溲疏 600
犀角 399
犀洛 352

十三画

蒜 758
蓍实 82
蓝实 106
蓬蘽 189
蒺藜子 98
蒴藋 612
蒲黄 110
楠材 581
楝实 541
槐实 85
榆皮 127
榉树皮 602
雷丸 563
零羊角 389
路石 344
蜈蚣 699
蜗牛 713
蜗离 438
蜂子 168
蜣螂 708
署预 59
蜀羊泉 324
蜀格 663
蜀椒 500
蜀漆 545
雉肉 409
鼠耳 631
鼠妇 703
鼠李 503
鼠尾草 517
鼠姑 620
魁蛤 180
鲍鱼 183
新雉木 366
粳米 762
慈石 223
煅灶灰 490
酱 766
满阴实 142
溺白垽 159

十四画

碧石青 30
蔓荆实 121
蔓椒 501
蓼实 447
榧实 441
槟榔 304
酸枣 84
酸草 139
酸恶 659
酸浆 300
酸赭 660
蜚厉 740
蜚虻 730
蜚蠊 731
雌黄 217
蜻蛉 728
蜘蛛 727
腐婢 759
漏芦 103
蜜蜡 166
熊脂 164
鹜肪 178

十五画

赭魁 568
蕙实 371
蕈草 593
蕤核 124
蕺 756
樗鸡 418
樱桃 196
醋 765
蝟皮 415
蝮蛇胆 697
蝼蛄 707

穄米 764
稻米 763
鲤鱼胆 427

十六画及以上

薗茹 572
燕齿 658
薤 449
薇衔 314
薏苡仁 89
橘柚 197
鲮鲤甲 689
獭肝 690
凝水石 224
藋菌 561
薰草 339
藁本 259
鵄头 715
爵床 317
䗪虫 422
鮧鱼 184
麋鱼 736
麋脂 692
藕实茎 192
藜芦 567
覆盆子 190
瞿麦 288
礜石 474
鹰矢白 410
璧玉 27
蘖米 468
鳖甲 430
穬麦 461
鳗鲡鱼 434
蟹 433
蘼舌 562
蘩蒌 755
蘗木 294
蘘草 597
鳝鱼 185
灌草 635
露蜂房 417
麝香 152
蠡鱼 428
蠡实 302
鹳骨 412
蘼芜 113
麢骨 404
蠮螉 701
鼹鼶 鼠 721
鸓屎 718
鼺鼠 722

《名医别录》内容的讨论

《名医别录》最早见录于《隋书·经籍志》，题“陶氏撰”。《旧唐书·经籍志》《新唐书·艺文志》亦载《名医别录》书名，但未题著者。到宋代，郑樵《通志·艺文略》才说《名医别录》“陶隐居集”。宋·王应麟《玉海》题“陶氏撰”。自此以后，言《名医别录》作者，皆从郑樵之说，题陶弘景撰。但是郑樵在他的《校雠略·书有名亡实不亡论》一文中又说：“《名医别录》虽亡，陶隐居已收入本草。”这句话又否定了《名医别录》是陶弘景所撰。《名医别录》中药物产地都是用陶弘景以前的地名，以及陶弘景在《本草经集注》（以下简称《集注》）中讲了很多有关《名医别录》存疑的话，因此，日本·丹波元胤《中国医籍考》认为，《名医别录》不是陶弘景所著。

辑校者认为，《名医别录》的内容在陶弘景以前就有了，但《名医别录》成为一本定型的书，还是出于陶弘景之手。现在就这个问题简要讨论如下。

一、《名医别录》的内容是由名医从多种《本草经》中增录的

《名医别录》，顾名思义，是指有名的医家记录。那么名医是从《本草经》内增录的，还是从《名医别录》一书中记录的呢？

从情理上讲，作者本人不会用“名医别录”来命名自己的著述。只有第三者

收集名医记录的资料汇编成册，才会用“名医别录”作为书名。根据这种情况，《名医别录》资料应是从多种《本草经》内增录的，而不是在一本名为《名医别录》的书中记录的。

关于《神农本草经》有很多种本子，可从《隋书·经籍志》所记本草书名得知。《隋书·经籍志》记载本草有数十种，冠有“神农”的本草书名有10余种，单纯题《神农本草经》的有6种。陶弘景《本草经集注·序》（以下简称《陶序》）亦讲《神农本草经》有4种，它们分别是载药365种的本子，载药319种的本子，载药441种的本子，载药595种的本子。这说明，在古代有多种同名异书的《神农本草经》存在。而名医们就在各种不同的《本草经》中增补了新的资料，这些新补的资料，陶弘景称它为“名医别录”。这可从《陶序》中了解。

《陶序》云：“是其《本经》所出郡县，乃后汉时制，疑仲景、元化等所记……魏晋以来，吴普、李当之等，更复损益。”序文中的“更复损益”说明，张仲景、元化（华佗）、吴普、李当之等名医，在《本草经》内增录过资料。由于各家名医在《本草经》中所增录的药物数量不同，就形成了载药数量各不相同的多种《本草经》。正如《陶序》所云：“或五百九十五，或四百四十一，或三百一十九。”《陶序》又云：“且所主治，互有得失，医家不能备见。”这就指出，各种《本草经》所增录的内容也各不相同。

《陶序》云：“今辄苞综诸经，研括烦省，以《神农本经》，合三百六十五为主，又进名医副品，亦三百六十五，合七百三十种，精粗皆取，无复遗落。”这段序文说明，陶氏作《集注》是把诸经（指多种《本草经》）苞综（即综合的意思）起来进行研究，以《神农本草经》原来载的365种药物为主，以名医在诸经内增录的365种药物为“名医副品”，加入《集注》中，精粗皆取，无复遗落。这就明显地指出，《集注》中的《名医别录》资料，是从各种《本草经》内名医增录的资料，经过“苞综诸经，研括烦省”整理而成，并不是从现成的《名医别录》一书中摘取的。如果是从《名医别录》一书中摘取的，那序中为何不提《名医别录》书名呢？关于名医在《本草经》内增录的药物，不仅在《陶序》中有所反映，而且在《证类》《新修》等书的《陶序》中也有所体现。

《证类》卷3“芒消”条（墨字《名医别录》药）陶注云：“按《神农本经》无芒消……后名医别载此说。”这就是说，《神农本草经》中原无芒硝，后来名医增录了芒硝。陶弘景就把名医增录的资料称为“名医别录”或简称“别录”。

《新修》卷3“消石”条注云：“消石，《本经》一名芒消，后人更出芒消条，谬矣。”按《新修》所注，芒硝条是后人增录在《神农本草经》中的。

《证类》卷30有石肺、石脾，是墨字《名医别录》药。陶弘景在“芒消”条注云：“皇甫士安……取芒消合煮……但不知石脾复是何物，本草乃有石脾、石肺。”查《证类》，石脾、石肺是墨字《名医别录》药。此注提到“本草乃有石脾、石肺”，而不讲“《名医别录》有石脾、石肺”，这就提示，在陶氏作《集注》时，没有单独一本名为《名医别录》的书存在。

《证类》卷3“滑石”条有“生赭阳”，作墨字《名医别录》文。陶注云：“赭阳县先属南阳，汉哀帝置，明《本经》所注郡县，必是后汉时也。”从这个注文可以看出，名医在《本草经》中增加了药物产地的资料。查《证类》中墨字《名医别录》药物的产地名称，大多数是汉以前的地名，这就提示，名医在《本草经》中增录资料，是很早以前的事情。

名医在《本草经》中增录的资料，其内容有药物性味、主治功用、产地、采收时月、七情畏恶等。

例如，《证类》卷6“卷柏”条，《神农本草经》云“味辛”，《名医别录》云“味甘”，《神农本草经》云“温”，《名医别录》云“平，微寒，无毒”，《神农本草经》云“轻身和颜色”，《名医别录》云“令人好容体”，《神农本草经》云“一名万岁”，《名医别录》云“一名豹足，一名求股，一名交时”。

《证类》卷8“前胡”条有“半夏为之使，恶皂荚，畏藜芦”，陶弘景注云：“前胡似茈胡……《本经》上品有茈胡而无此，晚来医乃用之。亦有畏恶，明畏恶非尽出《本经》也。”从陶氏注可知，前胡原非《神农本草经》药，是名医增录的药。名医不仅增加前胡的条文，而且还增加了前胡的畏恶，所以陶氏注云：“前胡……亦有畏恶，明畏恶非尽出《本经》也。”

《名医别录》在《本草经》中所增录的资料，由于增录的时间较早，有很多内容如主治、产地等，陶氏也弄不清楚，因此陶氏在注文中留有一些存疑的话。

例如，《证类》卷30“夏台”条有“主百疾，济绝气（指急救功用)”。陶氏注云：“此药乃尔神奇，而不复识用，可恨也。”

《证类》卷28“水苏”条有“生九真（在越南)”。陶氏注云：“九真辽远，亦无能访之。”类似此例很多，此处从略。

二、陶氏《集注》中《名医别录》药是从《本草经》中采集而来的

《陶序》云："又进名医副品，亦三百六十五。"这个"名医副品"，就是《证类》中墨字《名医别录》药。它们是从《本草经》内名医增录的资料中采集而来的。

1.《证类》卷20"石决明"条是墨字《名医别录》药

人们习惯上认为《证类》中墨字石决明，是从《名医别录》一书中抄来的，其实不然。在陶氏作《集注》时，"名医别录"是泛指《本草经》中名医增录的资料，不是指该书。所以《证类》中墨字石决明，不是从现成的《名医别录》一书中抄录而来的，而是从《本草经》中名医增录的资料整理而成的。因为陶氏在"石决明"条下注云："此一种，本亦附见在决明条中，既是异类，今为副品也。"注中"本亦附见在决明条中"，就是说，石决明本来就附见在《神农本草经》药"决明子"条下。陶注中并未说石决明原出于《名医别录》中。这就提示"名医别录"在陶氏作《集注》时尚未成为定型的书。

陶注中既说石决明本来是附在"决明子"条下，而决明子是《神农本草经》药，石决明是《名医别录》药，则附见的石决明当是名医在《神农本草经》"决明子"条下增录的。否则，《名医别录》的药怎么会附见在《神农本草经》药物之中呢？名医增录时，以名近似而归类，石决明、决明子名称相近，功用相同，所以就归于一条中。而陶氏认为，石决明和决明子功用虽相近，但药物品类不同，石决明属于虫鱼类，决明子属于草类。《陶序》云"区畛物类"，就是要把药物按自然属性进行分类。决明子是植物，应放在草类；石决明是动物，应放在虫鱼类。所以陶弘景把"决明子"条中附见的石决明摘出来，作为"名医副品"。

查《证类》卷7"决明子"条，是白字《神农本草经》药。"决明子"条内有"石决明生豫章"6个字，说明陶氏在"区畛物类"时，还遗留石决明部分产地在"决明子"条中。这个事实说明，陶氏《集注》中墨字《名医别录》的药，都是从《本草经》内名医增录的药物整理而成，不是从现成的《名医别录》一书中抄录来的。换句话说，《名医别录》在陶弘景作《集注》时，尚未成为一本定型的书。

2.《名医别录》药在《御览》中标注有"《本草经》曰"

《名医别录》药在《御览》中标注有"《本草经》曰"，说明《名医别录》药

原先是名医在《本草经》中增录的，否则《御览》不会标注“《本草经》曰”的。

例如，升麻、昆布、占斯、神护草、白粱等药，在《证类》中均作墨字《名医别录》药，但在《御览》中均标注有“《本草经》曰”，其他类书如《初学记》援引此类药物时，也注有“《本草经》曰”。

《御览》卷39、《初学记》卷5皆引有“《本草经》曰”。“常山有草名神护，置之门上，每夜叱人”。《御览》卷842、《初学记》卷27亦皆引有“《本草经》曰”：“白粱，味甘，微寒，无毒，主除热，益气，有襄阳竹根者最佳。”

《御览》《初学记》援引此类药，既标注“《本草经》曰”，说明这些药是载在《神农本草经》中的，否则《御览》《初学记》不会标注“《本草经》曰”字样的。

这些药在《证类》中均作墨字《名医别录》药，所以《证类》中墨字《名医别录》药是陶氏从《本草经》中采集的。

3. 陶弘景作注解时《证类》墨字《名医别录》药物亦称“《经》云”

《证类》墨字《名医别录》药，是名医在《本草经》中增录的。例如，《证类》卷12“桂”条，陶注云：“《经》云桂，叶如柏叶泽黑，皮黄心赤。”按，“桂”条在《证类》中既是墨字《名医别录》药，陶氏注文中为何不讲“《名医别录》云”，而注为“《经》云”，“《经》云”即指《神农本草经》云。这就说明，“桂”条是名医在《本草经》中增录的资料，否则陶氏不会注为“《经》云”。类似此例很多，此处从略。

三、陶氏采集《本草经》内名医增录的资料时进行过整理

《名医别录》药物在《证类》中书写体例同《证类》，在《御览》中书写体例同《御览》。例如，《证类》卷6“升麻”条曰：“升麻，味甘、苦，平，微寒，无毒。主解百毒……一名周麻。生益州山谷，二月、八月采根，日干。”其书写体例为：药物正名→性味→主治功用→药物一名→产地→生长环境→采集加工。

《御览》卷990“升麻”条引《本草经》曰：“升麻，一名周升麻，味甘、辛。生山谷。治辟百毒……生益州。”其书写体例为：药物正名→药物一名→性味→生长环境→主治功用→产地。

比较升麻在《证类》《御览》两书中的书写体例，《证类》将药物一名列在性味主治之后，并将药物产地与生长环境合并书写，《御览》将药物一名列在性味主

治之前，并将产地、生长环境分开书写。

不仅升麻如此，其他《名医别录》药如忍冬、芋、昆布、神护草、石脾、石肺、柰、占斯、鹳骨等，在《御览》中均标注"《本草经》曰"，其书写皆按《御览》体例。此类药在《证类》中均注为墨字《名医别录》药，其书写又按《证类》体例。

同一个药物，在《御览》《证类》两书中，标注类别和书写体例各不相同，究其原因，就是陶弘景把名医增录的新药和老药新用途大都收入《集注》中，并用墨字书写。当陶弘景完成《集注》后，又把多种《本草经》中名医增录的资料汇编成册，称为《名医别录》。《名医别录》收载药数和内容，比《集注》中墨字药物要多。所多的药物和内容，后又被苏敬转录在《新修》中，进而被保存在《证类》中。把《证类》所保存的《名医别录》药与《御览》对校即可发现，同一个药物，其内容相同但条文书写体例不同，标注出典不同，如《证类》标注"别录"，《御览》标注"本草经"。这就提示，《证类》中《名医别录》条文是经过陶弘景整理的，陶弘景在序中所讲的"苞综诸经，研括烦省，精粗皆取，无复遗落"等一些话亦可证实这点。

《新修》注文所引《名医别录》48 条药物条文，皆不见于《集注》中墨字之文，但这 48 条药物条文在书写体例上全同《证类》墨字药物，而不同于《御览》中药物条文的书写体例。根据这些特点，我们有理由说，《名医别录》是陶弘景在完成《集注》后，把多种《本草经》中名医增录的资料，经过"苞综诸经，研括烦省"整理而成的。

《神农本草经》不见于《名医别录》识

有人认为，《名医别录》中含有《神农本草经》内容，他们根据《新唐书·于志宁传》云："《别录》者，魏晋以来，吴普、李当之所记，其言花叶形色，佐使相须，附经为说，故弘景合而录之。"又《开宝重定序》云："旧经三卷，世所流传，《名医别录》，互为编纂。至梁正白先生陶弘景，乃以《别录》参其《本经》，朱墨杂书，时谓明白。"又曰："白字为《神农》所说，墨字为《名医》所传。"

人们根据上述文献记载，认为《名医别录》的全部内容乃《神农本草经》及增进别录内容。实际上《名医别录》不含《神农本草经》内容。

一、关于《于志宁传》

在《新唐书·于志宁传》中有一段皇帝与于志宁的对话，帝曰："《本草》《别录》何为而二？对曰：班固唯记《黄帝内外经》，不载《本草》，至齐（按，应是梁）《七录》乃称之。世谓神农氏尝药以拯含气，而黄帝以前文字不传，以识相付，至桐、雷乃载篇册，然所载郡县多在汉时，疑张仲景、华佗窜记其语。《别录》者，魏晋以来，吴普、李当之所记，其言花叶形色，佐使相须，附经为说，故弘景合而录之。"

在此传中，皇帝问，《本草》《别录》为何分为 2 种？于志宁回答说：《本草》即是《神农本草经》，《别录》即是"名医附经为说"；传文末尾，有"故弘景合而录之"，是讲陶弘景把《神农本草经》文、《名医别录》文合而录之。

陶弘景合而录之所成的书，是《集注》，并不是《名医别录》。但有些人把《于志宁传》最后一段文字"《别录》者，魏晋以来，吴普、李当之所记……故弘景合而录之"单独抽出来看，不与上文联系起来，认为陶弘景合而录之所成的书，是《名医别录》。所以说《名医别录》的全部内容，乃《神农本草经》及增进别录内容，这是一种误解。

二、关于《开宝本草》序

《开宝本草》（以下简称《开宝》）是根据《新修》编纂的，《新修》是根据《集注》编纂的。因讲法不同，人们对《集注》的形成，逐渐产生误解。为此首先需要把《陶序》中的内容弄清楚。

《陶序》云："《本经》……吴普、李当之更复损益，或五百九十五，或四百四十一，或三百一十九，或三品混糅……今辄苞综诸经……以《神农本经》，合三百六十五为主，又进名医副品，亦三百六十五……合为七卷。"

序中的"诸经"，是指吴普、李当之等名医在《本草经》中增录资料后形成的多种《本草经》。"名医副品"，是指名医在诸经中增录的药物。以《神农本草经》的365种药物为主，又进名医副品，合为7卷，是讲陶弘景作《集注》的情况。

后来人们在编纂《新修》《开宝》时，对《陶序》文末"以本经为主，又进名医副品……合为七卷"，在措辞上加以调整，把其中的"名医副品"改成"别录"，使"名医副品"文义变成《名医别录》一书名了。

例如，《新修》注云："惟梁《七录》有《神农本草》三卷，陶据此以《别录》加之为七卷，序云三品混糅，冷热舛错，草石不分，虫兽无辨。"《新修》注文中的"别录"，即陶隐居序文的"名医副品"，而"别录"2字，人们普遍将之视为《名医别录》书名的简称。

宋代《开宝》沿袭《新修》旧例，亦将《陶序》中"名医副品"改为"别录"2字。《开宝重定序》云："至梁正白先生陶弘景，乃以《别录》参其《本经》……为之注释，列为七卷。"

由此可知，《新修》《开宝》把陶隐居序中"名医副品"改为"别录"2字，时间久了，人们弄不清"名医副品"原来的含义，单独从"别录"2字望文生义，以为"别录"即是《名医别录》的简称。

三、关于“七卷”

《开宝》所言“七卷”是什么书，也未讲清楚。其实，《新修》序、《开宝重定》序所言“七卷”，都是指《集注》7卷本。二者是从陶隐居序中来的。由于各序中未讲出《集注》的书名，因而后人不知此“七卷”指的是什么书。

到《嘉祐本草》序时，将《集注》7卷误为《名医别录》7卷。《嘉祐本草》序云：“凡陶隐居所进者，谓之名医别录，并以其注附于末；凡显庆所增者，亦注其末，曰唐本先附；凡开宝所增者，亦注其末，曰今附；凡今所增补，旧经未有者，于逐条后开列，云新补。”

在此序文中，有4个凡字，代表《嘉祐本草》资料的4个来源。第1个凡字讲增入陶隐居的资料，谓之“名医别录”。第2个凡字讲增入《新修》的资料，谓之“唐本先附”。第3个凡字讲增入《开宝》的资料，谓之“今附”。第4个凡字讲《嘉祐本草》所增的资料，谓之“新补”。

这里值得注意的是，序文第1个凡字。“凡陶隐居所进者，谓之名医别录。”其实《嘉祐本草》所录陶隐居的资料，就是《集注》，并不是《名医别录》。此即《嘉祐本草》误《集注》为《名医别录》的证据。

基于这种情况，明·李时珍亦将《集注》当作《名医别录》。所以《本草纲目》序列第1卷“历代诸家本草”的《名医别录》书名下，李时珍曰：“神农本草药分三品，计三百六十五种……梁陶弘景复增汉魏以下名医所用药三百六十五种，谓之名医别录，凡七卷。”

李时珍既然认为7卷是《名医别录》，那么他所理解的《开宝重定序》中的7卷，即指《名医别录》。

由于唐、宋主流本草把陶隐居序文“以《神农本经》……为主，又进名医副品……合为七卷”几句话改变讲法，加以“七卷”未言明为何书，因而使人误解《集注》为《名医别录》。又由于《集注》全部内容为《神农本草经》增进“别录”的内容，因此人们亦误认为《名医别录》的全部内容乃《神农本草经》及增进的“别录”内容。

《名医别录》相关论文题录

1. 对姚振宗关于《名医别录》考证的质疑. 中华医史杂志，1981，11（3）：192.

2. 《名医别录》作者及成书年代讨论. 中华医学会安徽分会医史论文汇编，1982.

3. 关于《名医别录》的整复. 江苏中医杂志，1983（5）：3.

4. 《名医别录》内容的讨论. 中华医史杂志，1985，15（2）：112－116.

5. 《名医别录》的考察（下）. 陕西中医学院学报，1990（4）：36－38.

6. 陶弘景集《名医别录》的考察. 基层中药杂志，1993（2）：1－4.

7. 《本经》不见于《名医别录》识. 杏苑中医文献杂志，1993（2）：89.

8. 《名医别录》作者的讨论. 吉林中医药，1993（增刊）：54－55.

9. 名医别录药中有的产生时代并不晚于本草经药. 基层中药杂志，1994，8（1）：27－28.

后　记

一、《名医别录》的产生

《名医别录》最早见录于《隋书·经籍志》①，题“陶氏撰”。《旧唐书·经籍志》②《新唐书·艺文志》③，亦载《名医别录》书名，但未题著者。宋·郑樵《通志·艺文略》④ 载《名医别录》“陶隐居集”。

宋·王应麟《玉海》⑤ 仍题“陶氏撰”。自此以后，言《名医别录》的作者，皆从郑樵之说，题陶弘景撰。但是郑樵在他的《校雠略·书有名亡实不亡论》⑥ 一文中又说：“《名医别录》虽亡，陶隐居已收入本草。”这句话又否定了《名医别录》为陶弘景所撰。又因《名医别录》所载药物的产地都是用陶弘景以前的地名，以及陶弘景在《集注》⑦ 中讲了很多有关《名医别录》存疑的话，因此，日本·丹

---

① 唐·长孙无忌等撰，《隋书·经籍志》卷3，1955年商务印书馆版。

② 后晋·刘昫撰，《旧唐书·经籍志》卷47，商务印书馆缩印百衲本。

③ 宋·欧阳修撰，《新唐书·艺文志》卷59，商务印书馆缩印百衲本。

④ 宋·郑樵撰，《通志·艺文略》卷69，见《四部备要·史部》上海中华书局聚珍仿宋版印。

⑤ 宋·王应麟撰，《玉海·艺文艺术》卷63，清康熙二十六年（1687）李振裕重刊本。

⑥ 宋·郑樵撰，《通志·校雠略》卷71，见《四部备要·史部》上海中华书局聚珍仿宋版印。

⑦ 梁·陶弘景撰，《本草经集注》，原书佚。1900年敦煌石室发现六朝写本序录1卷。罗振玉影印收入《吉石盦丛书》中，1955年上海群联出版社据罗氏本加以影印。

波元胤①认为《名医别录》不是陶弘景所著。

据现有资料看，《名医别录》资料早在陶弘景以前就有名医在《本草经》记载了。《新唐书·于志宁传》②："《别录》者，魏晋以来，吴普、李当之所记，其言花叶形色，佐使相须，附经为说。"这个"附经为说"，就是指名医依附《本草经》记载药物资料，《名医别录》随即产生。魏晋时名医所依附的《本草经》有很多种本子。《隋书·经籍志》记载的本草有数十种，冠有"神农"2字的本草书名有10余种，单纯题《神农本草经》的有6种。《陶序》即说《神农本草经》有4种，它们载药数目各不相同，有载药365种的本子，有载药319种的本子，有载药441种的本子，有载药595种的本子，说明在古代有多种同名异书的《神农本草经》存在。而名医们就在各种不同的《本草经》中增补了新的资料，这些名医新补的资料，陶弘景称它为"名医别录"。

《陶序》云："是其《本经》所出郡县，乃后汉时制，疑仲景，元化等所记……魏晋以来，吴普、李当之等，更复损益。"序文中的"更复损益"说明，张仲景、元化（华佗）、吴普、李当之等名医，在《本草经》内增录过资料。《陶序》又云："今辄苞综诸经，研括烦省，以《神农本经》，合三百六十五为主，又进名医副品，亦三百六十五，合七百三十种，精粗皆取，无复遗落。"这段序文说明陶氏作《集注》是把诸经苞综起来进行研究，以《神农本草经》原来所载的365种药物为主，以名医在诸经内增录的365种药物为"名医副品"，加入《集注》中，精粗皆取，无复遗落。这就明显地指出，《集注》中的《名医别录》资料，是从各种《本草经》内名医增录的资料，经过"苞综诸经，研括烦省"整理而成，并不是从《名医别录》一书中摘取的。如果是从《名医别录》一书中摘取的，那序中为何不提《名医别录》书名，而提"苞综诸经"呢？

二、《名医别录》的成书经过

《名医别录》在陶弘景作《集注》前，是泛指《本草经》内名医所增录的资料，待陶氏《集注》完成后，陶弘景才把《本草经》内名医增录的资料汇集成《名医别录》一书。其理由如下。

---

① 日本·丹波元胤撰，《中国医籍考》卷10，1956年人民卫生出版社版。

② 宋·欧阳修撰，《新唐书·于志宁传》卷104。

陶氏在“苞综诸经”时，对诸经中资料不可能搜罗无遗，这些被遗漏的资料，后来在陶氏搜集名医增录的资料时，又收入《名医别录》一书中了。到唐·苏敬作《新修》时，苏敬以陶氏《集注》为蓝本，并用《名医别录》一书进行核对，发现《名医别录》一书中搜集的资料，比《集注》中《名医别录》资料要多。所以《新修》就把《名医别录》书内多的资料，转录在《新修》内相应药物下的注文中，并冠以“别录云”字样。《新修》援引《名医别录》共有48条①。

唐代本草援引《名医别录》资料在文字结构上和书写体例上悉同《证类》体例，而不同于《御览》体例。这就说明《名医别录》文字乃是出于陶弘景的手笔。

唐·李珣《海药本草》所引《名医别录》共有3条，即鲛鱼皮、龙脑、珂。此3条在《证类》中标注“唐本先附”，说明此3条是《新修》采用《名医别录》一书中的资料作为新增药。显然，《名医别录》收载药物种类比《集注》中“名医副品”365种要多。

《名医别录》收载药数为何比“名医副品”多呢？这是因为《证类》中墨字药品（名医副品），是受365种数限制的缘故。陶弘景所定“名医副品”365种，是依附《神农本草经》载药365种数字而定的。陶弘景拘于《神农本草经》载药365种这一数字，就把名医增录多余的药物忽略不计了。

根据以上所述，“名医别录”一词在陶弘景作《集注》以前，是泛指名医在多种《本草经》中增录的资料。在陶弘景完成《集注》后，将名医在多种《本草经》中增录的资料汇集成册，即以“名医别录”为书名，传行于世。

三、《名医别录》基本内容

《名医别录》的基本内容有二：一是收录两汉魏晋以来名医常用的药物；二是

---

① 《新修本草》所引《名医别录》48条，其药名如下。

石龙蒭　芥　艾叶　天名精　石龙芮　恶实　蜣螂　槐实　地肤子　旋覆花　姑活　石灰　芸薹　豚卵　牡荆实　络石　防风　女青　梓白皮　白马茎　牛角䚡　牡狗阴茎　鸆屎　蠡鱼　露蜂房　蚱蝉　白僵蚕　蜚蠊　虾蟆　白颈蚯蚓　藕　大枣　梅实　赤小豆　白瓜子　垣衣　人乳汁　虎骨　獭　鹜肪　雀卵　鳝鱼　蜘蛛　田中螺　柿　荏子　贮根　雁肪（《新修》卷15谨案下引有《别录》云，《证类》卷10脱此文），此外陈藏器《本草拾遗》引天名精，肖炳引钓樟，《海药》引鲛鱼皮、龙脑、珂，《图经本草》引朴硝、旋覆花。

宋·唐慎微撰，《证类本草》（此指《重修政和经史证类备用本草》，简称《证类》），1957年人民卫生出版社影印元翻印本。

记载《神农本草经》药物新用途。

汉代以前用的药物，基本上都被收录在《神农本草经》中；两汉以后，到南北朝刘宋以前的药物，被收录在《名医别录》中，所以《名医别录》不仅增加了很多的新药，而且对《神农本草经》中的药物，在功用上亦有很大的发展，例如，甘草、橘柚止咳，枣仁止汗安眠，陈皮、半夏止吐，桑螵蛸止遗溺遗精，薏苡仁利水消肿，川楝子驱逐蛔虫等，这些药物的功用等内容比《神农本草经》的记载更加充实详备。

《名医别录》药物内容，包括正名、性味、有毒、无毒、主治病证、一名、产地、采收时月等。例如，艾叶，《名医别录》云："味苦，微温，无毒。主灸百病……一名冰台，一名医草。生田野。三月三日采，暴干。作煎，勿令见风①。"

本书还对有些药物的形态做了描述。例如石脾，《名医别录》云："黑如大豆，有赤文，色微黄，而轻薄如碁子②。"木甘草，《名医别录》云："大叶如蛇状，四四相值，但折枝种之便生③。"

本书有些药物条文，记有用量及用法。鲮鲤甲，《名医别录》云："以酒或水和方寸匕，疗蚁瘘④。"雀卵条，《名医别录》云："雀屎，和男首子乳如薄泥，点目中胬肉，赤脉贯瞳子上者，即消，神效⑤。"在鲮鲤甲、雀屎等条中，前者记有用量"方寸匕"，后者记有用法。

本书有些药物并附有方剂。例如"露蜂房"条，《名医别录》云："露蜂房、乱发、蛇皮三味合烧灰，酒服方寸匕，日二，主诸恶疽、附骨痈⑥。"蜘蛛，《名医别录》云："七月七日取其网，疗喜忘⑦。"

在此2条中，"露蜂房"条全同方子，在"蜘蛛"条中亦像方子。查《肘后方》卷6云："七月七日，取蜘蛛网着领中，勿令人知，则永不忘也⑧。"此方与本条相比，几乎相同。

---

① 《证类》卷9。

② 《证类》卷30。

③ 《证类》卷30。

④ 《证类》卷22。

⑤ 《证类》卷19。

⑥ 《证类》卷21。

⑦ 《证类》卷22。

⑧ 晋·葛洪撰，《肘后备急方》卷6，1955年商务印书馆版。

本书还记载了剂型及其制备方法。芥，《名医别录》云："丸服之，或捣为末，醋和涂之[1]。"槐实，《名医别录》云："以七月七日取之，捣取汁，铜器盛之，日煎，令可作丸，大如鼠矢，内窍中，三易乃愈[2]。"

本书药物多数有产地的记载。

蕙实，生鲁山（东周地名，今山东鲁山）。

城里赤柱，生晋地（东周国名，今山西境内）。

白辛，生楚山（东周地名，今湖北襄阳境内）。

麻伯，生平陵（春秋地名，今山西文水县）。

陵石，生华山（春秋地名，今陕西华阴）。

千岁虆，生太山（春秋地名，今山东泰安）。

合玉石，生中丘（春秋地名，今山东临沂）。

本书多数药有七情畏恶的记载。例如"前胡"条，有七情畏恶："半夏为之使，恶皂荚，畏藜芦。"陶弘景在前胡注中云："《本经》上品有茈胡而无此，晚来医乃用之。亦有畏恶，明畏恶非尽出《本经》也[3]。"

本书还记载了一些药物的炮制加工及禁忌等内容。

莽草，《名医别录》云："可用沐，勿令入眼[4]。"

辛夷，《名医别录》云："用之去心及外毛，毛射人肺，令人咳[5]。"

雷丸，《名医别录》云："赤者杀人[6]。"

牙子，《名医别录》云："中湿腐烂生衣者，杀人[7]。"

本书对药物鉴别亦有记载。例如钩吻，《名医别录》云："折之青烟出者名固活[8]。"石龙蒭，《名医别录》云："九节多味者，良[9]。"代赭，《名医别录》云："赤红青色如鸡冠有泽，染爪甲不渝者，良[10]。"

---

① 《证类》卷27。

② 《证类》卷12。

③ 《证类》卷8。

④ 《证类》卷14。

⑤ 《证类》卷12。

⑥ 《证类》卷14。

⑦ 《证类》卷10。

⑧ 《证类》卷10。

⑨ 《证类》卷7。

⑩ 《证类》卷5。

本书还记载一些兽医用药。例如及已，《名医别录》云："治牛马诸疮。"

四、《名医别录》的特点

第一，本书收录名医增录的药物，其中有很多药在古代文献中，是与《神农本草经》药物共存的，并无《神农本草经》和《名医别录》的区分。

前面讲过，古代《神农本草经》有很多种同名异书的本子。今日所讲的《神农本草经》，是指陶弘景选定载药365种的本子。其余的本子，包含有名医增录的资料，陶氏对这些资料，称为《名医别录》。其实这些书中所载的药物，在古代文献并不分为《神农本草经》药、《名医别录》药。

例如西汉·史游《急就篇·药名录》篇，载药32种[①]，其中有30种见录于《神农本草经》，有2种（艾、乌喙）见录于《名医别录》。

东汉·张仲景《金匮要略》和《伤寒论》中所用的药，见录于《神农本草经》的不少，见录于《名医别录》的亦很多。如桂枝、生姜、芒硝、粳米、香豉、白酒、苦酒、萎蕤、冬瓜、白前、艾叶、乱发、溺、竹茹、蜘蛛等，均见录于《名医别录》。

《史记·大宛列传》云："宛左右以葡萄为酒，富人藏酒至万余石，久者数十岁不败。俗嗜酒，马嗜苜蓿，汉使取其实来，于是天子始种苜蓿、葡萄肥饶地，及天马多，外国使来众，则离宫别观傍，尽种葡萄、苜蓿极望[②]。"其药见于《神农本草经》的有葡萄，见于《名医别录》的有苜蓿。《史记·司马相如列传》云："其东则有蕙圃""衡兰芷若[③]"。按《汉书音义》注："衡，杜衡。芷，白芷。若，杜若。蕙，薰草。"其中白芷、杜若见于《神农本草经》。蕙、杜衡见于《名医别录》。

从这些例子可以看出，《名医别录》中有很多药物，在古代文献中是与载药365种的《神农本草经》中的药物是共存的，同为医家、史家所应用，并不分《神农本草经》药、《名医别录》药。自从陶弘景集成《名医别录》后，才有《神农本草经》药和《名医别录》药的区分。今日人们已习惯性地把陶弘景选定载药365种的本子，定为《神农本草经》，把其余本子中增录的资料汇编成册，定为《名医

---

① 西汉·史游撰，《急就篇》，光绪五年福山王氏刻置家塾本。

② 西汉·司马迁撰，《史记·大宛列传》。

③ 西汉·司马迁撰，《史记·司马相如列传》。

别录》。

第二，《名医别录》，不仅收载名医增录的药物，亦收载《神农本草经》药的新用途。例如石灰，是《神农本草经》药物。《证类》卷5“石灰”条，是白字《神农本草经》文。但“石灰”条白字文中没有记载“疗金疮止血”等语，但《新修》注云：“《别录》及今人用疗金疮止血大效。”说明《名医别录》包括《神农本草经》药物新的主治功用。

第三，《名医别录》资料，原是名医在多种《本草经》中增录的，它们形成的时间是漫长的。最早可追溯到汉代，如《名医别录》中艾、乌喙，早在西汉·史游《急就篇·药名录》中就有记载。《名医别录》中的白前、蜘蛛等，在东汉·张仲景方中已成为常用的药物。最晚至南朝刘宋，例如《新修》注引《名医别录》云：“藕，主热渴，散血[①]。”藕的散血作用，据陶弘景说是南朝刘宋时所发现的。陶弘景在“藕实茎”条注云：“宋帝时，太官作血䘓，庖人削藕皮，误落血中，遂皆散不凝，医乃用藕治血多效也[②]。”郑樵《通志·昆虫草木略》[③] 所记同此。

第四，《名医别录》药物条文书写体例不同于类书。由于本书是陶弘景汇集的，书中药物条文经过陶弘景整理，其书写体例也不同于《初学记》[④]、《艺文类聚》[⑤]、《北堂书钞》[⑥]、《御览》[⑦] 等类书中药物条文的书写体例。

第五，本书中药物条文的书写体例与《神农本草经》药物条文的书写体例相同。但在叙述的文字方面还有轻微差异。有些文字是和《神农本草经》文字相仿，但有些药物文字却和方书文字相似。例如黄精，《名医别录》云：“味甘，平，无毒。主补中益气，除风湿，安五脏。久服轻身延年不饥。一名重楼，一名菟竹，一名鸡格，一名救穷，一名鹿竹。生山谷，二月采根，阴干[⑧]。”“黄精”条的文字，同《神农本草经》药物条文的文字很相似，但仅提少量的主治病证，并有“久服

① 《新修》卷17。

② 《证类》卷23。

③ 宋·郑樵撰，《通志·昆虫草木略》卷514，见《四部备要·史部》中华书局聚珍仿宋版印。

④ 唐·徐坚撰，《初学记》古香斋本。

⑤ 唐·欧阳询等著，《艺文类聚》，1959年中华书局据宋绍兴本影印本。

⑥ 唐·虞世南撰，《北堂书钞》，孔忠愍侯祠堂旧校影宋本，清光绪十四年（1888）南海孔广陶三十有三万卷堂刊本。

⑦ 宋·李昉等修纂，《太平御览》，上海涵芬楼影印本。

⑧ 《证类》卷6。

延年”的话，文字比较精练。而鲮鲤甲，《名医别录》云：“微寒。主五邪，惊啼悲伤。烧之作灰，以酒或水和方寸匕，疗蚁瘘[1]。”把鲮鲤甲和黄精比较一下，鲮鲤甲条，有具体用法用量“烧之作灰，以酒或水和方寸匕”这样的记述，都是方书的形式，《神农本草经》药物条文皆无此类文字。

第六，《名医别录》收载的药物数量比《神农本草经》365 种要多。像《新修》新增的药如珂、鲛鱼皮、芸薹等，其注文都援引《名医别录》资料注释，说明此类药必载于《名医别录》一书中，否则不会引用其资料作注。

第七，《名医别录》药物记载的内容比较广泛。除正名、性味、主治、一名外，还记有用法、用量、剂型、剂型制备、药物形态、产地、七情畏恶等。

其所记的药物在性味上，有很多与《神农本草经》是不相同的。例如芍药，《神农本草经》云“味苦，平”，《名医别录》云“味酸，微寒，有小毒”。当归，《神农本草经》云“味甘，温”，《名医别录》云“味辛，大温”。但《名医别录》所记芍药酸，当归辛，更切合实际。

在主治病证方面，《名医别录》所记内容，都以适用为主，很少提到“久服轻身不饥神仙”一类的话。至于其所记载的药物用量、用法、剂型、采制时月、阴干暴干，都是《神农本草经》所没有的。至于所记载的产地，《名医别录》更为完备。《名医别录》一书，从地名上看，上至先秦，下至东汉，各个时期地名皆有；从地名分布范围看，全国各地皆有。

第八，《名医别录》，是最早记载本草附方的文献。例如“露蜂房”条，《名医别录》云：“露蜂房、乱发、蛇皮三味合烧灰，酒服方寸匕，日二，主诸恶疽、附骨痈[2]。”这是一个完整的方子。

第九，《名医别录》药物条文很少掺杂道家思想。这一点与《神农本草经》不同。《神农本草经》上品药物几乎每个药物都有“久服不饥，延年，轻身，神仙”一类话，而《名医别录》药物条文中很少有这些话。

第十，《名医别录》中的药物虽为名医所记，但它是劳动人民同疾病做斗争的经验总结。例如牵牛子疗水肿，这种疗效是非常可靠而确实的，但这种疗效也是劳动人民发现的。所以陶隐居注云：“此药始出田野，人牵牛易药，故以名之[3]。”

---

① 《证类》卷 22。

② 《证类》卷 21。

③ 《证类》卷 11。

第十一，有些《名医别录》所记的药效，是现存文献中最早记载的。例如槟榔，《名医别录》云："杀三虫伏尸，疗寸白[①]。"寸白即今日绦虫，《名医别录》是现存文献中最早记载槟榔杀寸白虫这一功效的。

第十二，《名医别录》药物记的异名，比《神农本草经》要多。例如贝母，《神农本草经》只有1个异名，《名医别录》有5个异名。沙参，《神农本草经》有1个异名，《名医别录》有6个异名。苦参，《名医别录》有8个异名[②]。知母，《名医别录》有10个异名[③]。

五、《名医别录》的价值

临床实用价值。《名医别录》收录的药物，有很多药至今仍有实用价值，现在常用的药物有400种左右，其中近百种是出自《名医别录》。如桂枝发汗，牵牛子逐水消肿，百部、枇杷叶止咳，槟榔、榧子除虫，大蓟、小蓟止血，麦芽消食和中等。这些药至今依然是很重要的临床常用药。

本书保存古代民间流传的一些药物史料。如《新修》《证类》所载的"有名无用"类，就是从《名医别录》资料中累积起来的。这些药物，原先都是民间常用的药物，或由于他们疗效不可靠，为后世新药所代替，或由于他们失传，不被后人们所认识，仅在文字上有记载，后人称这些药为"有名无用"或"有名未用"。

历史价值。《名医别录》是继《神农本草经》之后，又一部有价值的本草学著作，是中国古代本草名著之一。中国本草学就是在《神农本草经》和《名医别录》这两部书的基础上发展起来的，所以《名医别录》有承先启后的作用。

《名医别录》是总结两汉魏晋时期的药物学专著。如果要研究这个时期药物学的成就和发展，《名医别录》会提供很重要的参考资料，因此，本书是我国药物研究的重要文献。

由于《名医别录》既是重要的本草文献，又具有一定的临床实用参考价值，所以古代图书目录都记载了该书。最早是《隋书·经籍志》载《名医别录》3卷，

---

① 《证类》卷13。

② 《证类》卷8苦参，《名医别录》云："一名地槐，一名菟槐，一名骄槐，一名白茎，一名虎麻，一名岑茎，一名禄白，一名陵郎。"

③ 《证类》卷8知母，《名医别录》云："一名女雷，一名女理，一名儿草，一名鹿列，一名韭逢，一名儿踵草，一名东根，一名水须，一名沈燔，一名薚。"

唐代《旧唐书·经籍志》《新唐书·艺文志》载《名医别录》3卷，宋·王应麟《玉海》和郑樵《通志·艺文略》载《名医别录》3卷。宋以后，未见史书艺文志著录此书，此书可能亡于宋代，但其内容，通过历代本草文献的转录和传抄，仍散存于各种本草文献和类书中。

六、辑复《名医别录》的意义

《名医别录》虽然和《神农本草经》一样，早已失传。但是《神农本草经》自南宋就有王炎整复它，它的序文尚存于王氏《双溪文集》中。到明代有卢复，清代有孙星衍、孙冯翼、顾观光、姜国伊、黄奭、王闿运，以及日本人森立之、狩谷望之志等，均辑录过《神农本草经》。而《名医别录》尚未有人去辑复它，是《名医别录》不重要吗？不！《名医别录》和《神农本草经》都是古典本草名著，岂能说它不重要呢？辑校者很早就留心于本草资料的收集，新中国成立后，在党的教育培养下，从事本草文献整复工作，于1964年春完成本书的辑校工作。

整复《名医别录》，究竟有什么意义呢？可从以下几个方面来谈这个问题。

第一，为了展现我国古代科学文化的光辉成就。《名医别录》是继《神农本草经》之后的名著，载药700多种，说明我国在魏晋时，在药物数量和主治功用方面，都有很大的发展。我们辑复《名医别录》一书，不仅说明了中华民族在人类文明史上有杰出的成就，同时也可以激励人们为我国科学事业的发展，作出新的贡献，在人类文明史上创造新的光辉成就。

第二，有助于深入系统地开展本草发展史的研究。如果要研究两汉魏晋时期本草发展概况，了解我国古代本草文献递嬗关系，目前尚无完整的本草书可供参考，《名医别录》的辑复，无疑将为此提供研究的方便。正如鲁迅为了研究中国文学史、小说史，感到史料不足，才花了很多时间做佚书辑复工作。鲁迅先后辑成《嵇康集》《唐宋传奇集》《会稽郡故书杂集》《古小说钩沉》等书，以为研究中国文学史、小说史作准备。从某种意义上来讲，辑复《名医别录》，就是为了让人们认识到《名医别录》承先启后的作用，了解晋代以前和晋代以后各种本草资料递嬗关系，为中药学史研究提供一些资料。

第三，从实用观点来看，整复本书有助于中医药学的发掘和整理。本书有很多药物，都是今日常用药，所记载的主治功用和疗效都是确实可靠的。如酸枣治心烦不得眠，牛膝治妇人月水不通，龙骨治汗出、夜卧自惊，吴茱萸治腹内寒痛等，至今仍在应用。

第四，辑复本书有助于对药物进行考证。我国地大物博，中药资源丰富，有很多药，在名称上虽然相同，但实物不一定相同。例如，治疗痢疾的白头翁，有10多种。如委陵菜、翻白草、秋牡丹、祁州漏芦、鼠曲草等，在全国不同的地方，都曾被当作白头翁用。又如前胡、佩兰、茵陈蒿等，都有很多同名异物，要弄清这些问题，必须要根据本草文献进行考证。

第五，整复本书有助于后世本草书籍的校勘。例如，不同版本的《纲目》，因刊刻舛误，把其中《神农本草经》《名医别录》标记弄得很混乱，或误以其他书的资料为《名医别录》，或误《名医别录》为其他书的资料。例如，麻蕡条有"利五脏，下血，寒气，久服通神明轻身"。《纲目》[①] 注为《名医别录》文，而《大观》[②]、《政和》[③] 注为《神农本草经》文。据此可证《纲目》注此文为《名医别录》属误。白及条有"除白癣疥虫"，《纲目》注为"甄权"文[④]，《大观》[⑤]、《政和》[⑥] 注为《名医别录》文。类似情况很多，详本书校记注。

---

① 明·李时珍撰，《本草纲目》卷22，1957年人民卫生出版社据1885年合肥张绍棠味古斋重校刊本影印。

② 宋·唐慎微，《经史证类大观本草》卷24，清光绪三十年（1904）武昌柯逢时影宋并重刊。

③ 宋·唐慎微，《重修政和经史证类备用本草》卷24，1921—1929年商务印书馆缩印金泰和刊本。

④ 同注①。《纲目》卷12。

⑤ 同注②。《大观》卷10。

⑥ 同注③。《政和》卷10。